W9-CJP-167

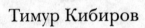

Тимур Кибиров

*Поэтическая
библиотека*

СЕРИЯ
ОСНОВАНА В 1993 ГОДУ

Тимур Кибиров

«Кто куда – а я в Россию...»

ВРЕМЯ

Москва
2001

ББК 84Р7-5
К38

Кибиров Т.

К38   «Кто куда — а я в Россию...» /Сост. Т. Кибиров. М.: Время,
2001. — 512 с. — (Поэтическая библиотека).

ISBN 5-94117-025-4

Эта книга – итоговый на сегодняшний день сборник Тимура Кибирова, одного из самых ярких поэтов поколения сорокалетних,
лауреата Пушкинской премии. Уже в конце 80-х определилась важ-
нейшая особенность поэтического мышления Кибирова, соединя-
ющего изощренную интеллектуальную игру (цитаты, аллюзии,
тонкие пародийные ходы) с пронзительным исповедальным ли-
ризмом. Претерпев множество испытаний и поражений, в пору
своего «некруглого» юбилея (сорокапятилетия) «лирический герой» остается верен главному — любви и свободе. Это позволяет
ему принимать нашу всем знакомую «пеструю» жизнь с радостной
благодарностью.

ББК 84Р7-5

ТИМУР ИЗ ПУШКИНСКОЙ КОМАНДЫ

В сборник «Улица Островитянова» (1999) Тимур Кибиров, к тому времени поэт с устойчиво высокой репутацией, включил странное стихотворение. Открывается оно закавыченными строчками, а заканчивается признанием: «Вот такие вот пошлости / я писал лет семнадцать назад». И даты: 1982—1999. В 1982 году Кибирову было 27 лет (он уже пережил Лермонтова). Его тогдашние стихи — самые ранние из нам известных, — удивляют сочетанием безусловного мастерства (раритетный размер — нерифмованный анапест; имитирующий нервную спонтанность, сбой метра в седьмой, несущей «главный смысл», строке; игра с синтаксисом; изящная инструментовка) и не менее безусловной банальности. Сам поэт предпочел более обидную характеристику. Встает вопрос: зачем надо было отбивать хлеб у будущих исследователей, вытаскивать из стола вирши, что теперь вызывают раздражение? Для того чтобы расподобиться с «собой прошлым», сообщить тем, кто и знать не знает о чувствах семнадцатилетней давности, как все стало иначе? Бывают, конечно, всякие причуды, но настойчивость, с которой Кибиров обращается ко временам своей молодости (юности, отрочества, детства), заставляют искать другое решение.

Тот же сборник открывается вариацией бодлеровско-цветаевского «Плавания» — «Памяти любимого стихотворения»:

> Для отрока, в ночи кропающего вирши,
> мир бесконечно стар и безнадежно сер.
> И правды нет нигде — ни на земле, ни выше,
> и класс 9-й «А» тому живой пример.

Поздние школьные годы, время открытия в себе «поэта» со всеми вытекающими отсюда ультраромантическими последствиями, вроде эгоцентризма, отверженности, богоборчества и внеморального эстетизма, всплывают в стихах Кибирова часто. В «Летних размышлениях о судьбах изящной словесности» (1992) он восклицает:

> ...Ведь сказано — нет книги
> безнравственной, а есть талантливая иль
> не очень — голубой британец так учил.
> Я ж это понимал еще в девятом классе!
> А нынче не пойму...

Еще жестче — в «Солнцедаре» (1994):

> Исчерпавши по политработе знакомый
> воспитательных мер арсенал,
> «Вот ты книги читаешь, а разве такому
> книги учат?» — отец вопрошал.
>
> Я надменно молчал. А на самом-то деле
> не такой уж наивный вопрос.
> Эти книги — такому, отец. Еле-еле
> я до Пушкина позже дорос.

Дорастать пришлось долго: «вдруг» припомнившиеся Кибирову стихи 1982 года сущностно — при всем их формальном совершенстве! — не далеко ушли от неведомых нам сонетов, «вирелэ, вилланелей, секстин, / и ронделей, и, Боже Ты мой, триолетов, / и октав, и баллад, и терцин», которыми тешился вдохновенный тинейджер в начале 70-х. «Долгий путь познания», вместивший окончание школы, первый опыт студенчества, армию, возвращение на гражданку, не мог развеяться дымом. Зрелый Кибиров многажды обрушивался на «дурнопьяный Серебряный век», но в том же «Солнцедаре» счел должным сделать принципиальную оговорку, подав ее в нарочито нейтральной манере, словно только ради «исторической объективности»:

> Впрочем, надо заметить, что именно этот
> старомодного чтения круг
> ледяное презрение к власти Советов
> влил мне в душу.

И дальше, вслед за впечатляющей картинкой позднесоветской «культуры», того приторного, обволакивающего, словно бы и не агрессивного, но неодолимого дурмана, что незаметно растлил столь многих людей кибировского поколения (и, что всего печальней, по сей день не рассеялся), после напоминания обо всей этой взвеси из эстрады, «разрядки», запахов тайги и литгазетного вольномыслия:

> И когда б не дурацкая страсть к зоргенфреям,
> я бы к слуцким, конечно, припал.
> Что, наверно, стыдней и уж точно вреднее,
> я же попросту их не читал.
>
> Был я юношей смуглым со взором горящим,
> демонически я хохотал
> над «Совдепией». Нет, я не жил настоящим,
> Гамаюну я тайно внимал.

Иронии здесь достаточно. Цитата из брюсовского манифеста готовит пародийный «антиманифест» «Улицы Островитянова» («Первое дело — живи настоящим, / ты не пророк, заруби себе это»). Эпиграмматический выпад против большого поэта с трагической судьбой излишне резок. (Такое случалось с Кибировым не раз. Но следует помнить о том, что строки, задевающие Слуцкого, Самойлова, Евтушенко, Кушнера, Рубцова и т. п., выходили из-под пера поэта, а не историка словесности; а еще о том, что обретение своего голоса невозможно без «литературной злости», увы, много чем чреватой.) Не говорим уж, что о «Гамаюновых» искушениях весь «Солнцедар» и писан. Все так, но... Но смешной юнец, сгусток «молодежных комплексов», почти пародийный (впрочем, судим мы по автопортретам) провинциальный «открыватель велосипедов» и «повелитель бурь», кажется, уже в те баснословные годы проникся мыслью о единстве поэзии и свободы. Пусть это была «свобода от...», пусть пришла она «не в том» обличье (другие не лучше!), пусть потом Кибиров излечился от инфантильной взвинченности и многократно ее осудил, пусть на долгие годы «антиромантизм» и апология простых домашних («мещанских») радостей стали его «фирменными знаками» (многим казалось, что это и есть credo поэта), пусть... «И все-таки — свобода есть свобода, / как Всеволод Некрасов написал». А Кибиров в своем последнем сборнике — повторил. Иронично, с болью, памятуя о «пригорках и ручейках», но уверенно.

Потому-то пропустивший через себя всю русскую поэзию (буквально: от былин до Бродского) и естественно ставший «пушкинианцем», Кибиров сохранил благодарность к смешным «зоргенфреям». Потому, читая многочисленные «антиблоковские» стихи Кибирова, понимаешь, что дерзнуть на них мог только человек, некогда открывший в себе возродившегося певца Прекрасной Дамы. Потому столь важна для Кибирова блоковская стратегия «лирического романа», а мы воспринимаем череду его сборников как свод свидетельств о жизни и судьбе поэта, где при быстрой смене «обстоятельств места, времени и образа действия» постоянно присутствует знакомое лицо. Потому не одна тяга к «ретроспекциям» заставила Кибирова обнародовать стишки семнадцатилетней давности. Те, с которых разговор начался.

> Для того, чтоб узнать,
> что там есть,
> за полночным окном —
> надо свет потушить...

И так далее. Здесь способность ощутить старую боль, старый соблазн, старую тоску во всей их силе, которую не одолеешь ни «жизненным опытом», ни «культурой», ни «благими намереньями». Ощутить, выговорить без стеснения — и не поддаться. Остаться собой — не «тогдашним» и не «теперешним», а просто собой.

* * *

В первых, ставших известными за пределами узкого круга, стихах Кибирова «личного» почти не было. Печататься в СССР они начали в 1988 году, как говорили тогда, «в рамках гласности», и поражали полным отказом от норм свыше дозволенного словоговорения. Диссонанс этот не был тайной для поэта, озаглавившего один из разделов своего рукописного сборника «Рождественская песнь квартиранта» (1986) сакраментальной партийной формулой. «В рамках гласности» (кибировской) — это, в частности:

> Но мчится сухогруз, суля
> крушение, но пахнет йодом,
> но Припяти мертвеют воды,
> мертвеет Соколов-Скаля.
>
> И пустота, пустырь, голяк.
> И на корню хиреют всходы.
> Напрасны новые методы,
> напрасна зоркость патруля.
> Пока осквернена земля —
> не переменится погода!

Или:

> Поверь, я первый встану на защиту!
> Я не позволю никого казнить!
> Я буду на коленях суд молить,
> чтоб никому из них не быть убиту!
> . . . .
>
> Скорей, скорей, друзья,
> Организуйте Нюренберг, иначе
> не выжить нам, клянусь, не выжить нам!
> За липкий страх, за непомерный срам...
> Клянусь носить им, гадам, передачи.

В 1986-м публикация таких строк была невозможной (зато вполне возможной была месть власти зарвавшемуся писаке), но и «типографские» прорывы Кибирова в 1988—1989 годах виделись именно прорывами. Когда в стремительно десоветизирующейся Латвии газета «Атмода» напечатала фрагменты из послания Л. С. Рубинштейну, автора клеймили в самой «Правде». Конечно, времена менялись, а потому дело шили не за антисоветчину (которой в послании было выше крыши), а за «ненормативную лексику». Конечно, история эта, немало способствовавшая популярности поэта, раскручивалась без азарта и тихо сошла на нет. (Кстати, не было тогда уверенности, что «все образуется».) Но факт есть факт: и, досягнув печати, Кибиров оставался «непечатным». В предисловии к своей первой книжке «Общие места» (1990)* поэт опасался: «Мне странно и немного тревожно представить свои стихи опубликованными. Вырванные из своего контекста, лишенные ореола запретности, потерявшие социальную остроту (которая была для них не только этической, но и эстетической характеристикой), они могут вызвать упреки в конъюнктурности». Зря боялся. Ореол запретности исчез, но никуда не делся «интеллигентский дискурс», сочетающий надрывный пафос и «умудренную» иронию, но не способный обойтись без «белого фрака» и универсальной формулы «все сложнее».

Кибиров, напротив, знал, что «все просто», а сам он «один из многих». Речение «Общие места» приглянулось ему не слу-

---

* Мало кто помнит этот раритет, а потому он достоин описания. В выходных данных значилось: Тимур Кибиров. Общие места. Александр Хабаров. Спаси меня! Владимир Смык. Встречи. Александр Росков. Стихи из деревни. М.: Молодая гвардия, 1990. Четырем (!) ни в чем не сходным стихотворцам (плюрализм как есть) было даровано аж 100 страниц (меньше пяти печатных листов). Тираж по советским временам гляделся издевательским (приближался к тиражам постсоветским) — 3500 экз. Произведен этот памятник был не либеральным «Советским писателем» и не стремившимся его перелибералить «Московским рабочим», а угрюмо-почвенной «Молодой гвардией». Напутственное послесловие (полторы страницы с двумя цитатами из Розанова) написал «молодой критик» Павел Горелов, недавно прославившийся нападками на Пастернака и Бродского и бравировавший своей «одиозностью». Да, в интересные времена мы жили!

чайно. В нем намертво сцепились «места общего пользования» (от столовки и сортира до КБ и университета) и «ходячие истины», всем доступные, многими втайне принятые, кое-кем «преодоленные», ищущие голоса, что сделает их явными. Людям потребны реальные «общие места», а не их выморочные советские эквиваленты.

Могут возразить, напомнив, с какой ненавистью пишет Кибиров об «общих местах», их порабощающей силе, о жадной пустоте, таящейся под покровом житейской (антижизненной) обыденности.

> Я читаю Мандельштама.
> Я уже прочел Программу.
> Мама снова моет раму.
> Пахнет хвоей пилорама.
> Мертвые не имут сраму.
> Где мне место отыскать?
> Где отдельное занять?

Страшно? Мерзко? Тоскливо? Еще бы! Как страшно в «Лесной школе» (1986), где правит бал «Царь Лесной, председатель тайги! / С ним медведь-прокурор да комар-адвокат, / и гадюки им славу свистят!»

Как страшно в «Буране» (1986), где «бесконечны, безобразны вьются бесы разны и идут, идут Двенадцать / с Катькой разбираться».

Как страшно в царстве энтропии, готовой не токмо схрумкать эпоху («Ты проходишь, Власть Советов, / словно с белых яблонь дым»), не токмо опошлить (и тем уничтожить) прежние порывы («И на Сталина войною, / и на Берию войной! / Вслед за партией родною, / вслед за партией родной!»), но и свести на нет всю жизнь («И хоть стой, хоть падай, Лева! / Хоть ты тресни — хоть бы что! / Все действительно фигово. / Все проходит. Все ничто»). Да уж, не случайно так часто поминаются пушкинские «Бесы»:

> По долинам и по взгорьям,
> рюмка колом, комом блин.
> Страшно, страшно поневоле
> средь неведомых равнин.

Страшно на том самом, невесть что сулящем, русском просторе, где «то березка, то рябина, / то река, а то ЦК, / то зэка, то хер с полтиной, то сердечная тоска». (Л. С. Рубинштейну, 1987).

И не легче, оттого что в круговерть втянуты все-все-все. Включая Пушкина.

Страшно. Но воспитанник «Лесной школы», обреченно схожий с ее прочими обитателями («Где тут водка у вас продается, пацан? До чего ж ты похож на отца!.. / Улялюм, твою мать, не увидишь конца. До чего ж я похож на отца!»), рвется из ее объятий:

> Да мы молимся пням, да дубам, да волкам,
> припадаем к корявым корням.
> Отпустите меня, я не ваш, я ушел,
> елы-палы, осиновый кол...
>
> И, дощечки достав, я сложу их крестом,
> На утесе поставлю крутом.
> Крест поставлю на ягодных этих местах,
> на еловых, урловых краях.

Худо получается — слишком крепок и притягателен лесной обычай:

> Так открой же, открой потемневший Свой Лик,
> закрути, закрути змеевик!
> И гони нас взашей, и по капле цеди,
> и очищенных нас пощади!..
>
> Но не в кайф нам, не в жилу такой вот расклад,
> елы-палы, стройбат, диамат!
> Гой еси, пососи, есть веселье Руси,
> а Креста на ней нет, не проси.

Только это не итог. Ни ерничанье, ни проклятья, ни рывок в никуда не могут избавить юродивого героя от сопричастности мороку «Лесной школы», от ответственности за нее.

> О спасибо, спасибо, родная земля,
> о спасибо, лесные края!
> И в ответ прозвучало: «Да не за что, брат,
> ты и сам ведь кругом виноват».

(Сколько раз Кибиров еще упрется в этот ответ! И будет признавать его правомочность.) Только ощущая свою вину, можно сохранить надежду на перевоплощение героя (из дурачка в царевича) и его лесного мира («райские» сны в «Буране» и послании Рубинштейну, конечно, обманчивы, но к обману не сводятся — нет России без Китежа).

> И ворую я спички, курю я табак,
> не ночую я дома, дурак!
> И спасибо, спасибо, лесная земля!
> Бог простит вас, родные края!
>
> И валежник лежит, и Джульбарс сторожит,
> вертолет все кружит да кружит.
> Но соленые уши, пермяк-простота
> Из полена строгает Христа.

Ярость неотделима от жалости. Поэт помнит, Кто велел возлюбить ближнего, как самого себя. И о том, что нет на земле безгрешных, тоже помнит. Потому так сострадает он «противным» героям «общих мест», потому — не желая простить власть советов — он, глядя на ее корчи, не может сдержать слез. И восторга от катастрофы не испытывает, понимая: восторг здесь — орудие духа зла. Как и недалекое от эйфории отчаянье. Другое нужно: «Тянет, тянет метастазы, / гложет вечности жерлом. / И практически ни разу / не ушел никто живьем. // И практически ни разу... Разве что один разок / эта чертова зараза / вдруг пустилась наутек!»

Лик Христа возникает в финале «Лесной школы»; в «Буране», которому предпосланы строки Владимира Соловьева «Смерть и Время царят на земле. / Ты владыками их не зови», во сне замерзающего героя воскресает его дедушка. Пасхальный гимн венчает послание Рубинштейну: «В Царстве Божием, о Лева, / В Царствии Грядущем том, / Лева, нехристь бестолковый, / спорим, все мы оживем!»

Это с Кибировым останется. В последнем стихотворении «Интимной лирики» (1998) поэт, вслед создателям Козьмы Пруткова, будет убедительно и весело отговаривать «престарелого юнкера Шмидта» от решений в духе Ивана Карамазова и Марины Цветаевой («Вынимает пистолет / он на склоне лет, / чтоб Творцу вернуть билет»). Все ведь просто, календарь (вопреки Грибоедову) не врет: «Дело в том, что скоро Пасха! / В самом деле скоро Пасха! / Сплюнь три раза, вытри глазки! / Смирно! / Шаго-о-м / арш!» Как тут не вспомнить давнее заклинание: «вытри очи... / вытри сопли... / вытри очи...» (Послесловие к книге «Общие места»). Пройдут годы и, отмечая некруглый юбилей, «лирический герой» выговорит своему (и нашему) супостату с подобающей прямотой:

Не хочу умирать – и не буду!
Накось выкусь! Нашло дурака!
А пошло бы ты на хрен отсюда,
ты мне, падло, давно не указ.

. . . .

Князь ли мира сего ты, Отец ли
всякой лжи – а по мне ты говно!
И надежнее всех дезинфекций
галилейское это вино,

что текло по усам, не попало
в искривленный ухмылкою рот.
Но и этого хватит, пожалуй.
Не умру. И никто не умрет.

14

«Никто не умрет» – принципиально. Как и то, что потерявшее свое жало ничтожество, Кибирову не указ давно. Иное дело, что рот искривлен усмешкой, а галилейское вино и по усам течет (кто скажет, что не пролил ни капли?); иное дело, что кибировские поиски Абсолюта (сам поэт не раз шутил с этим словом, удачно использованным производителями популярной водки), попав в позднеперестроечный контекст, могли восприниматься совсем не так, как хотелось поэту. На исходе 80-х, когда опубликованные стихи нежданно совпали как с полуказенным вольномыслием, так и с разрешенным ерничеством (Кибирова прописывали по ведомству соцарта, искусства глумливой ностальгии, позднее, в 90-х, принесшего много зла), в эту самую развеселую пору «входящий в моду» автор «Лесной школы», посланий к Рубинштейну и художнику Файбисовичу, поэмы «Сквозь прощальные слезы» (она и представительствует в нашем сборнике за всего «раннего Кибирова») решил совершить резкий маневр.

* * *

«Новый» период начинался книгой с демонстративным заголовком «Стихи о любви» и еще более демонстративным манифестом «От автора»: «В общем так – начинай перестройку с себя. / А меня ты в покое оставь!» «Гражданственный стих» – удел конъюнктурщиков, с коими рядом поэту стоять не пристало. «А что Ленин твой мразь – я уже написал, / и теперь я свободен вполне! / И когда бы ты знал, как же весело мне / и каким беззаботным я стал!»

Человеческий импульс понятен. Да и собственно поэтический – жажда обновления – тоже. Но была здесь сильная натяжка: получалось, что прежде Кибиров был только политиком, а о любви не писал. Получалось, что раньше не хватало ему внутренней свободы, что не знакома была клейкая зелень, что не видел он цвета любимых волос и небес, что слагал прежние свои песни как бы из-под палки, так сказать, «по велению гражданского долга».

«И некрасовский скорбный анапест менять / на набоковский тянет меня». Это автополемика с последней главой поэмы
«Сквозь прощальные слезы»:

> Мне б злорадствовать, мне б издеваться
> Над районным культуры дворцом.
> Над рекламой цветной облигаций.
> Над линялым твоим кумачом
> . . . .
>
> Над вестями о зернобобовых,
> Над речами на съезде СП,
> Над твоей сединой бестолковой,
> Над своею любовью к тебе.
>
> Над дебильною мощью Госснаба
> Хохотать бы мне что было сил –
> Да некрасовский скорбный анапест
> Носоглотку слезами забил.

Но в том и дело, что «некрасовский» анапест неотделим от «на-
боковского». Отвяжись, я тебя умоляю – строчку из обращенного
к России трагического стихотворения «свободного артиста» Кибиров прежде поставил эпиграфом к первой «Рождественской ал-
легории» (1986) и вмонтировал в ее текст. Несчастная пьющая тетка, протрезвев и причепурившись, ждет новогодних гостей: «Но
не будет подарков тебе никаких, / морда пьяная, рыло дурное! / На
погосте маманя, на нарах жених, / вены вздулись под старым кап-
роном. // Что ж сучара ты ждешь, что блядища глядишь, / улыбаешься, дура такая? / На-ка, выкуси шиш, отвяжись, отвяжись, / не
дыши на меня, умоляю». Надо ли объяснять, что страхолюдину эту
Кибиров любит – и нет в любви границы меж «некрасовским»,
«набоковским» и единящим их «блоковским» началами. Через че-
тырнадцать лет поэт почти так же скажет о другой бабище – России: «Так вольготно меж трех океанов / развалилась ты, матушка-
пьянь, / что жалеть тебя глупо и странно, / а любить... да люблю я,
отстань». Здесь слово «люблю» и не прячется.

Да разве прятал его Кибиров когда-нибудь? И разве когда-нибудь писал он о России, не отождествляя ее с возлюбленной? Шуточки с пародийно фрейдистским акцентом над блоковской формулой «Русь-жена» делают еще более явным подчиненность Кибирова этой мифологеме, неотделимой от другой, тоже блоковской, из «Грешить бесстыдно, непробудно...» («Да, и такой, моя Россия...») Свою «обреченность Блоку» поэт обыгрывает в одном из поздних стихов: уподобив Россию не матери, жене или бабушке, а теще, он резюмирует: «Что мне в тебе? Ни аза, ни шиша. / Только вот дочка твоя хороша, / не по хорошу мила. / В Блока, наверно, пошла».

Потому-то все кибировские книги либо посвящены Прекрасной Даме, либо рисуют ее пленительный образ. Потому-то эротика без «небесного отсвета» не способна защитить от энтропии. Потому-то поэма «Сквозь прощальные слезы» начинается обращением к любимой, а заканчивается молитвой: «Господь, благослови мою Россию, / Спаси и сохрани мою Россию, / В особенности Милу и Шапиро». Любовь одна – к женщине, к друзьям, к России, к миру. И не может одолеть ее ужас русской истории XX века – «рыдающей» последней главе («Все ведь кончено. Нечего делать. / Руку в реку. А за руку – рак») предшествует «Лирическая интермедия»: «Там и холодно и страшно! / Там прекрасно! Там беда! / Друг мой, брат мой, ночью ясной / Там горит моя звезда». Та самая, к которой стремил взгляд поэт из пустоты и темноты «общих мест». Та, что меж иных-прочих светит в ночи послания Рубинштейну. Та, что горит-сияет в «Прелюдии» к «Интимной лирике». Та – из Тютчева, из Анненского, из забубенного романса... Дразнящая, обманчивая, родная. При свете которой только и можно жить – любить и просить прощения.

Спаси, Господь, несчастного Черненко!
Прости, Господь, опасного Черненко!
Мудацкого, уродского Черненко!

17

Ведь мы еще и глупы и молоденьки,
И мы еще исправимся, Иисусе!

Господь! Прости Советскому Союзу!

Если эти стихи не о любви, то о чем же? И куда может уйти поэт от такого чувства? Кибиров и не ушел. Никакой «деполитизации» стихов в конце 80-х не произошло. Во-первых, потому что сам «жест разрыва» был отчетливо идеологичен. Во-вторых, сюжетные вещи («Баллада о деве Белого плеса», «Баллада об Андрюше Петрове», в какой-то мере и «Элеонора»), может быть, помимо воли автора, читались в соцартовском ключе. В-третьих, в самой напряженной лирике (первый из «Романсов Черемушкинского района», «Баллада о солнечном ливне») вспыхивали знаковые «политические» клише. В-четвертых, прямо вослед наиболее «дистиллированным» «Стихам о любви» шли развивающие их «Сантименты» (1989) с «Эпистолой о стихотворстве» (где отказ от «дозволенной гражданственности» вновь утверждал неразрывную связь поэзии, свободы и человеческого достоинства), «Русской песней» (комментарии излишни) и апокалиптическим «Воскресеньем».

И «Стихи о любви», и «Сантименты», и «Послание к Ленке...» (1990) доказывают, что от обжигающего (либо замораживающего) дыхания современности не защищают ни светлый эрос («Романсы Черемушкинского района»), ни трогательные воспоминания (именно об эту пору Кибиров, не переставая быть лирическим героем в лермонтовском духе, «голосом поколения» начинает вводить в стихи свою «реальную» биографию), ни культ «домашнего уюта», несколько англизированной приватности (через отрицание это сделано в «К вопросу о романтизме», впрямую – «Посланием Ленке»). Канун последнего десятилетия XX века был временем неопределенным, а потому – страшным. И, пожалуй, никогда Кибиров не был так мрачен, как в «Воскресенье», в послании к Гандлевскому, «Заговоре». Ладно, неуместность поэта в «новых временах» – все-таки «жрецам гармоньи не пристало / безумной черни клики слушать». Но что делать с собственной причастностью ко все длящемуся (и готовому набрать обороты) российскому кошмару? Мы ведь здесь не чужие, и расплата нас не минует. Стишками не закроешься, и с женой на кухне не пересидишь. Суд идет. «Он не сможет простить. Он не сможет простить, / если Бог, – он не может простить / эту кровь, эту вонь, эту кровь, этот стыд. / Нас с тобой он не может простить».

Легко опровергнуть Кибирова богословски. Но чего бы стоили все прежние и будущие надежды поэты, его молитва за Черненко (и всю коммунистическую рать, воплотившуюся во властительном маразматике), его любовь к грешным и павшим, его открытие простых радостей, его мечта о свободе, – не переживи он ночного ужаса, не скажи о призраках отчаяния, забудь он о той тьме, что готова хлынуть на наши повинные головы? И чего стоила бы его верность поэзии, не испытай он того приступа отвращения от «обессмысливающейся» словесности, что надиктовал «Литературную секцию».

> Так какая же жалкая малость,
> и какая бессильная спесь
> эти буковки в толстых журналах,
> что зовутся поэзией здесь!
>
> Нет, не ересь толстовская это,
> не хохла длинноносого бзик –
> я хочу, чтобы в песенке спетой
> был всесилен вот этот язык!
>
> Знаю, это кощунство отчасти
> и гордыня.
> Но как же мне быть,
> если, к счастью – к несчастию – к счастью,
> только так я умею любить?
> . . . .
>
> На фига же губой пересохшей
> я шепчу над бумагой: «Живи!»,

задыха... задыхаясь, задохшись
от любви, ты же знаешь, любви!

Сладко мечтать о том, чтобы будущий сын твой стал «инженером, или врачом, или сыщиком» (а не поэтом). Горько (но и сладко) распознавать сходство своих помыслов с бзиками Толстого и Гоголя. Сладко (и горько) отрекаться от поэзии и тут же неведомо у кого вымаливать право на еще одну книжку, на последнюю попытку. И никуда от этой сладости-горечи не деться. При любых закатах и расплатах. Так было с Кибировым раньше («Знал бы я, что так бывает. / Знал бы я – не стал бы я...») – так будет и потом, когда он, примерившись к «иной карьере», вновь процитирует Пастернака : «Знал бы прикуп – жил бы в Сочи. / Но, пускаясь на дебют, я не знал, что эти строчки, / эти с рифмами листочки / так жестоко бьют // по мордасам, по карману / и, что вовсе уж погано, / рикошетом по роману, / по любви святой. // Ой-е-е-е-ей!» («Сальерианское», 2000).

* * *

Оплакав и высмеяв в «Литературной секции» свою участь – участь поэта, Кибиров при ней остался. У него хватило мужества быть поэтом в 90-е, в эпоху, когда под флагом ложно трактованных принципов свободы (сводимой к плоскому гедонизму и себялюбию) и демократии (сводимой к тупому эгалитаризму) шла перманентная атака на поэзию как таковую. Смерть Бродского была воспринята влиятельной частью культурного сообщества не без удовлетворения: грустно, но своевременно; больше «гениев» у нас не будет; разве что Дмитрий Александрович Пригов, великий, ужасный и каждодневно «поэзию» отменяющий.

Кибиров (разумеется, не он один) отменить себя не позволил, но дались ему «новые времена» не просто. Порукой тому интервал между «Посланием к Ленке...» и «Парафразисом», вобравшим сочинения 1992–1996 годов. Ни раньше, ни позже книги Кибирова не складывались так медленно. Разумеется, надо сделать скидку на издательский кризис начала 90-х, но не менее важно свидетельство автора о едином (не до конца воплощенном замысле) «Парафразиса» – внешне самого гармоничного и счастливого из кибировских сборников. Это чувство счастья (семейного и домашнего) неотделимо от окрепшей веры в себя как поэта.

Открывающие книгу «Летние размышления о судьбах изящной словесности» писаны благородно торжественным «русским александрийцем», шестистопным ямбом с цезурой и парной рифмой. «Высоким слогом» повествуется о низких материях – нехватке денежных средств. Уже в первых строках смыкаются резкий физиологизм («овчарка какает» – отметим игру на стыке слов) и нарочито поэтичное речение («А лес как бы хрустальным сияньем напоен» – оборот «как бы», фонетически откликаясь на «акцию» собаки, отсылает к Тютчеву). Возникает, однако, не диссонанс, а новая гармония. Старинный стих, велеречивый слог и легко распознаваемые цитаты «расколдовывают» суетную «реальность». При такой подсветке она кажется не столько зловещей, сколько смешной. «Проект» автора – достигнуть славы и богатства путем написания «лотошного» романа – опровергается по мере собственного развертывания. Список романов столь комичен, что просто не может стать «реальностью». Эта такая же фикция, как сгинувшая «советчина». Смех сильнее страха, а того сильнее чувство избранности «богом Нахтигалем»:

> ... для того ли
> уж полтораста лет твердят – «покой и воля» –
> пииты русские – «свобода и покой»! –
> чтоб я теперь их предал? За душой
> есть золотой запас, незыблемая скала...
>
> И в наш жестокий век нам, право, не пристало
> скулить и кукситься. Пойдем. Кремнистый путь
> все так же светел...

Пушкин, Мандельштам, Лермонтов, Тютчев (список хочется длить и длить) делают волшебной обыденную реальность. Только при свете поэзии и можно жить. И ощущать блаженство от скромного «быта», чувствовать себя в замызганном Шилькове – вельможным Державиным, что благорастворяется в «жизни званской».

«Блажен, кто видит и внимает...» Собственно «Парафразис» (заглавное стихотворение книги) начинается с отсыла к двум равно важным текстам – первому псалму Давида («Блажен муж, который не ходит на совет нечестивых...») и второму эподу Горация («Блажен тот, кто, суеты не ведая, / Как первобытный род людской, / Наследье дедов пашет на волах своих»). Русские поэты, по-разному варьируя эти высокие образцы, словно соединяют духовный порыв царя-псалмопевца и ироничную, насквозь мирскую, мудрость римского классика. Кибиров, продолжая традицию, ведет речь о человеческой предназначенности свободе и счастью. Вновь и вновь повторяя заветное «блажен», исчисляя одоленные страхи и живые радости, купаясь в почти божественной жизни, он кажется чуть ли не восторженным простаком, покуда не гремит взрыв: «Феб светозарный с неба пышет. / Блажен, кто видит, слышит, дышит, / счастлив, кто посетил сей мир! // Грядет чума. Готовьте пир». Предпоследняя строка – из тютчевского «Цицерона». Та самая, в которой на место странно звучащего «счастлив» память обычно подсовывает «блажен». Та самая, что связывает счастье с «минутами роковыми», отзывающимися у Кибирова пушкинским (и пастернаковским) «Пиром во время чумы». Значит видимостью был обретенный рай? Ворвались-таки «бури гражданские» в мирное гнездышко? Но разве нет внутренней правоты в мужестве Тютчева? Или Пушкина, перелагавшего английскую трагедию в холерном карантине? Или Пастернака в пору «Второго рождения»? Счастье хрупко, но не перестает быть счастьем. Полная благость не здесь, а пир можно (и должно) видеть не поблажкой людской слабости, но защитой своего «я» перед лицом злобной энтропии.

В «Парафразисе» много по-настоящему светлых стихов, но тревоги ничуть не меньше. Чем теплее и радостнее, тем ощутимее чувство опасности. «...Аж страшно за этот денек... Слишком уж хочется жить. Чересчур / хочется жить... Дайте срок, только дайте мне срок... / Что тут поделаешь – холодно стало». И даже в умиротворенно расслабленных, хмельных стихах («Отцвела-цвела черемуха-черемуха...») вдруг возникает тень Ходасевича, быть может, самого скорбного и скептичного русского поэта, тоже, впрочем, чувствовавшего вкус земных благ, написавшего чудесную книгу о жизнелюбце Державине, а потому способного «выслушать» аргументы собрата: «Зелень-мелень, спирт «Рояль» разбавлен правильно. / Осы с мухами кружатся над столом. / Владислав Фелицианович, ну правда же, / ну ей-Богу же, вторая соколом!» Так все, так, но только: «Чому ж я не сокил? Тому ж я не сокол, / что каркаю ночь напролет, / что плачу и прячусь от бури высокой...» (той самой, тютчевской).

Восхищаясь гармоничным строем «Парафразиса», его по-державински теплой плотью, его задушевностью («Колыбельная для Лены Борисовой» — кажется, светлее написать невозможно), надо помнить о неизбывной кибировской тревоге. Стоит помнить и о том, что между вызвавшими всеобщее восхищение «Двадцатью сонетами к Саше Запоевой» (отчаянной любви Бродского к недостижимой — затерянной в истории, обернувшейся статуей, мельканием кинокадров, сцеплением «чужих слов» — «Марии Стюарт», единственному эквиваленту еще более недостижимой, навсегда утраченной избранницы, стала простая отцовская любовь к «обыкновенной», а потому совершенно прекрасной девочке, любовь, которой сколь угодно обильная цитатность не в помеху) и веселой, тоже к дочери обращенной, поэмой «Возвращение из Шильково в Коньково» с ее улыбчивой «педагогичностью» («Так люби же то-то, то-то, / избегай, дружок, того-то, как советовал один / петербургский мещанин...»), между этими двумя победительными идиллиями помещена страшная «История села Перхурова». «Петербургский мещанин» давал славные наставления сыну приятеля; кажется, они не слишком помогли Павлуше Вяземскому — и уж точно не уберегли самого Пушкина, что кончил жизнь отнюдь не по-мещански. В «Летних размышлениях...» принадлежность русской поэтической традиции была залогом «самостоянья человека». В «перхуровской» поэме та же самая русская поэзия во всех своих ипостасях выводит к роковому былинному сюжету — бою Ильи с сыном, которого Кибиров, играя на форме слова «поляница», превратил в дочь. И много ли радости, что все это оказалось сном «лирического героя», если, проснувшись, он слышит похожую песню, где сыноубийство заменяется братоубийством, а сюжет пушкинского «романа в стихах» втискивается в метрическую форму приблатненной песенки о том, как «серебрится серенький дымок»? Так вот куда октавы нас вели? Вот и втолковывай после этого дочери, что не надо — вопреки Цветаевой — есть кладбищенскую землянику, что пот и почва, щи да квас — это, Саша, не про нас, что нельзя говорить «едет крыша», что жизнь прекрасна, а отец — тоже совсем не плох («Но открою по секрету, / я — дитя добра и света. / Мало, Сашенька, того — / я свободы торжество!» Да, сколько от Блока не открещивайся, как не отшучивайся, а куда без него!) Вдруг не поверит?

* * *

Не может такого быть. Потому что не может быть ни-ког-да! Пять последних кибировских сборников (от «Интимной лирики», 1998 до «Юбилея лирического героя», 2000) не оставили и следа от идиллий «Парафразиса». Чем дальше, тем больше нарастали в них мотивы одиночества, неприкаянности, раздражения на неутомимо меняющую обличья пошлость (житейскую и особливо интеллектуальную). Все отчетливее проступало неповторимое лицо поэта, разменявшего пятый десяток — все мрачнее становилась картина окружающего мира — все резче звучала тема недовольства собой. «Нам ничего не остается, ни капельки — увы и ах...» («Прелюдия» «Интимной лирики», где «год за годом спорят ужас / и скука, кто из них главней / в душе изму-у-ученной моей»). «Наша Таня громко плачет. / Вашей Тане — хоть бы хны» («Улица Островитянова»). «Время итожить то, что прожил, / и перетряхивать то, что нажил» («Инвентаризационный сонет», открывающий «Нотации»). Достаточно, кажется?

Но — стоп. Как этот самый «Инвентаризационный сонет» заканчивается? «Пусть я халатен был и небрежен — / бережен все же и даже нежен». То-то! Нежность остается даже после того, как не остается ничего. Пусть кто хочет деконструирует все подряд. Пусть судьба подкидывает новые каверзы. Пусть политические реалии заставляют скрежетать зубами и отплевываться от забубенного карнавала, оборачивающегося не менее тотальной монархической кинопремьерой. Пусть тошнит от восславленного тобой же уюта (опрятной бедности, пристойной старости). Пусть твои нежданные порывы смешны тебе самому, а твоя неприязнь к бытию заставляет задуматься: допустимо ли быть таким брюзгой. Пусть лирические ламентации возникают оттого, что неохота идти за картошкой. Пусть так и не получается «только детские книжки читать» (а тем паче — писать). Пусть «здравый смысл» терпит очередное поражение. Пусть «длинные» – с вольным и широким дыханием – стихи сменяются короткими, судорожными, срывающимися то в эпиграмму, то в мадригал, то в дневниковую запись, то в дразнилку. Пусть все идет не так, как должно бы было идти у признанного поэта, лауреата, получателя грантов, объекта исследовательского интереса и завистливых порицаний. Пусть!!! — Но нежность-то остается. И мужество. И вера. И поэзия. И свобода. И любовь.

А потому все будет хорошо. И всего больше убеждают в этом две последние книжки Кибирова (в сущности, «Юбилей...» — пятая часть того любовного романа, что выстроен в Amour, exil...) Заговорив с ошеломляющей откровенностью, заставляющей вспомнить Маяковского, Кибиров «рассекретил» гнетущую печаль «Улицы Островитянова» (последняя попытка удержать опоэтизированный теплый дом) и «Нотаций» с их жаждой недостижимого прямого слова — о море, о небе, о себе, о Ней. Все стало ясно — счастье все-таки стряслось. А о том, что оно не всегда сочетается с «покоем и волей», Кибиров и раньше знал.

Новейшие стихи Кибирова заставят призадуматься грядущих комментаторов. Нет, дело не в реминисценциях — их и прежде у Кибирова было много, они и прежде могли пугать только тех, кто не любит русской поэзии по-кибировски, то есть во всем ее объеме и со всеми ее противоречиями. Дело в той мере конкретности, с которой описана «лирическая героиня». Конкретности насквозь «литературной». Мало того, что зовут ее Натальей (похоже, еще и Николаевной), мало того, что она много моложе «лирического героя», мало того, что соединяться с возлюбленным не хочет (отказ Гончаровой при первом сватовстве и традиционно приписываемая ей «холодность» в браке), так еще и глазки у нее косят! К тому же «гончаровский» код приправлен «филологией» с легким «антипушкинским» акцентом: героиня занимается главным другом-соперником «первого поэта» (И Пушкин мой, и Баратынский твой — в «Попытке шантажа»; твой певец пиров и финских скал — в «Еще как патриарх не древен я, но все же...», кстати, в строке этой цитируется тоже не Мандельштам и не Гандлевский)*. Ну очевидный же перебор! Вымысел! Тем паче что сам Кибиров, обращает последние стихи из Amour, exil... к Н. Н. Тут сообразительный комментатор вспомнит лермонтовскую строчку о поэтах, взывавших к N. N., неведомой красе и лотмановскую концепцию «утаенной любви»

---

* Из других «баратынских» реминисценций отмечу: вариации «Леды», впрочем, трогательно пушкинизированные; горькую отсылку в новогодних стихах; очаровательную шутку из «Нотаций», где в «морском» стихотворении, писанном размером «Пироскафа», череда рифм рождает как бы «бессмысленную» строчку — «Вскоре? Не вскоре?... Какой еще Боря?» Известно какой — Тынский; по старой модели: Веня Витинов и Беня Диктов.

Пушкина (загадочная возлюбленная прототипа не имела, а была фигурой «литературной»). И решит, что Кибиров (вообще-то неплохо в таких делах разбирающийся) тоже свою Н. Н. измыслил. Дабы опробовать тему «Новая любовь — новая жизнь». Да еще и процитирует наш будущий умник финал того же «К Н. Н.»: «Эй, пожалуйста! Где ты, мой ясный свет? / А тебя и нет».

И будет в корне не прав. Потому что суть поэзии Кибирова в том, что он всегда умел распознать в окружающей действительности «вечные образцы». Потому что гражданские смуты и домашний уют, любовь и ненависть, пьяный загул и похмельная тоска, дождь и листопад, модные интеллектуальные доктрины и дебиловатая казарма, «общие места» и далекая звезда, старая добрая Англия и хвастливо вольтерьянская Франция, денежные проблемы и взыскание Абсолюта, природа, история, Россия, мир Божий говорят с Кибировым (а через него — с нами) только на одном языке — гибком и привольном, яростном и нежном, бранном и сюсюкающем, песенном и ораторском, темном и светлом, блаженно бессмысленном и предельно точном языке русской поэзии. Живом, свободном и неисчерпаемом. Всегда новом и всегда помнящем о Ломоносове, Державине, Тютчеве, Лермонтове, Некрасове, Мандельштаме, Пастернаке. И — что поделать — Баратынском, Хомякове, Блоке, Маяковском. Не говоря уж о Пушкине.

В черновой редакции «Вновь я посетил...» Пушкин, вспоминая годы ссылки, писал: «Но здесь меня таинственным щитом / Святое Провиденье осенило, / Поэзия, как ангел-утешитель, / Спасла меня, и я воскрес душой». Это очень конкретное, биографически интимное признание (похоже, так в Михайловском в 1824 году все и было) и в то же время credo всего пушкинского поколения, вослед великому наставнику Жуковскому уверовавшего в святость поэзии, ее целительность и могущество. Позднее вера эта постоянно ставилась под сомнение — мало кто из великих русских поэтов (от Тютчева до Бродского) был от него свободен. Кибирову она давалась тоже тяжело. Да и не может вера в поэзию сама по себе служить гарантией успеха. Она может только крепить душу, поддерживать вступившего на «кремнистый путь из старой песни», сулить встречу с «другом в поколенье» и «читателем в потомстве», напоминать о гармонии мира, о связи любви, свободы и творчества, о том, что жизнь — чудо.

Много чего хлебнув, ощутив мерзкий вкус страха и греха, зная о всеобщем неустройстве и своей слабости, Кибиров упрямо остается поэтом. Потому и оспаривает себя вчерашнего. Потому не забывает прошедшее и с тревожным вниманием глядит в будущее. Потому верит и нас убеждает: все будет хорошо (хотя, конечно, не без худого). Потому и не устает благодарить Создателя.

> Есть, конечно, боль и страх,
> злая похоть, смертный прах —
> в общем, хулиганство.
> Непрочны — увы и ах —
> время и пространство.
>
> Но ведь не о том письмо!
> Это скучное дерьмо
> недостойно гнева!
> Каркнул ворон: «Nevermore!»
> Хренушки — forever!

К тому моменту, когда эта книга увидит свет, Кибиров обязательно напишет что-нибудь неожиданное. И необходимое.

Андрей Немзер

Сквозь прощальные слезы

1987

Когда погребают эпоху,
Надгробный псалом не звучит.
Крапиве, чертополоху
Украсить ее предстоит.
. . . .
А после она выплывает,
Как труп на весенней реке, —
Но матери сын не узнает,
И внук отвернется в тоске.
                              Анна Ахматова

ВСТУПЛЕНИЕ

Пахнет дело мое керосином,
керосинкой, сторонкой родной,
пахнет «Шипром», как бритый мужчина,
и как женщина, — «Красной Москвой».

(Той, на крышечке с кисточкой), мылом,
банным мылом да банным листом,
общепитской подливкой, гарниром,
пахнет булочной там, за углом.

Чуешь, чуешь, чем пахнет? — Я чую,
чую, Господи, нос не зажму —
«Беломором», Сучаном, Вилюем,
домом отдыха в синем Крыму!

Пахнет вываркой, стиркою, синькой,
и на ВДНХ шашлыком,
и глотком пертусина, и свинкой,
и трофейным австрийским ковром,

свежеглаженым галстуком алым,
звонким штандыром на пустыре,
и вокзалом, и актовым залом,
и сиренью у нас на дворе.

Чуешь, сволочь, чем пахнет? — Еще бы!
Мне ли, местному, нос воротить? —
Политурой, промасленной робой,
русским духом, едрить-колотить!

Вкусным дымом пистонов, карбидом,
горем луковым и огурцом,
бигудями буфетчицы Лиды,
русским духом, и страхом, и мхом.

Заскорузлой подмышкой мундира,
и гостиницей в Йошкар-Оле,
и соляркою, и комбижиром
в феврале на холодной заре,

и антоновкой ближе к Калуге,
и в моздокской степи анашой —
чуешь, сука, чем пахнет?! — и вьюгой,
ой, вьюго́й, воркутинской пургой!

Пахнет, Боже, сосновой смолою,
ближним боем да раной гнилой,
колбасой, колбасой, колбасою,
колбасой — все равно колбасой!

Неподмытым общаговским блудом,
и бензином в попутке ночной,
пахнет Родиной — чуешь ли? — чудом,
чудом, ладаном, Вестью Благой!

Хлоркой в пристанционном сортире,
хвоей в предновогоднем метро.
Постным маслом в соседской квартире
(Как живут они там впятером?

Как ругаются страшно, дерутся...)
Чуешь? — Русью, дымком, портвешком,
ветеранами трех революций.
И еще — леденцом-петушком!

Пахнет танцами в клубе совхозном
(Ох, напрасно пришли мы сюда!),
клейкой клятвой листвы, туберозной
пахнет горечью, и никогда,

навсегда — канифолью и пухом,
шубой, Шубертом... Ну, задолбал!
Пиром духа, пацан, пиром духа,
как Некрасов В.Н. написал!

Пахнет МХАТом и пахнет бытовкой,
люберецким дурным кулаком,
Елисеевским и Третьяковкой,
Русью пахнет, судьбою, говном.

Черным кофе двойным в ЦДЛе.
— Врешь ты все! — Ну, какао в кафе...
И урлой, и сырою шинелью
в полночь на гарнизонной губе.

Хлорпикрином, заманом, зарином,
гуталином на тяжкой кирзе,
и родимой землею, и глиной,
и судьбой, и пирожным безе.

Чуешь, чуешь, чем пахнет? — Конечно!
Чую, нюхаю — псиной и сном,
сном мертвецким, похмельем кромешным,
мутноватым грудным молоком!

Пахнет жареным, пахнет горелым,
аллергеном — греха не таи!
Пахнет дело мое, пахнет тело,
пахнут слезы, Людмила, мои.

ГЛАВА I

Купим мы кровью счастье детей.
П. Лавров

Спой же песню мне, Глеб Кржижановский!
Я сквозь слезы тебе подпою,
подскулю тебе волком тамбовским
на краю, на родимом краю!

На краю, за фабричной заставой
силы черные злобно гнетут.
Спой мне песню, парнишка кудрявый,
нас ведь судьбы безвестные ждут.

Это есть наш последний, конечно,
и единственный, видимо, бой.
Цепи сбрасывай, друг мой сердешный,
марш навстречу заре золотой!

Чтоб конфетки-бараночки каждый
ел от пуза под крышей дворца —
местью правой, священною жаждой
немудрящие пышут сердца.

Смерть суровая злобным тиранам,
и жандармам, и лживым попам,
юнкерам, гимназисткам румяным,
толстым дачникам и буржуям!

Эх, заря без конца и без края,
без конца и без края мечта!
Объясни же, какая такая
овладела тобой правота?

Объясни мне, зачем, для чего же,
растирая матросский плевок,
корчит рожи Европе пригожей
сын профессорский, Сашенька Блок?

Кепку комкает идол татарский,
призывая к порядку Викжель,
рвется Троцкий, трещит Луначарский,
только их не боюсь я уже!

Я не с ними мирюсь на прощанье.
Их-то я не умею простить.
Но тебя на последнем свиданьи
я не в силах ни в чем укорить!

Пой же, пой, обезумевший Павка,
и латыш, и жидок-комиссар,
ясный сокол, визгливая шавка,
голоштанная, злая комса!

Пой же, пой о лазоревых зорях,
вшивота, в ледяном Сиваше.
Пой же, пой, мое горькое горе,
кровь на вороте, рот до ушей!

Мой мечтатель-хохол окаянный,
помнят псы-атаманы тебя,
помнят гордые польские паны.
Только сам ты не помнишь себя.

Бледный, дохлый, со взором горящим,
пой, селькор, при лучине своей,
пой, придуманный, пой, настоящий
глупый дедушка Милы моей!

Мой буденовец, чоновец юный,
отложи «Капитал» хоть на миг,
погляди же, как жалобно Бунин
на прощанье к сирени приник!

Погоди, я тебя ненавижу,
не ори, комиссар, замолчи!
Черной молью, летучею мышью
плачет дочь камергера в ночи!

И поет, что поломаны крылья,
жгучей болью всю душу свело,
кокаина серебряной пылью
всю дорогу мою замело!

Из Кронштадта мы все, из Кронштадта,
на кронштадский мы брошены лед!
Месть суровая всем супостатам,
ни единый из нас не уйдет!

И отравленным черным патроном
с черной челочкой Фанни Каплан
на заводе, заметь — Михельсона! –
разряжает преступный наган.

Эй, поручик, подайте патроны,
Оболенский, налейте вина!
В тайном ларчике ваши погоны
сохранит поэтесса одна.

Петька Анке показывал щечки,
плыл Чапай по Уралу-реке.
Это есть наш последний денечек,
блеск зари на холодном штыке!

И куда же ты, яблочко, катишь?
РВС, ВЧК, РКК.
Час расплаты настал, час расплаты,
так что наша не дрогнет рука!

И, подвысив звенящие шашки,
рубанем ненавистных врагов,
ты меня — от погона до пряжки,
я тебя — от звезды до зубов.

Никогда уж не будут рабами
коммунары в сосновых гробах,
в завтра светлое, в ясное пламя
вы умчались на красных конях!

Хлопцы! Чьи же вы все-таки были?
Кто вас в бой, бестолковых, увлек?
Для чего вы со мною рубились,
отчего я бежал наутек?

Стул в буржуйке потрескивал венский.
Под цыганский хмельной перебор
пил в Констанце тапер Оболенский,
а в Берлине Голицын-шофер.

Бились, бились, товарищ, сражались.
Ни бельмеса, мой друг, ни аза.
Так чему ж вы сквозь дым улыбались,
голубые дурные глаза?

Погоди, дуралей, погоди ты!
Ради Бога, послушай меня!
Вот оно, твое сердце, пробито
возле ног вороного коня.

Пожелай же мне смерти мгновенной
или раны — хотя б небольшой!
Угорелый мой брат, оглашенный,
я не знаю, что делать с тобой.

Погоди, я тебя не обижу,
спой мне тихо, а я подпою.
Я сквозь слезы прощальные вижу
невиновную морду твою.

Погоди, мой товарищ, не надо.
Мы уже расквитались сполна.
Спой мне песню: Гренада, Гренада.
Спойте, мертвые губы: Грена...

ГЛАВА II

> *Ты рядом, даль социализма...*
> Б. Пастернак

Спойте песню мне, братья Покрассы!
Младшим братом я вам подпою.
Хлынут слезы нежданные сразу,
затуманят решимость мою.

И жестокое, верное слово
в горле комом застрянет моем.
Толстоногая, спой мне, Орлова,
в синем небе над Красным Кремлем!

38

Спой мне, Клим в исполненьи Крючкова,
белозубый танкист-тракторист,
спой, приветливый и бестолковый
в брюках гольф иностранный турист!

Покоряя пространство и время,
алый шелк развернув на ветру,
пой, мое комсомольское племя,
эй, кудрявая, пой поутру!

Заключенный каналоармеец,
спой и ты, перекованный враг!
Светлый путь все верней и прямее!
Спойте хором, бедняк и средняк!

Про счастливых детишек колонны,
про влюбленных в предутренней мгле,
про снующие автофургоны
с аппетитною надписью «Хлеб».

Почтальон Харитоша примчится
по проселку на стан полевой.
Номер «Правды» — признались убийцы,
не ушли от расплаты святой!

И по тундре, железной дороге
мчит курьерский, колеса стучат,
светлый путь нам ложится под ноги,
льется песня задорных девчат!

На далеком лесном пограничье,
в доме отдыха в синем Крыму
лейся, звонкая песня девичья,
чтобы весело было Ему!

Так припомним кремлевского горца!
Он нас вырастил верных таких,
что хватило и полразговорца,
шевеления губ чумовых.

Выходи же, мой друг, заводи же
про этапы большого пути.
Выходи, я тебя не обижу.
Ненавижу тебя. Выходи.

Ах, серпастый ты мой, молоткастый,
отчего ты свободе не рад,
о которой так часто, так часто
в лагерях до зари говорят?

Спой мне, ветер, про счастье и волю,
звон подков по брусчатке святой,
про партийный наказ комсомолу
и про маршала первого спой!

Праздник, праздник в соседнем колхозе!
Старый пасечник хмыкнул в усы,
над арбузом жужжащие осы,
гармонист подбирает басы,

Под цветущею яблоней свадьба —
звеньевую берет бригадир!
Все бы петь тебе, радость, плясать бы
да ходить в ДОСААФовский тир!

От успехов головокруженье!
Рано, рано трубить нам отбой!
Видишь, Маша, во мраке движенье?
Враг во тьме притаился ночной!

Там в ночи полыхают обрезы,
там в муку подсыпают стекло,
у границы ярится агрессор,
уклонисты ощерились зло!

Рыков с Радеком тянут во мраке
к сердцу Родины когти в крови!
За Ванцетти с бедняжкою Сакко
отомсти! Отомсти! Отомсти!

Вот, гляди-ка ты — два капитана
за столом засиделись в ночи.
И один угрожает наганом,
а второй третьи сутки молчит.

Капитан, капитан, улыбнитесь!
Гражданин капитан! Пощади!
Распишитесь вот тут. Распишитесь!!
Собирайся. Пощады не жди.

Это дедушка дедушку снова
на расстрел за измену ведет.
Но в мундире, запекшемся кровью,
сам назавтра на нарах гниет.

Светлый путь поднимается в небо,
и пастух со свинаркой поет,
и чудак-академик нелепо
все теряет, никак не найдет.

Он в пенсне старомодном, с бородкой,
улыбается, тоже поет.
А потом исполняет чечетку
славный артиллерийский расчет.

Микоян раскрывает страницы
кулинарные — блещет крахмал,
поросенок шипит, золотится,
искрометный потеет бокал!

Ветчина, да икорка, да пайка,
да баланда, да злой трудодень...
Спой мне, мальчик в спартаковской майке,
спой, черемуха, спой мне, сирень!

Спой мне, ветер, веселый мой ветер,
про красивых и гордых людей,
что поют и смеются, как дети,
на просторах Отчизны своей!

Спой о том, как под солнцем свободы
расцвели физкультура и спорт,
как внимают Равелю народы,
и как шли мы по трапу на борт.

Кто привык за победу бороться,
мою пайку отнимет и жрет.
Доходяга, конечно, загнется,
но и тот, кто покрепче, дойдет.

Эх ты, волюшка, горькая водка,
под бушлатиком белая вошь,
эх, дешевая фотка-красотка,
знаю, падла, меня ты не ждешь.

Да и писем моих не читаешь!
И встречать ты меня не придешь!
Ну а если придешь — не узнаешь,
а узнаешь — сама пропадешь.

Волга, Волга! За что меня взяли?
Ведь не волк я по крови своей!
На великом, на славном канале
спой мне, ветер, про гордых людей!

Но все суше становится порох,
и никто никуда не уйдет.
И акын в прикаспийских просторах
о батыре Ежове поет.

ГЛАВА III

Я шел к тебе четыре года,
Я три державы покорил.

М. Исаковский

Спой же песню мне, Клава Шульженко,
над притихшею темной Москвой,
над сожженной врагом деревенькой,
над наградой и раной сквозной!

Спой, мой дядя семнадцатилетний,
в черной раме на белой стене...
Беззаветный герой, безответный,
как с тобой-то разделаться мне?

Не умею я петь про такое,
не умею, комдив, хоть убей!
Целовать бы мне знамя родное
у священной могилы твоей.

Не считайте меня коммунистом!!
И фашистом прошу не считать!
Эх, танкисты мои, гармонисты.
Спойте, братцы. Я буду молчать.

43

Пой, гармоника, пой дорогая.
Я молчу. Только пули свистят.
Кровь родная, я все понимаю.
Сталинград, Сталинград, Сталинград.

Сталинград ведь!! Так что же мне делать?
Плакать плачу, а петь не могу...
В маскхалате своем красно-белом
пой, пацан, на горячем снегу.

Сын полка, за кого же ты дрался?
Ну ответь, ну скажи — за кого?
С конармейскою шашкой бросался
за кого ты на «Тигр» броневой?

Впрочем, хватит! Ну хватит! Не надо,
ну, нельзя мне об этом, земляк!..
Ты стоишь у обугленной хаты,
еле держишься на костылях.

Чарка горькая. Старый осколок.
Сталинград ведь, пойми — Сталинград!
Ты прости — мне нельзя про такое,
про такое мне лучше молчать.

ГЛАВА IV

> *Нет Ленина – вот это очень тяжко!*
> Е. Евтушенко

Спой мне, Бабаджанян беззаботный!
Сбацай твист мне, веселый Арно!
Подавившись слезой безотчетной,
расплывусь я улыбкой дурной.

44

Спой же песню мне — рулатэ-рула!
Ох уж, рула ты, рула моя!
До свиданья, родной переулок!
Нас таежные манят края!

Все уже позади, мой ровесник,
страшный Сталин и Гитлер-подлец.
Заводи молодежную песню
про огонь комсомольских сердец!

Потому что народ мы бродячий,
и нельзя нам иначе, друзья,
молодою любовью горячей
мы согреем родные края.

Э-ге-ге, эге-гей, хали-гали!
Шик-модерн, Ив Монтан, хула-хуп!
Вновь открылись лазурные дали
за стеной коммунальных халуп.

Летка-енка ты мой Евтушенко!
Лонжюмо ты мое, Лонжюмо!
Уберите же Ленина с денег,
и слонят уберите с трюмо!

Шик-модерн, треугольная груша,
треугольные стулья и стол!
Радиолу веселую слушай,
буги-вуги, футбол, комсомол!

Барахолка моя, телогрейка,
коммуналка в слезах и соплях.
Терешкова, и Белка и Стрелка
надо мною поют в небесах!

Кукуруза-чудесница пляшет,
королева совхозных полей,
и Пикассо нам радостно машет
прихотливою кистью своей.

«Ленин» атомоход пролагает
верный путь через льды и метель.
Только Родина слышит и знает
чей там сын в облаках пролетел.

Телевизор в соседской квартире,
КВН, «Голубой огонек».
Спойте, спойте мне, физик и лирик,
про романтику дальних дорог!

С рюкзаком за спиной молодою
мы геологи оба с тобой.
Все мещане стремятся к покою,
только нам по душе непокой!

Опускайся в глубины морские!
Поднимайся в небесную высь!
Где б мы ни были — с нами Россия!
Очень вовремя мы родились.

Так что — беса мэ, беса мэ муча!
Так крутись, веселись, хула-хуп!
Все светлее, товарищ, все лучше
льется песня из девичьих губ!

И в кафе молодежном веселье —
комсомольская свадьба идет!
Нас, любимая, ждет новоселье,
Ангара величавая ждет.

Юность на мотороллере мчится
со «Спидолой» в спортивных руках!
Плащ болонья шумит, пузырится,
луч играет на темных очках.

Парни, парни! Не в наших ли силах
эту землю от НАТО сберечь?
Поклянемся ж у братской могилы
щит хранить на петличках и меч!

Дядю Сэма с ужасною бомбой
нарисуй мне, малыш, на листке,
реваншиста, Батисту и Чомбе!
«Миру — мир» подпиши в уголке!..

Добровольцы мои, комсомольцы!
Беспокойные ваши сердца
то сатурновы меряют кольца,
то скрипят портупеей отца,

то глядят вернисаж неизвестных,
в жарких спорах встречая рассвет...
Вслед гляжу я вам, добрым и честным.
Ничего-то в вас, мальчики, нет.

Ах, культ личности этой грузинской!
Много все же вреда он принес!
Но под светлый напев Кристалинской
сладко дремлет кубанский колхоз.

Гнусных идолов сталинских скинем,
кровь и прах с наших ног отряхнем.
Только о комсомольской богине
спой мне — ах, это, брат, о другом.

47

Все равно мы умрем на гражданской —
трынь да брынь — на гражданской умрем,
на венгерской, на пражской, душманской...
До свиданья, родимый райком!

Над Калугой, Рязанью, Казанью,
по-над баней — сиянье знамен!
Бабушка, отложи ты вязанье,
научи танцевать чарльстон!

Че-че-че, ча-ча-ча, Че Гевара!
Вновь гитара поет и поет!
Вновь гитара, и вновь Че Гевара!
ЛЭП-500 над тайгою встает.

И встречает посланцев столица,
зажигается Вечный огонь.
Ваня Бровкин, и Перепелица,
и Зиганшин поют под гармонь.

Накупивши нарядных матрешек,
спой, Поль Робсон, про русскую мать!
Уберите же Ленина с трешек! —
Больше нечего нам пожелать!

И до счастья осталось немного —
лишь догнать, перегнать как-нибудь,
ну, давай, потихонечку трогай.
Только песню в пути не забудь.

Ах ты, беса мэ, ах, Че Гевара!
Каблучки по асфальту стучат.
И опять во дворе нашем старом
нам пластинка поет про девчат.

Над бульваром хрущевское лето.
Караул у могильной плиты.
И на шпилечках, с рыжей бабеттой,
королева идет красоты.

Заводите торшеры и столик,
шик-модерн, целлофан, поролон.
Уберите вы Ленина только
с денег — он для сердец и знамен!

Ах, орлиного племени дети,
все мечтать бы вам, все бы мечтать,
все бы верить, любить беззаветно,
брюки узкие рвать и метать.

Спой же песню, стиляжка дурная,
в брючках-дудочках, с конским хвостом,
ты в душе-то ведь точно такая.
Спой мне — ах, это, брат, о другом!

Пой же солнцу и ветру навстречу.
Выходи, боевой стройотряд!
Вдоль по улочке нашей Заречной
улетает восторженный взгляд.

Что ты смотришь, и что ты там видишь?
Что ты ждешь? — не пойму я никак.
Очень Сталина ты ненавидишь,
очень Ленина любишь, дурак.

Каблучки в переулке знакомом
все стучат по асфальту в тиши.
Люди Флинта с путевкой обкома
что-то строят в таежной глуши.

49

Вьется переходящее знамя —
семилетке салют боевой.
И гляжу я вам вслед со слезами —
ничего-то в вас нет, ничего!

Трынь да брынь — вот и вся ваша смелость!
На капустник меня не зови!
Но опять во дворе — что ж тут делать —
мне пластинка поет о любви!

И, навстречу заре уплывая
по далекой реке Ангаре,
льется песня от края до края!
И пластинка поет во дворе!

И покамест ходить я умею,
и пока я умею дышать,
чуть прислушаюсь — и онемею!
Каблучки по асфальту стучат!

ЛИРИЧЕСКАЯ ИНТЕРМЕДИЯ

Смотрят замки, горы, долы
в глубь хрустальных рейнских вод.
Моцарт, Моцарт, друг веселый,
под руку меня берет.

Час вечерний, луч прощальный,
бьют на ратуше часы.
Облака над лесом дальним
удивительной красы.

Легкий дым над черепицей,
липы старые в цвету.
Ах, мой друг, пора проститься!
Моцарт! Скоро я уйду!

Моцарт! Скоро я уеду
за кибиткой кочевой.
У маркграфа на обеде
я не буду, дорогой.

Передай поклон Миньоне.
Альманах оставь себе.
Друг любезный! Я на зоне
буду помнить о тебе.

Знаешь край? Не знаешь края,
где уж знать тебе его!
Там, над кровлей завывая,
бьются бесы — кто кого!

Там такого мозельвейна
поднесут тебе, дружок,
что скопытишься мгновенно
со своих прыгучих ног.

Там и холодно и страшно!
Там прекрасно! Там беда!
Друг мой, брат мой, ночью ясной
там горит моя звезда.

Знаешь край? Я сам не знаю,
что за край такой чудной,
но туда, туда, туда я
должен следовать, родной.

Кто куда — а я в Россию,
я на родину щегла.
Иней белый, ситец синий.
Моцарт, Моцарт! Мне пора.

Кто о чем, а я о бане,
о кровавой бане я...
До свиданья, до свиданья!
Моцарт! Не забудь меня!

Я иду во имя жизни
на земле и в небесах,
в нашей радостной Отчизне,
в наших радужных лучах!

Ждет меня моя сторонка,
край невыносимый мой!
Моцарт рассмеялся звонко:
«Что ж, и я не прочь с тобой!»

Моцарт, друг ты мой сердечный,
таракан запечный мой!
Что ты гонишь, дух беспечный,
сын гармонии святой!

Ну куда тебя такого?
Слишком глуп ты, слишком юн.
Что для русского здорово,
то для немца карачун!

Нет уж! Надо расставаться!
Полно, херц, майн херц, уймись!
Больше нечего бояться.
Будет смерть и будет жизнь.

Будет, будет звук тончайший
по-над бездною лететь,
и во мраке глубочайшем
луч легчайший будет петь!

Так прощай же! За горою
ворон каркает ночной.
Моцарт, Моцарт, Бог с тобою!
Бог с тобою и со мной!

Моцарт слушал со вниманьем.
Опечалился слегка.
«Что ж, прощай. Но на прощанье
на, возьми бурундука!

В час печали, в час отчайнья
он тебя утешит, друг,
мой пушистый, золотистый,
мой волшебный бурундук!

Вот он, зверик мой послушный,
глазки умные блестят,
щиплют струны лапки шустры
и по клавишам стучат!»

Ай, спасибо, Моцарт, милый,
ах, прекрасный бурундук!
До свиданья! До могилы
я с тобой, любезный друг!

И иду, иду в Россию,
оглянулся — он стоит.
Сквозь пространства роковые
Моцарт мне вослед глядит.

Машет, машет треуголкой,
в золотом луче горя,
и ему со Вшивой Горки
помахал ушанкой я.

Гадом буду — не забуду
нашей дружбы, корешок,
ведь всегда, везде со мною
твой смешной бурундучок.

И под ватничком пригревшись,
лапки шустрые сложив,
он поет, и я шагаю
под волшебный тот мотив.

ГЛАВА V

> *Час мужества пробил на наших часах...*
> Анна Ахматова

Что ж, давай, мой Шаинский веселый.
Впрочем, ну тебя на фиг! Молчи!
Все закончено. В частности, школа.
Шейк на танцах платформой стучит.

БАМ, БАМ, БАМ! Слышишь, время запело?
БАМ да БАМ, ОСВ, миру — мир!
Развитой мой, реальный и зрелый,
БАМ мой, БАМ, Коопторг да ОВИР.

Ах, мой хаер, заветный мой хаер,
как тебя деканат обкарнал!
Юность бедная, бикса плохая.
Суперрайфл, суперстар, «Солнцедар».

— Что там слышно? — Меняют кого-то
на Альенде. — Да он ведь убит?!
— Значит, на Пиночета! — Да что ты!!
Пиночет-то ведь главный бандит!!

Пиночет. Голубые гитары.
Озирая родную дыру,
я стою, избежав семинара,
у пивного ларька поутру.

Ах, Лефортово, золотце, осень...
Той же ночью в вагоне пустом
зуб мне вышибет дембель-матросик,
впрочем, надо сказать, поделом.

А потом, а потом XXV
съезд прочмокал и XXVI,
и покинули хаты ребята,
чтобы землю в Афгане... Постой!

Хватит! Что ты, ей-богу. Не надо.
Спой мне что-нибудь. — Нечего спеть.
Все ведь кончено. Радость-отрада,
нам уже ничего не успеть!

Все ведь кончено. Так и запишем —
не сбылась вековая мечта.
Тише, тише! Пожалуйста, тише!
Не кричи, ветеран-простота.

Город Солнца и Солнечный Город,
где Незнайка на кнопочки жал, —
все закончено. В Солнечногорске
строят баню и автовокзал.

В парке солнечногорском на танцах
твой мотив не канает, земляк!
А в кино юморят итальянцы,
а в душе — мутота и бардак.

Все ведь кончено. Зла не хватает.
Зря мы только смешили людей.
И «Союз—Апполон» проплывает
над черпацкой пилоткой моей.

Мама Сталина просит не трогать,
бедный папа рукою махнул.
Дорогие мои! Ради Бога!
Ненарошно я вас обманул!

Все ведь кончено. Выкрась да выбрось.
Перестрой, разотри и забудь!
Изо всех своих славных калибров
дай, Коммуна, прощальный салют!

Змий зеленый пяту твою гложет,
оплетает твой бюст дорогой —
это есть наш последний, ну может,
предпоследний решительный бой.

Рейганомика блещет улыбкой,
аж мурашки бегут по спине.
Ах, минтай, моя добрая рыбка!
Что тобою закусывать мне?

И могучим кентавром взъярился
(это Пригов накликал беду!),
Рональд Рейган на нас навалился!
Спой мне что-нибудь, хау ду ю ду!

Рональд Рейган — весны он цветенье!
Рональд Рейган — победы он клич!
Ты уже потерпел пораженье,
мой Черненко Владимир Ильич!

Значит, сны Веры Палны — не в руку,
Павка с Павликом гибли зазря,
зря Мичурин продвинул науку,
зря над нами пылала заря!

И кремлевский мечтатель напрасно
вешал на уши злую лапшу
ходокам и английским фантастам,
и напрасно я это пишу!

И другого пути у нас нету!
Паровоз наш в тупик прилетел,
на запасном пути беспросветном
бронепоезд напрасно ревел!

Остановки в коммуне не будет!
Поезд дальше вообще не пойдет!
Выходите, дурацкие люди,
возвращайтесь, родные, вперед.

Все ведь кончено. Хлеб с маргарином.
Призрак бродит по Африке лишь.
В два часа подойди к магазину,
погляди и подумай, малыш.

Как-то грустно, и как-то ужасно.
Что-то будет у нас впереди?
Все напрасно. Все очень опасно.
Погоди, тракторист, погоди!..

Мне б злорадствовать, мне б издеваться
над районной культуры дворцом,
над рекламой цветной облигаций,
над линялым твоим кумачом,

над туристами из Усть-Илима
в Будапеште у ярких витрин,
над словами отца Питирима,
что народ наш советский един,

над твоей госприемкою сраной,
над гостиницей в Йошкар-Оле,
над растерянным, злым ветераном
перед парочкой навеселе,

над вестями о зернобобовых,
над речами на съезде СП,
над твоей сединой бестолковой,
над своею любовью к тебе,

над дебильною мощью Госснаба
хохотать бы мне что было сил —
да некрасовский скорбный анапест
носоглотку слезами забил.

Все ведь кончено. Значит — сначала.
Все сначала — Ермак да кабак,
чудь да меря, да мало-помалу
петербургский голштинский табак.

Чудь да меря. Фома да Емеля.
Переселок. Пустырь. Буерак.
Все ведь кончено. Нечего делать.
Руку в реку. А за руку — рак.

ЭПИЛОГ

Господь, благослови мою Россию,
спаси и сохрани мою Россию,
в особенности — Милу и Шапиро.
И прочую спаси, Господь, Россию.

Дениску, и Олежку, и Бориску,
Сережку и уролога Лариску,
всех Лен, и Айзенбергов с Рубинштейнами,
и злую продавщицу бакалейную,

и пьяницу с пятном у левой вытачки,
и Пригова с Сухотиным, и Витечку,
и Каменцевых с Башлачевым Сашечкой,
и инженера Кислякова Сашечку,

А. И., А. Ю., А. А. и прочих Кобзевых,
и бригадира рыжего колхозного,
Сопровского, Гандлевского, и Бржевского,
и Фильку, и Сережку Чепилевского.

Благослови же, Господи, Россию!
В особенности, Милу и Шапиро,
Шапиро и Кибирову Людмилу!

И Семушку с Варварой, и Семеныча,
Натаныча, Чачко и Файбисовича,
С. Хренова, Булатова, Васильева,
и Туркина, и Гуголева сильного,
сестренку, папу, маму и покойников,

и бабушку, и Алика с Набоковым,
и Пушкина, и Н. и В. Некрасовых,

и рядового Масича атасного.
Малкову, и Борисову прелестную,

и ту, уже не помню, неизвестную,
спаси, Иисус, микрорайон Беляево!
Ну а Черненко как же? — Да не знаю я!
Ну и Черненко, если образумится!

Спаси, Иисусе, Родину неумную!
И умную спаси, Иисусе, Родину!
Березки, и осины, и смородину!

Благослови же, Господи, Россию,
в особенности Милу и Шапиро,
Шапиро Мишу и Шапиро Иру!

Олежку, и Сережку и так далее!
И Жанку, и Анжелку и так далее!

Сазонова сержанта и так далее!
И Чуню, и Дениску и так далее!
В особенности — Англию с Италией,
Америку и Юлю с Вероникою!

Спаси, Иисусе, Родину великую!
Спаси, Господь, неловкую Россию,
и Подлипчук, и Милу, и Шапиро,
и ветерана в старе ньком мундире!

Спаси, Господь, несчастного Черненко!
Прости, Господь, опасного Черненко!
Мудацкого, уродского Черненко!
Ведь мы еще глупы и молоденьки,
и мы еще исправимся, Иисусе!

Господь! Прости Советскому Союзу!

Конец

Стихи о любви

1988

Стихи были, кажется, очень плохие, но Аполлинарий говорил, что для верного о них суждения необходимо было видеть, какое они могут произвести впечатление, если их хорошенько, с чувством прочесть нежной и чувствительной женщине.

Н. С. Лесков

I

ЭКЛОГА

Мой друг, мой нежный друг, в пунцовом георгине
могучий шмель гудит, зарывшись с головой.
Но крупный дождь грибной так легок на помине,
так сладок для ботвы, для кожи золотой.

Уж огурцы в цвету, мой нежный друг. Взгляни же
и, ангел мой, пойми — нам некуда идти.
Прошедший дождь проник сквозь шиферную крышу
и томик намочил Эжена де Кюсти.

Чей перевод, скажи? Гандлевского, наверно.
Анакреонтов лад, горацианский строй.
И огурцы в цвету, и звон цикады мерный
кузнечика точней и лиры золотой.

И солнце сквозь листву, и шмель неторопливый,
и фавна тихий смех, и сонных кур возня.
Сюда, мой друг, сюда, мой ангел нерадивый,
приляг, мой нежный друг, и не тревожь меня.

О, налепи на нос листок светло-зеленый,
о, закрывай глаза и слушай в полусне

то пение цикад, то звон цевницы сонной,
то бормотанье волн, то пенье в стороне

аркадских пастухов — из томика, из плавной
медовой глубины, летейской тишины,
и тихий смех в кустах полуденного фавна,
и лепет огурцов, и шепот бузины.

Сюда, сюда, мой друг! Ты знаешь край, где никнет
клубника в чернозем на радость муравьям,
где сохнет на столе подмоченная книга
Эжена де Кюсти, и за забором там

соседа-фавна смех, и рожки, и гармошка,
и Хлои поясок, дриады локоток,
и некуда идти. И за грядой картошки
заросший ручеек, расшатанный мосток.

II

БАЛЛАДА О ДЕВЕ БЕЛОГО ПЛЕСА

Дембеля возвращались в родную страну,
проиграв за кордоном войну.
Пили водку в купе, лишь ефрейтор один
отдавал предпочтенье вину.

Лишь ефрейтор один был застенчив и тих,
и носил он кликуху Жених,
потому что невеста его заждалась
где-то там, на просторах родных.

Но в хмельном кураже порешили они
растянуть путешествия дни
и по Волге-реке прокатить налегке.
Ах, ефрейтор, пусть едут одни!

Ах, ефрейтор, пускай они едут себе.
Ни к чему эти шутки тебе.
Ты от пули ушел и от мины ушел.
Выходи, дурачок, из купе.

Ведь соседская Оля, невеста твоя,
месяц ходит сама не своя,
мать-старушка не спит, на дорогу глядит...
Мчится поезд в родные края!

Но с улыбкой дурною и песней блатной
в развеселой компаньи хмельной
проезжает ефрейтор родные места,
продолжает в каюте запой.

Вниз по Волге плывут, очумев от вина,
даже с берега песня слышна.
Пассажиры боятся им слово сказать.
Так и хлещут с утра до темна.

Ах, ефрейтор, ефрейтор, куда ж ты попал?
Мыться-бриться уже перестал.
На глазах пассажиров, за борт наклонясь,
ты рязанскою водкой блевал...

На четвертые сутки, к полудню проспясь,
головою похмельной винясь,
он на палубу вышел в сиянье и зной.
Блики красные плыли у глаз.

И у борта застыв, он в себя приходил,
за водою блестящей следил.
И не сразу заметил он остров вдали.
Лишь тогда, когда ближе подплыл.

И тогда-то Ее он увидел, бедняк,
и не сразу он понял, дурак,
а сперва улыбнулся похабной губой,
а потом уже вскрикнул и — Боже ты мой! —
вдоль по бóрту пошел кое-как

за виденьем, представшим ему одному,
почему-то ему одному,
за слепящим виденьем, за тихим лучом,
как лунатик, пришел на корму.

Дева белого плеса и тихой воды,
золотой красоты-наготы
на белейшем коне в тишине, в полусне...
Все, ефрейтор злосчастный. Кранты.

Все, ефрейтор, пропал, никуда не уйдешь.
Лучше б было нарваться на нож,
на душманскую пулю, на мину в пути.
Все, ефрейтор. Теперь не уйдешь...

И когда растворилось виденье вдали,
кореша-дембеля подошли,
чтоб в каюту позвать, чтоб по новой начать.
Но узнать Жениха не смогли.

Бледен лик его был, и блуждал его взор,
и молол несусветный он вздор.

Деву белого плеса он клялся найти,
корешей он не видел в упор.

И на первой же пристани бедный Жених
вышел на берег, грустен и тих,
и расспрашивать стал он про Деву свою,
русокосую, голую Деву свою,
Деву плеса в лучах золотых.

Ничего не добившись, он лодку нанял,
взад-вперед по реке он гонял.
И однажды он вроде бы видел ее.
Но вблизи он ее не признал.

И вернулся он в город задрипанный тот,
и ругался он — мать ее в рот,
и билет он купил, и уехать решил.
Но ушел без него пароход.

После в чайной он пил, и в шашлычной он пил,
в станционном буфете бузил,
и с ментами подрался, и там, в КПЗ,
все о Деве своей говорил.

Говорил он о Деве смертельной своей,
голосил он и плакал о ней,
о янтарных глазах, золотых волосах...
И блатные ему отвечали в сердцах:
«Мало ль, паря, на свете блядей?»

Но белугой ревел он, и волком он выл,
и об стенку башкой колотил,
и поэтому вскорости был у врачей,
и в психушку потом угодил.

И когда для порядка вкололи ему,
чтоб не очень буянил, сульфу,
и скрутила его многорукая боль,
и поплыл он в багровую тьму,

среди тьмы этой гиблой, в тумане густом
он увидел вдали за бортом,
он за бо́ртом вдали различил-угадал
этот остров в сиянье златом.

И к нему подплывая в счастливых слезах
на безумных, горящих глазах
и с улыбкой блаженства и светлой любви
на бескровных от боли губах,

озаряясь все больше, почти ослеплен
блеском теплых и ласковых волн
и сиянием белых прибрежных песков,
свою Деву разглядывал он.

И она улыбалась ему и звала,
за собою манила, вела
навсегда, навсегда, никуда, без следа,
никогда, мой любимый, уже никогда...
И вода под копытом светла.

Ну, садись же, садись, дурачок, на коня,
обними же, не бойся меня,
мы поедем с тобой навсегда без следа
никуда, дурачок, как песок, как вода,
в сонном мареве вечного дня...

Дева белого плеса, слепящих песков,
пощади нас, прости дураков,

золотая краса, золотые глаза,
белый конь, а над ним и под ним бирюза.
Лишь следы на песке от подков.

III
Романсы Черемушкинского района

1

О доблести, о подвигах, о славе
КПСС на горестной земле,
о Лигачеве иль об Окуджаве,
о тополе, лепечущем во мгле.

О тополе в окне моем, о теле,
тепле твоем, о тополе в окне,
о том, что мы едва не с колыбели,
и в гроб сходя, и непонятно мне.

О чем еще? О бурных днях Афгана,
о Шиллере, о Фильке, о любви,
о тополе, о шутках Петросяна,
о люберах, о Спасе на крови.

О тополе, о тополе, о боли,
о валидоле, о юдоли слез,
о перебоях с сахаром, о соли
земной, о полной гибели всерьез.

О чем еще? О Левке Рубинштейне,
о Нэнси Рейган, о чужих морях,

о юности, о выпитом портвейне,
да, о портвейне! О пивных ларьках,

исчезнувших, как исчезает память,
как все, клубясь, идет в небытие.
О тополе. О БАМе. О Программе
КПСС. О тополе в окне.

О тополе, о тополе, о синем
вечернем тополе в оставленном окне,
в забытой комнате, в распахнутых гардинах,
о времени. И непонятно мне.

2

Ух, какая зима! Как на Гитлера с Наполеоном
навалилась она на невинного, в общем, меня.
Индевеют усы. Не спасают кашне и кальсоны.
Только ты, только ты! Поцелуй твой так полон огня!

Поцелуй-обними! Только долгим и тщательным треньем
мы добудем тепло. Еще раз поцелуй горячей!
Все теплей и теплее. Колготки, носки и колени.
Жар гриппозный и слезы. Мимозы на кухне твоей.

Чаю мне испитого! Не надо заваривать — лишь бы
кипяток да варенье. И лишь бы сидеть за твоей
чистой-чистой клеенкой. И слышать, как где-то в Париже
говорит комментатор о нуждах французских детей...

Ух, какая зима! Просто Гитлер какой-то! В такую
ночку темную ехать и ехать в Коньково к тебе.
На морозном стекле я твой вензель чертить не рискую —
пассажиры меня не поймут, дорогая Е. Б.

IV

БАЛЛАДА О СОЛНЕЧНОМ ЛИВНЕ

В годы застоя, в годы застоя
я целовался с Ахвердовой Зоей.

Мы целовались под одеялом.
Зоя ботанику преподавала

там, за Можайском, в совхозе «Обильном».
Я приезжал на автобусе пыльном

или в попутке случайной. Садилось
солнце за ельник. Окошко светилось.

Комната в здании школы с отдельным
входом, и трубы совхозной котельной

в синем окне. И на стенке чеканка
с витязем в шкуре тигровой. Смуглянкой

Зоя была, и когда целовала,
что-то всегда про себя бормотала.

Сын ее в синей матроске на фото
мне улыбался в обнимку с уродом

плюшевым. Звали сыночка Борисом.
Муж ее, Русик, был в армию призван

маршалом Гречко... Мое ты сердечко!
Как ты стояла на низком крылечке,

в дали вечерние жадно глядела
в сторону клуба. Лишь на две недели

я задержался. Ах, Зоинька, Зоя,
где они, Господи, годы застоя?

Где ты? Ночною порою собаки
лай затевали. Ругались со смаком

механизаторы вечером теплым,
глядя в твои освещенные стекла.

Мы целовались. И ты засыпала
в норке под ватным своим одеялом.

Мы целовались. Об этом проведав,
бил меня, Господи, Русик Ахвердов!

Бил в умывалке и бил в коридоре
с чистой слезою в пылающем взоре,

бил меня в тихой весенней общаге.
В окнах открытых небесная влага

шумно в листву упадала и пела!
Солнце и ливень, и все пролетело!

Мы оглянуться еще не успели.
Влага небесная пела и пела!

Солнце, и ливень, и мокрые кроны,
клены да липы в окне растворенном!

Юность, ах, боже мой, что же ты, Зоя?
Годы застоя, ах, годы застоя,

влага небесная, дембельский май.
Русик, прости меня, Русик, прощай.

V

Романсы Черемушкинского района

3

Под пение сестер Лисициан
на во́лнах «Маяка» мы закрываем
дверь в комнату твою и приступаем
под пение сестер Лисициан.

Соседи за стеною, а диван
скрипит как черт, скрипит как угорелый.
Мы тыкались друг в дружку неумело
под пение сестер Лисициан.

9-й «А». И я от счастья пьян,
хоть ничего у нас не получилось,
а ты боялась так и торопилась
под пение сестер Лисициан.

Когда я ухожу, сосед-болван
выходит в коридор и наблюдает.
Рука никак в рукав не попадает
под пение сестер Лисициан.

4

Лифт проехал за стенкою где-то.
В синих сумерках белая кожа.
Размножаться — плохая примета.
Я в тебя никогда... Ну так что же?

Ничего же практически нету —
ни любови, ни смысла, ни страха.
Только отсвет на синем паркете
букв неоновых универмага.

Вот и стали мы на год взрослее.
Мне за тридцать. Тебе и подавно.
В синих сумерках кожа белеет.
Не зажечь нам торшер неисправный.

В синих сумерках — белая кожа
в тех местах, что от солнышка скрыты,
и едва различим и тревожен
шрам от детского аппендицита.

И конечно же главное — сердцем
не стареть... Но печальные груди,
но усталая шея... Ни веры,
ни любови, наверно, не будет.

Только крестик нательный, все время
задевавший твой рот приоткрытый,
мне под мышку забился... Нигде мы
больше вместе не будем. Размыты

наши лица — в упор я не вижу.
Ты замерзла, наверно, укройся.

Едет лифт. Он все ближе, и ближе.
Нет, никто не придет, ты не бойся.

Дай, зажгу я настольную лампу.
Видишь, вышли из сумрака-мрака
стул с одеждой твоею, эстампы
на стене и портрет Пастернака.

И окно стало черным, почти что
и зеркальным, и в нем отразилась
обстановка чужая. Смотри же,
кожа белая озолотилась.

Третий раз мы с тобою. Едва ли
будет пятый. Случайные связи.
Только СПИДа нам и не хватало.
Я шучу. Ты сегодня прекрасна.

Ты всегда хороша несравненно.
Ну и ладно, дружочек. Пора нам.
Через час возвращается Гена.
Он теперь возвращается рано.

Ничего же практически нету.
Только нежность на цыпочках ходит.
Ни ответа себе, ни привета,
ничего-то она не находит.

VI

БАЛЛАДА ОБ АНДРЮШЕ ПЕТРОВЕ

В поселке под Наро-Фоминском
сирень у барака цвела.
Жена инженера-путейца
сыночка ему родила.

Шли годы. У входа в правленье
менялись портреты вождей.
На пятый этаж переехал
путеец с семьею своей.

И мама сидела с Андрюшей,
читала ему «Спартака»,
на «Синюю птицу» во МХАТе
в столицу возила сынка.

И плакала тихо на кухне,
когда он в МАИ не прошел,
когда в бескозырке балтийской
домой он весною пришел.

И в пединститут поступил он,
как девушка, скромен и чист,
Андрюша Петров синеглазый,
романтик и волейболист.

Любил Паустовского очень,
и Ленина тоже любил,
и на семиструнной гитаре
играл и почти не курил.

На первой картошке с Наташей
Угловой он начал дружить,
в общаге и в агитбригаде,
на лекциях. Так бы и жить

им вместе — ходить по театрам
и петь Окуджаву. Увы!
Судьба обещала им счастье
и долгие года любви.

Но в той же общаге московской
в конце коридора жила
Марина с четвертого курса,
курила она и пила.

Курила, пила, и однажды,
поспорив с грузином одним,
в чем мать родила по общаге
прошла она, пьяная в дым.

Бесстыдно вихляла ногами,
смеялась накрашенным ртом,
и космы на плечи спадали,
и все замирали кругом...

Ее выгонять собирались,
но как-то потом утряслось.
И как-то в компаньи веселой
им встретиться всем довелось.

Андрюша играл на гитаре,
все пели и пили вино,
и, свет потушив, танцевали,
открыв для прохлады окно.

Андрюша, зачем ты напился,
впервые напился вина?!
Наташа ушла, не прощаясь,
в слезах уходила она.

И вот ты проснулся. Окурки,
бутылки, трещит голова...
А рядом, на смятой постели,
Марина, прикрыта едва...

Весь день тебя, бедный, тошнило,
и образ Наташи вставал,
глядел с укоризной печальной,
мелодией чистой звучал.

И все утряслось бы. Но вскоре
Андрюша заметил, увы,
последствия связи случайной,
плоды беззаконной любви.

И ладно бы страшное что-то,
а то ведь — смешно говорить! —
Но мама, но Синяя птица!
Ну, как после этого жить?

Ведь в ЗАГСе лежит заявленье,
сирень у барака цветет,
и в вальсе кружи́тся Наташа,
и медленно смерть настает...

И с плачем безгласное тело
Андрюшино мы понесли.
Два дня и две ночи висел он,
пока его в петле нашли.

И плакала мама на кухне,
посуду убрав со стола.
И в академический отпуск
Наташа Углова ушла.

Шли года. Портреты сменились.
Забыт Паустовский почти.
Таких синеглазых студентов
теперь нам уже не найти.

Наташу недавно я встретил,
инспектор она гороно.
Вот старая сказка, которой
быть юной всегда суждено.

VII
Романсы Черемушкинского района

5

*Мужским половым органом у птиц явля-
ется бобовидный отросток.*

«Зоология»

*...ведь даже столь желанные всем любов-
ные утехи есть всего лишь трение двух сли-
зистых оболочек.*

Марк Аврелий

Ай-я-яй, шелковистая шерстка,
золотая да синяя высь!..
Соловей с бобовидным отростком
над смущенною розой навис.

Над зардевшейся розой нависши
с бобовидным отростком своим,
голос чистый все выше и выше —
Дорогая, давай улетим!

Дорогая моя, улетаю!
Небеса, погляди в небеса,
легкий образ белейшего рая,
ризы, крылья, глаза, волоса!

Дорогая моя, ах как жалко,
ах как горько, какие шипы.
Áмор, Áмор, Амóр, аморалка,
блеск слюны у припухшей губы.

И молочных желез колыханье,
тазобедренный нежный овал,
песнопенье мое, ликованье,
тридевятый лучащийся вал!

Марк Аврелий, ты что, Марк Аврелий?
Сам ты слизистый, бедный дурак!
Это трели и свист загорелый,
это рая легчайшего знак,

это блеск распустившейся ветки,
и бессмертья, быть может, залог,
скрип расшатанной дачной кушетки,
это Тютчев, и Пушкин, и Блок!

Это скрежет всей мебели дачной,
это все, это стон, это трах,
это белый бюстгальтер прозрачный
на сирени висит впопыхах!

Это хрип, это трах, трепыханье
синевы да сирени дурной,
и сквозь веки, сквозь слезы блистанье,
преломление, и между ног...

Это Пушкин — и Пригов почти что!
Айзенберг это — как ни крути!
И все выше, все выше, все чище —
Дорогая, давай улетим!

И мохнатое, влажное солнце
сквозь листву протянуло лучи.
Загорелое пение льется.
Соловьиный отросток торчит.

VIII

ЭЛЕОНОРА

*Ходить строем в ногу в казарменном по-
мещении, за исключением нижнего этажа,
воспрещается.*

Устав внутренней службы

1

Вот говорят, что добавляют бром
в солдатский чай. Не знаю, дорогая.
Не знаю, сомневаюсь. Потным лбом
казенную подушку увлажняя,
я, засыпая, думал об одном.

2

Мне было двадцать лет. Среди салаг
я был всех старше – кроме украинца
рябого по фамилии Хрущак.
Под одеялом сытные гостинцы
он ночью тайно жрал. Он был дурак.

3

Он был женат. И как-то старики
хохочущие у него отняли
письмо жены. И, выпучив зрачки,
он молча слушал. А они читали.
И не забыть мне, Лена, ни строки.

4

И не забыть мне рев казармы всей,
когда дошли до места, где Галина
в истоме нежной, в простоте своей
писала, что не нужен ей мужчина
другой, и продолжала без затей,

5

и вспоминала, как они *долблись*
(да, так и написала!) в поле где-то.
И не забыть мне, Лена, этих лиц.
От брата Жоры пламенным приветом
письмо кончалось. Длинный, словно глист,

6

ефрейтор Нинкин хлопнул по спине
взопревшего немого адресата:
«Ну, ты даешь, земеля!» Страшно мне

припоминать смешок придурковатый,
которым отвечал Хрущак. К мотне
тянулись руки. Алый свет заката
лежал на верхних койках и стене.

7

Закат, закат. Когда с дежурства шли,
между казарм нам озеро сияло.
То в голубой, то в розовой пыли
стучали сапоги. И подступало,
кадык сжимало. Звало издали.

8

И на разводе духовой оркестр
трубил и бухал, слезы выжимая,
«Прощание славянки», и окрест
лежала степь, техзону окружая,
и не забыть мне, Лена, этих мест

9

киргиз-кайсацких. Дни за днями шли.
Хрущак ночами ел печенье с салом.
На гауптвахту Масича вели.
И озеро манило и сияло.
Кадык сжимало. Звало издали.

10

Душа ли? Гениталии? Как знать.
Но, плавясь на плацу после обеда
в противогазе мокром, я слагать
сонеты начал, где прохладной Ледой
и Лорелеей злоупотреблять

вовсю пустился. И что было сил
я воспевал грудастую студентку
МОПИ имени Крупской. Я любил
ее должно быть. Белые коленки
я почему-то с амфорой сравнил.

Мне было двадцать лет. Засохший пот
корой белел под мышками. Кошмаром
была заправка коек. Целый год
в каптерке мучил бедную гитару
после отбоя Деев-обормот.

А Ваня Шпак из отпуска привез
японский календарик. Прикрывая
рукою треугольничек волос,
на берегу сияющем, нагая,
смеясь, стояла девушка. Гендос

Харчевников потом ее хотел
у Шпака обменять на скорпиона
в смоле прозрачной, только не успел —
ее отнял сам капитан Миронов.
И скорпиона тоже... Сотня тел

мужающих храпела в липкой тьме
после отбоя. Под моею койкой

разбавленный одеколон «Кармен»
деды втихую пили. За попойкой
повздорили, и, если бы ремень

16

не вырвали у Строева, бог весть,
чем кончилось бы... Знаешь, мой дружочек,
как спать хотелось, как хотелось есть,
как сладкого хотелось — хоть кусочек!
Но более всего хотелось влезть

17

на теток, развалившихся внизу
на пляже офицерском, приспустивших
бретельки. Запыленную кирзу
мы волокли лениво — я и Лившиц,
очкастые, смешные. Бирюзу

18

волны балхашской вспоминаю я
и ныне с легким отвращеньем. С кайфом
мы шли к майору Тюрину. Семья
к нему приехать собиралась. Кафель
мы в ванной налепили за два дня.

19

И вволю накупались, и, куря,
на лоджии мы наваялись вволю.
Но как мне жалко, Лена, что дурак
я был, что не записывал, что Коля
Воронин на дежурстве до утра

20

напрасно говорил мне о своей
любви, о полустанке на Урале,
об отчиме, о лихости друзей,
которые по пьянке раз угнали
машину с пивом. Кроме Лорелей

21

с Линорами и кроме Эвридик,
все музе худосочной было дико.
А в окнах аппаратной солнца лик
уже вставал над сопкой... Вроде, Викой
звалась его невеста. Выпускник

22

училища десантного, сосед,
ее увел. Дружки побить пытались
его, но сами огребли. Мопед
еще у Коли был. Они катались
на нем. Все бабы — бляди. Счастья нет.

23

Тринадцать лет уже, дружок, прошло,
но все еще кадык сжимают сладко
картинки эти. Ах, как солнце жгло,
как подоконник накалился гладкий,
и как мы навалились тяжело,

24

всей ротой мы на окна налегли,
когда между казарм на плац вступила

Элеонора. Чуть не до земли
оранжевая юбка доходила,
лишь очертанья ног мы зреть могли.

25

Под импортною кофточкою грудь
высокая так колыхалась ладно,
и бедра колыхались, и дохнуть
не смели мы, в белье казенном жадно
уставясь вниз. И продолжала путь

26

она свой триумфальный. И поля
широкополой шляпы прикрывали
ее лицо, но алых губ края
полуулыбкой вверх приподнимала
она. И черных локонов струя

27

сияла, и огромные очи
зеркальные сияли, и под мышкой
ракетка, но при этом каблуки
высокие, и задницы излишек
осанка искупала. Как легки

28

ее одежды были, я́рки как,
как сердце сжалось... Зря смеешься, Лена!
Мне было двадцать лет. Я был дурак.
Мне было плохо. Стоя на коленях,
полночи как-то я и Марущак

29

отскабливали лезвиями пол
линолеумный в коридоре длинном,
ругаясь меж собою. Но пришел...
забыл его фамилию... скотина
такая, сука... то ли Фрол... нет, Прол...

30

Проленко, что ли?.. Прапорщик, козел,
забраковал работу, и по новой
мы начали. Светло-зеленый пол,
дневного света лампы и пунцовый,
насупившийся Марущак. Пришел

31

потом Миронов, и, увидев нас,
он наорал на Прола и отправил
меня на АТС, Серегу в ЛАЗ.
Стажерами мы были, и по праву
припахивали нас... А как-то раз

32

Миронов у дедов отнял вино,
и, выстроив всю роту, в таз вонючий
он вылил пять бутылок. «Ни одной
себе не взял, паскуда, потрох сучий!» —
шептал Савельев за моей спиной.

33

Тринадцать лет прошло. Не знаю я,
действительно ль она Элеонорой

звалась, не знаю, но, душа моя,
талантлив был солдатик тот, который
так окрестил ее, слюну лия.

34

Она была приехавшей женой
майора Тюрина. Я представлял порочно,
как отражает кафель голубой,
налепленный рукой моей, барочный
Элеонорин бюст и зад тугой...

35

Ах, Леночка, я помню кинозал,
надышанный, пропахший нашим потом.
Мы собирались, если не аврал
и не ЧП, всей частью по субботам
и воскресеньям. И сперва читал

36

нам лекцию полковник Пирогов
про Чили и Китай, про укрепленье
готовности, про происки врагов,
про XXV съезд, про отношенья
неуставные. Рядовой Дроздов

37

однажды был на сцену приглашен,
и Пирогов с иронией игривой
зачитывал письмо его. А он
стоял потупясь. «Вот как некрасиво,
как стыдно!» — Пирогов был возмущен

38

тем, что Дроздов про пьянку написал
и про спанье на боевом дежурстве.
И зал был возмущен, негодовал:
«Салага, а туда же!» Я не в курсе,
Ленуля, все ли письма он читал

39

иль выборочно. Думаю, не все.
А все-таки стихи о Персефоне,
небось, читал, о пресвятой красе
перстов и персей, с коими резонно
был мной аллитерирован Персей.

40

И наконец, он уходил. И свет
гасили в зале, и экран светился.
И помню я через тринадцать лет,
как зал то умолкал, то веселился
громоподобно, Лена. Помню бред

41

какой-то про танцовщицу, цветной
арабский, что ли, фильм. Она из бедных
была, но слишком хороша собой,
и все тесней кольцо соблазнов вредных
сжималось. Но уже мелькнул герой,

42

которому избавить суждено
ее от домогательств богатеев.

В гостинице она пила вино
и танцевала с негодяем, млея.
Уже он влек в альков бедняжку, но...

43

«На выход, рота связи!» — громкий крик
раздался, и, ругаясь, пробирались
мы к выходу, и лишь один старик
и двое черпаков сидеть остались.
За это их заставили одних

44

откапывать какой-то кабель... Так
и не узнал я, как же все сложилось
у той танцорки. Глупый Марущак
потом в курилке забавлял служивых,
кривляясь и вихляя задом, как

45

арабская танцовщица... Копать
траншею было трудно. Каменистый
там грунт и очень жарко. Ах, как спать
хотелось в этом мареве, как чисто
вода блестела в двух шагах. Шагать

46

в казарму приходилось, потому
что только с офицером разрешалось
купаться. Но гурьбой в ночную тьму
деды в трусах сбегали. Возвращались
веселые и мокрые. «Тимур, —

47

шептал Дроздов, мешая спать, — давай
купнемся!» — соблазняя тем, что дрыхнул
дежурный, а на тумбочке Мамай
из нашего призыва. «Ну-ка спрыгнул
сюда, боец! А ну давай, давай!» —

48

ефрейтор Нинкин сетку пнул ногой
так, что Дроздова вскинуло. «Купаться,
салаги, захотели? Ну, борзой
народ пошел! Ну, вы даете, братцы!
Ну, завтра покупаемся!»... Какой

49

я видел сон в ту ночь! Чертог сиял.
Шампанское прохладною струею
взмывало вверх и падало в хрусталь,
в раскрытых окнах темно-голубое
мерцало небо звездами, играл
оркестр цыганский песню Лорелеи,
и Леда шла, коленками белея,
по брошенным мехам и по коврам
персидским. Перси сладостные, млея,
под легкою туникою и срам
темнеющий я разглядел, и лепет
влюбленный услыхал, и тайный трепет
девичьей плоти ощутил. Сиял
чертог, и конфетти, гирлянды, блестки,
подвязки, полумаски и сережки,
и декольте, и пенистый бокал,
как в оперетте Кальмана. И пары

кружились, и гавайские гитары
нам пели, и хохляцкие цимбалы,
и вот в венке Галинка подошла,
сказала, что не нужен ей мужчина
другой, что краше хлопца не знайшла,
брат Жора в сапогах и свитке синей
плясал гопак, веселый казачина,
с Маращуком. И сена аромат
от Гали исходил, босые ножки
притопывали, розовый мускат
мы пили с ней, и деревянной ложкой
вареники мы ели. Через сад
на сеновал мы пробежали с Галей.
Танцовщицы арабские плясали
и извивались будто змеи, счесть
алмазов, и рубинов, и сапфиров
мы не могли, и лейтенант Шафиров
в чалме зеленой предложил присесть,
отведать винограда и шербета,
и соловей стонал над розой где-то,
рахат-лукум, халву и пастилу,
сгущенку и портвейн «Букет Прикумья»
вкушали мы с мороженым из ГУМа,
и нам служил полунагой зулус
с блестящим ятаганом, Зульфия
ко мне припала телом благовонным,
сплетались руки, страсти не тая,
и теплый ветер пробежал по кронам
под звон зурны, и легкая чадра
спадала, и легчайшие шальвары
спускались, и разматывалось сари,
японка улыбалась и звала,
прикрыв рукою треугольник темный,
и море набегало на песок

сияющего брега, и огромный
янтарный скорпион лежал у ног,
магические чары расточая...
Какие-то арапы, самураи
верхом промчались... Леда проплыла
в одежде стройотрядовской, туда же
промчался лебедь. Тихо подошла
отрядная вожатая Наташа
и, показав мне глупости, ушла
за КПП... И загорали жены
командного состава без всего,
но тут раздались тягостные стоны —
как бурлаки на Волге, бечевой
шли старики, влача в лазури сонной
трирему, и на палубе злаченой
в толпе рабынь с пантерою ручной
плыла Она в сверкающей короне
на черных волосах! Над головой
два голубя порхали, и в поклоне
все замерли, и в звонкой тишине
с улыбкой на устах бесстыдно-алых
Элеонора шла зеркальным залом,
шла медленно, и шла она ко мне!
И черные ажурные чулки,
и тяжкие запястья, и бюстгалтер
кроваво-золотой, и каблуки
высокие! Гонконговские карты,
мной виденные как-то раз в купе,
ожившие, ее сопровождали,
и все тянулось к Ней в немой мольбе!
Но шла Она ко мне! И зазвучали
томительные скрипки, лепестки
пионов темных падали в фонтаны

медлительно. И черные очки
Она сняла, приблизившись. И странным,
нездешним светом хищные зрачки
сияли, и одежды ниспадали,
и ноготки накрашенные сжали

мне... В общем, Лена, двадцать лет
мне было. И, проснувшись до подъема,
я плакал от стыда. И мой сосед
Дроздов храпел. И никакого брома
не содержали, Лена, ни обед,
ни завтрак и ни ужин. Вовсе нет.

IX

ЭКЛОГА

Мой друг, мой нежный друг, зарывшись с головою
в пунцовых лепестках гудит дремучий шмель.
И дождь слепой пройдет над пышною ботвою,
в террасу проскользнет сквозь шиферную щель,

и капнет на стихи, на желтые страницы
Эжена де Кюсти, на огурцы в цвету.
И жесть раскалена, и кожа золотится,
анисовка уже теряет кислоту.

А раскладушки холст все сохраняет влажность
ушедшего дождя и спину холодит.
И пение цикад, и твой бюстгальтер пляжный,
и сонных кур возня, и пенье аонид.

Сюда, мой друг, сюда! Ты знаешь край, где вишня
объедена дроздом, где стрекот и покой,
и киснет молоко, мой ангел, и облыжно
благословляет всех зеленокудрый зной.

Зеленокудрый фавн, безмозглый, синеглазый,
капустницы крыла и Хлои белизна.
В сарае темном пыль, и ржавчина, и грязный
твой плюшевый медведь, и лирная струна

поет себе, поет. Мой нежный друг, мой глупый,
нам некуда идти. Уж огурцы в цвету.
Гармошка на крыльце, твои сухие губы,
веснушки на носу, улыбки на лету.

Но ангел мой, замри, закрой глаза. Клубнику
последнюю уже прими в ладонь свою,
александрийский стих из стародавней книги,
французскую печаль, летейскую струю

тягучую, как мед, прохладную, как щавель,
хорошую, как ты, как огурцы в цвету.
И говорок дриад, и купидон картавый,
соседа-фавна внук в полуденном саду.

Нам некуда идти. Мы знаем край, мы знаем,
как лук порей красив, как шмель нетороплив,
как зной смежил глаза и цацкается с нами,
как заросла вода под сенью старых ив.

И некуда идти. И незачем. Прекрасный,
мой нежный друг, сюда! Взгляни — лягушка тут
зеленая сидит под георгином красным.
И пусть себе сидит. А нам пора на пруд.

Конец

Сантименты

1989

Когда, открыв глаза, ты сразу их зажмуришь
от блеска зелени в распахнутом окне,
от пенья этих птиц, от этого июля, —
не стыдно ли тебе? Не страшно ли тебе?

Когда сквозь синих туч на воды упадает
косой последний луч в осенней тишине,
и льется по волне, и долго остывает, —
не страшно ли тебе? Не стыдно ли тебе?

Когда летящий свет из мрака возникает
в лучах случайных фар, скользнувших по стене,
и пропадает вновь, и вновь бесшумно тает
на девичьей щеке, — не страшно ли тебе?

Не страшно ли тебе, не стыдно ль — по асфальту
когда вода течет, чернеет по весне,
и в лужах облака, и солнце лижет парту
четвертой четверти, — не стыдно ли тебе?

Я не могу сказать, о чем я, я не знаю...
Так просто, ерунда. Все глупости одне...
Такая красота, и тишина такая...
Не страшно ли, скажи? Не стыдно ли тебе?

МИШЕ АЙЗЕНБЕРГУ
Эпистола о стихотворстве

> *Все произведения мировой литературы я делю на разрешенные и написанные без разрешения. Первые – это мразь, вторые – ворованный воздух. Писателям, которые пишут заведомо разрешенные вещи, я хочу плевать в лицо, хочу бить их палкой по голове...*
>
> Осип Мандельштам

1

«Посреди высотных башен
вид гуляющего...» Как,
как там дальше? Страшен? Страшен.
Но ведь был же, Миша, знак,
был же звук! И бедный слух
напрягая, замираем,
отгоняя, словно мух,
актуальных мыслей стаи,
отбиваемся от рук,
от мильона липких рук,
от наук и от подруг.
Воздух горестный вдыхая,
синий воздух, нищий дух.

2

Синий воздух над домами
потемнел и пожелтел.
Белый снег под сапогами
заскрипел и посинел.
Свет неоновый струится.
Мент дубленый засвистел.
Огонек зеленый мчится.

Гаснут окна. Спит столица.
Спит в снегах СССР.
Лишь тебе еще не спится.

3

Чем ты занят? Что ты хочешь?
Что губами шевелишь?
Может, Сталина порочишь?
Может, Брежнева хулишь?
И клянешь года застоя,
позитивных сдвигов ждешь?
Ты в ответ с такой тоскою —
«Да пошли они!» — шепнешь.

4

Человек тоски и звуков,
зря ты, Миша. Погляди —
излечившись от недугов,
мы на истинном пути!
Все меняют стиль работы —
Госкомстат и Агропром!
Миша, Миша, отчего ты
не меняешь стиль работы,
все талдычишь о своем?

5

И опять ты смотришь хмуро,
словно из вольера зверь.
Миша, Миша, диктатура
совести у нас теперь!
То есть, в сущности, пойми же,

и не диктатура, Миш!
То есть диктатура, Миша,
но ведь совести, пойми ж!
Ведь не Сталина-тирана,
не Черненко моего!
Ну, какой ты, право, странный!
Не кого-то одного —
Совести!! Шатрова, скажем,
ССП и КСП,
и Коротича, и даже
Евтушенко и т. п.!
Всех не вспомнишь. Смысла нету.
Перечислить мудрено.
Ведь у нас в Стране Советов
всякой совести полно!

6

Хватит совести, и чести,
и ума для всех эпох.
Не пустует свято место.
Ленин с нами, видит Бог!
Снова он на елку в Горки
к нам с гостинцами спешит.
Детки прыгают в восторге.
Он их ласково журит.
Ну не к нам, конечно, Миша.
Но и беспризорным нам
дядя Феликс сыщет крышу,
вытащит из наших ям,
и отучит пить, ругаться,
приохотит к ремеслу!
Рады будем мы стараться,
рады теплому углу.

7

Рады, рады... Только воздух,
воздух синий ледяной,
звуков пустотелых гроздья
распирают грудь тоской!
Воздух краденый глотая,
задыхаясь в пустоте,
мы бредем — куда не знаем,
что поем — не понимаем,
лишь вдыхаем, выдыхаем
в полоумной простоте.
Только вдох и только выдох,
еле слышно, чуть дыша...
И теряются из вида
диссиденты ВПШ.

8

И прорабы духа, Миша,
еле слышны вдалеке.
Шум все тише, звук все ближе.
Воздух чище, чище, чище!
Вдох и выдох налегке.
И не видно и не слышно
злополучных дурней тех,
тех тяжелых, душных, пышных
наших преющих коллег,
прущих, лезущих без мыла
с Вознесенским во главе.
Тех, кого хотел Эмильич
палкой бить по голове.
Мы не будем бить их палкой.
Стырим воздух и уйдем.
Синий-синий, жалкий-жалкий
нищий воздух сбережем.

9

Мы не жали, не потели,
не кляли земной удел,
мы не злобились, а пели
то, что синий воздух пел.
Ах, мы пели — это дело!
Это — лучшее из дел!..
Только волос поседел.
Только голос, только голос
истончился, словно луч,
только воздух, воздух, воздух
струйкой тянется в нору,
струйкой тоненькой сочится,
и воздушный замок наш
в синем сумраке лучится,
в ледяной земле таится,
и таит и прячет нас!
И воздушный этот замок
(ничего, что он в земле,
ничего, что это яма)
носит имя Мандельштама,
тихо светится во мгле!
И на улице, на этой,
а вернее, в яме той
праздника все также нету.
И не надо, дорогой.

10

Так тебе и надо, Миша!
Так и надо, Миша, мне!..
Тише. Слышишь? Вот он, слышишь?
В предрассветной тишине

над сугробами столицы
вот он, знак, и вот он, звук,
синим воздухом струится,
наполняя бедный слух!
Слышишь? Тише. Вот он, Миша!
Ледяной проточный звук!
Вот и счастье выше крыши,
выше звезд на башнях, выше
звезд небесных, выше мук
творческих, а вот и горе,
вот и пустота сосет.
Синий ветер на просторе
грудь вздымает и несет.
Воздух краденый поет.

Эпитафии бабушкиному двору

1

Ты от бега и снега налипшего взмок.
Потемневший, подтаявший гладкий снежок
     ты сжимаешь в горячей ладошке
и сосешь воровато и жадно, хотя
     пить от этого хочешь сильнее.
Жарко... Снять бы противный девчачий платок
     из-под шапки... По гладкой дорожке
разогнавшись, скользишь, но полметра спустя —
     вверх тормашками, как от подножки.

Солнце светит-не греет. А все же печет.
И в цигейке с родного плеча горячо,
     жарко дышит безгрешное тело.

И болтаются варежки у рукавов,
        и прикручены крепко снегурки...
Ледяною корою покрылся начес
        на коленках. И вот уже целый
месяц елка в зеркальных пространствах шаров
        искривляет мир комнаты белой.

И ангиной грозит тебе снег питьевой.
Это, впрочем, позднее. А раньше всего,
        сладострастней всего вспоминаешь
четкий вафельный след от калош на пустом,
        на первейшем крахмальном покрове.
И земля с еще свежей зеленой травой
        обнажится, когда ты катаешь
мокрый снег, налипающий пласт за пластом,
        и пузатую бабу ваяешь.

У колонки наросты негладкого льда...
Снегири... Почему-то потом никогда
        не видал их... А может, и раньше
видел лишь на «Веселых картинках» и сам
        перенес их на нашу скамейку —
только это стоит пред глазами всегда.
        С меха шубки на кухне стекает вода.
Я в постели свернулся в клубок и примолк,
        мне читают «Письмо неумейке».

РУССКАЯ ПЕСНЯ
Пролог

Я берег покидал туманный Альбиона.
        Я проходил уже таможенный досмотр.
Как некий Чайльд-Гарольд в печали беззаконной
        я озирал аэропорт.

Покуда рыжий клерк, сражаясь с терроризмом,
Денискин «Шарп» шмонал, я бросил взгляд назад,
я бросил взгляд вперед, я встретил взгляд Отчизны,
и взгляд заволокла невольная слеза.

Невольною тоской стеснилась грудь. Прощай же!
Любовь моя, прощай, Британия, прощай!
И помнить обещай.
И вам поклон нижайший,

анслейские холмы!.. Душа моя мрачна —
My soul is dark. Скорей, певец, скорее!
Опять ты с Ковалем напился допьяна.
Я должен жить, дыша и большевея.
Мне не нужна

страна газонов стриженых и банков,
каминов и сантехники чудной.
Британия моя, зеленая загранка,
мой гиннесс дорогой!

Прощай, моя любовь!.. Прощание славянки...
Прощай, труба зовет, зовет Аэрофлот.
Кремлевская звезда горит, как сердце Данко,
«Архипелаг ГУЛАГ» под курткою ревет.

Платаны Хэмпстэда, не поминайте лихом!
Прощай, мой Дингли Делл. Прощай, король Артур.
Я буду вспоминать в Отечестве великом
тебя, сэр Саграмур.

Прощай, мой Дингли Делл. Я не забуду вас.
Айвенго, вашу руку!

Судьба суровая на вечную разлуку,
        быть может, породнила нас.

Прощай, мой Дингли Делл, мой светлый Холли Буш,
        газонов пасмурных сиянье.
Пью вересковый мед, пью горечь расставанья.
        Я больше не вернусь.

Прощай, Британия... My native land, welcóme!
        Welcóme, welcóme, завмаги и завгары!
        Привет вам, волочильщики, и вам,
                сержанты, коменданты, кочегары,
                вахтерши, лимита, медперсонал,
                кассирши, гитаристы, ИТРы,
                оркестров симфонических кагал,
                пенсионеры, воры, пионеры,
        привет горячий, пламенный привет
                вам, хлопкоробы, вам, прорабы,
                народный университет,
                Степашка с Хрюшей, Тяпа с Ляпой,
                ансамбль Мещерина, балет,
                афганцы злые, будки, бабы,
                мальчишки, лавки, фонари,
                дворцы — гляди! — монастыри,
                бухарцы, сани, огороды,
                купцы, лачужки, мужики,
                бульвары, башни, казаки,
                аптеки, магазины моды,
                балконы, львы на воротах
                и стаи галок на крестах.

Привет, земля моя. Привет, жена моя.
        Пельмени с водочкой — спасибо!

Снег грязненький поет и плачет в три ручья,
        и голый лес такой красивый!

Вновь пред твоей судьбой, пред встречей роковой
        я трепещу и обмираю.
            Но мне порукой Пушкин твой,
            и смело я себя вверяю!..

Эпитафии бабушкиному двору

2

Но вот уже в боты набравши воды,
корабль из слоистой сосновой коры
пускаешь по мусорным, бурным ручьям,
        слепящим глаза!

Веселое, словно коза-дереза,
брыкастое солнце изводит следы
обглоданных, нечистоплотных снегов
        по темным углам.

И прель прошлогодняя, ржавчина, хлам
прекрасны! И так же прекрасен и нов
мяча сине-красного первый шлепок!
        И вот уже, вот —

и сладких, и липких листочков налет
покрыл древесину, и ты изнемог
от зависти, глядя, как дядя Вадим
        сарай распахнул

и пыльный «Орленок» выводит за руль.
И вот уже гордый бесстрашьем своим,

ты слышишь гуденье двух пойманных ос
          в пустом коробке.

И в маленьком пятиконечном цветке,
единственном в грудах сиреневых звезд
у нашей калитки, ты счастье найдешь.
          И вот уже кровь

увидев на грязной коленке, готов
расплакаться, но ничего, заживешь
до свадьбы. И дедушка снова с утра
          отправился в сад.

И в розово-белом деревья стоят.
И ждет не дождется каникул сестра.
И вечером светлым звучит издали
          из парка фокстрот.

И вот уже ставни закрыты. И вот
ты спишь и летишь от прогретой земли.
          И тело растет.

К ВОПРОСУ О РОМАНТИЗМЕ

> *Всем телом, всем сердцем, всем сознанием –*
> *слушайте Революцию!*
>
> Александр Блок

И скучно, и грустно. Свинцовая мерзость.
Бессмертная пошлость. Мещанство кругом.
С усами в капусте. Как черви слепые.

Давай отречемся! Давай разобьем
оковы! И свергнем могучей рукою!
Гори же, возмездья священный огонь!

На волю! На волю из душной неволи!
На волю! На волю! Эван эвоэ!
Плесну я бензином! Гори-гори ясно!
С дороги, филистер, буржуй и сатрап!!
Довольны своей конституцией куцой!?
Печные горшки вам дороже, скоты?
Так вот же вам, вот! И посыпались стекла.

Эван эвоэ! Мы под сводом законов
задохлись без солнца — даешь динамит!
Ножом полосну, полосну за весну я!
Мне дела нет, сволочь, а ну сторонись!

С дороги, с дороги, проклятая погань!
О Либер, о Либер, свободы мой бог!
Спаси, бля, помилуй, насилуй, насилуй!
Тошнит от воды с вашей хлоркой! Залей
вином нас, и кровью, и спермой, восторгом
преданья огню! Предадимся огню!
Хочу я, и все тут, хочу я, хочу я!
На горе буржуям, эх-эх, попляши!

Гори, полыхай, ничего не жалей!
Сарынь, бля, на кичку! Эван эвоэ!
Довольно законом нам жить! Невтерпеж!
Нет удержу! Нет! Не хочу, не хочу!
Пусть все пропадает. Эх, эх, согреши!
И пусть только сунется Тот, кто терпел
и нам повелел! Невтерпеж мне! Ату!
Он нам ни к чему! Нам Варраву, Варраву!
Не сторож я брату, не сторож, не брат!

Напишем на знамени «Нет!» Ни на чью
команду мы «Есть!» не ответим! Срываем
погоны, гауптвахту к чертям разломаем!
Уйдем в самоволку до смерти! Сарынь
на кичку! Allons же enfants на отцов!
Откажемся впредь сублимировать похоть!
Визжи под ножом, толстомясая мразь!

Эй, жги город Гамельн! Эй, в стойла соборы!
Гулящая девка на впалой груди!
Не трусь! Aut Caesar, пацан, aut nihil!
Долой полумеры! Эй, шашки подвысь!

Эгей! Гуляй поле, и музыка грянь же
над сворою псов-волкодавов! Долой!
Вся власть никому, никому, ничему!
Да здравствует nihil! Но даже Ничто
над нами не властно, не властно, не властно!

Свобода, свобода, эх-эх, без креста!
Так пусть же сильней грянет буря, ебенить!
Эх-эх, попляши, попляши, Саломея,
сколь хочешь голов забирай, забирай!
О злоба святая! О похоть святая!
Довольно нам охать, вздыхать, подыхать!

Буржуи, буржуи, жлобы, фраера,
скорей прячьте жирное тело в утесах!
Свобода крылата — и перышком в бок!
Отдай же мне Богово Бог, и отдай
мне, кесарь, свое — подобру-поздорову!
По злу отберу! Ça ira! Ça ira!
Всех кратов повесим, повесим, повесим!

Казак, не терпи, не терпи ничего,
а то атаманом не будешь, не будешь!
О nihil! О вольный полет в пустоте!
Бесцветная жизнь, но от крови — малина!
Не ссы! За процентщицей вслед замочи
и Соню, сначала отхарив, и Дуню,
и Федор Михалыча! Право имей!
Не любо? Дрожащая тварь, что — не любо?
Ага! Будешь знать, будешь знать, будешь знать!
Бог, если не умер, то будет расстрелян!
За все отомстим мы, всему отомстим!
И тем, и другим, и себе, и себе!

Allons в санкюлоты! Срывай же штаны!
Пусти же на волю из этих Бастилий
зверюгу с фригийской головкою! Гей!
Нож к горлу — и каждая будет твоей!
Нож в горло — и ты Übermensch, и Бог умер!

«Эй, дай закурить! Ах, не куришь, козел!»
И бей по очкам эту суку! Прикончи!
Его, и его, и себя, и себя!
Смысл свергнут! Царь и в голове не уйдет!
Эй, бей на куски истукан Аполлона!
Да скроется солнце, да здравствует тьма!

О вскроем же фомкою ящик Пандоры,
в который свободу упрятали вы!
Растопим же сало прогорклое ваше
огнем мирового пожара! Даешь!

Единственный способ украсить жилплощадь —
поджечь ее! Хижинам тоже война!

Все стены долой, все границы, все плевы!
Allons же в безбрежность, enfant мой terrible!

Весь мир мы разрушим, разрушим, разрушим!
И строить не будем мы новый, не будем!
И что было всем, снова станет ничем!
О Хаос родимый! О демон прекрасный!
Гори же ты пламенем синим! Плевать!
И вечный, бля, бой! Эй, пальнем-ка, товарищ,
в святую — эх-ма — толстозадую жизнь!

О, пой же, сирена, мне песнь о свободе,
о гибели, гибели, гибели пой!
Я воском не стану глушить твое пенье!
О, пой же мне древние песни, о, пой
про Хаос родимый, родимый, родимый!

Хочу! Выхожу из себя, из тюрьмы!
Из трюма — из тела уж лучше на дно нам!
Мы днище продолбим, продолбим, продолбим!
Эван эвоэ! О тимпаны в висках!
О сладость, о самозабвенье полета —
пусть вниз головой, пусть единственный раз,
с высот крупноблочного дома в асфальт!
Кончай с этой рабской душою и телом!..

И вот я окно распахнул и стою,
отбросив ногою горшочек с геранью.
И вот подоконник качнулся уже...

И вдруг от соседей пахнуло картошкой,
картошкой и луком пахнуло до слез.

114

И слюнки текут... И какая же пошлость
и глупость какая! И жалко горшок
разбитый. И стыдно. Ах, Господи Боже!
Прости дурака! Накажи сопляка
за рабскую злобу и неблагодарность!

Да здравствуют музы! Да здравствует разум!
Да здравствует мужество, свет и тепло!
Да здравствует Диккенс, да здравствует кухня!
Да здравствует Ленкин сверчок и герань!

Гостей позовем и картошки нажарим,
бокалы содвинем и песню споем!

РУССКАЯ ПЕСНЯ

Нелепо ли, братцы? — Конечно.
Еще как нелепо, мой свет.
Нет слаще тебя и кромешней,
тебя несуразнее нет!

Твои это песни блатные
сливаются с музыкой сфер,
Россия, Россия, Россия,
Российская СФСР!

И льется под сводом Осанна,
и шухер в подъезде шмыгнул.
Женой Александр Алексаныч
назвал тебя — ну сказанул!

115

Тут Фрейду вмешаться бы впору,
тут бром прописать бы ему!
Получше нашла ухажера
Россия, и лишь одному

верна наша родная мама,
нам всем Джугашвили отец,
эдипова комплекса драму
пора доиграть наконец...

А мне пятый пункт не позволит
и сыном назваться твоим.
Нацменская вольная воля,
развейся Отечества дым!

Не ты ль мою душу мотала?
Не я ль твою душу мотал?
В трамвае жидом обзывала,
в казарме тюрьмою назвал.

И все ж от Москвы до окраин
шагал я, кругом виноват,
и слышал, очки протирая,
великий, могучий твой мат!

И побоку злость и обиды,
ведь в этой великой стране
хорошая девочка Лида
дала после танцев и мне!

Ведь вправду страны я не знаю,
где б так было вольно писать,
где слово, в потемках сгорая,
способно еще убивать...

О Господи, как это просто,
как стыдно тебе угодить,
наколки, и гной, и коросту
лазурью и златом покрыть!

Хоругви, кресты да шеломы,
да очи твои в пол-лица!
Для этой картины искомой
ищи побойчее певца!

Позируй Илье Глазунову,
Белову рассказ закажи
и слушай с улыбкой фартовой,
на нарах казенных лежи.

Пусть ласковый Сахар Медович,
Буй-тур Стоеросов пускай,
трепещущий пусть Рабинович
кричат, что не нужен им рай —

дай Русь им!.. Про это не знаю.
Но, слыша твой окрик: «Айда!» —
манатки свои собираю,
с тобой на этап выходя.

И русский-нерусский — не знаю,
но я буду здесь умирать.
Поэтому этому краю
имею я право сказать:

стихия, Мессия, какие
еще тебе рифмы найти?
В парижских кафе — ностальгия,
в тайге — дистрофия почти,

117

и — Боже ж ты мой! — литургия,
и Дева Мария, и вдруг —
петлички блестят голубые,
сулят, ухмыляясь, каюк!

Ведь с четырехтомником Даля
в тебе не понять ни хрена!
Ты вправду и ленью, и сталью,
и сталью, и ленью полна.

Ты собственных можешь Платонов,
Невтонов плодить и гноить,
и кровью залитые троны
умеешь ты кровью багрить!

Умеешь последний целковый
отдать, и отнять, и пропить,
и правнуков внука Багрова
в волне черноморской топить!

Ты можешь плясать до упаду,
стихи сочинять до зари,
и тут же, из той же тетради
ты вырвешь листок и — смотри —

ты пишешь донос на соседа,
скандалишь с помойным ведром,
французов катаешь в ракете,
кемаришь в полночном метро,

дерешься саперной лопаткой,
строптивых эстонцев коришь,
и душу, ушедшую в пятки,
Высокой Духовностью мнишь!

Дотла раскулачена, плачешь,
расхристана — красишь яйцо,
на стройках и трассах ишачишь,
чтоб справить к зиме пальтецо.

Пусть блохи английские пляшут,
нам их подковать недосуг,
в субботу мы черную пашем,
отбившись от собственных рук.

Последний кабак у заставы,
последний пятак в кулаке,
последний глоток на халяву,
и Ленин последний в башке.

С тоской отвернувшись от петель,
сам Пушкин прикрыл тебе срам.
Но что же нам все же ответить
презрительным клеветникам?

Вот этого только не надо!
Не надо бубнить про татар,
про ляхов и немцев, про НАТО,
про жидо-масонский кагал!

Смешно ведь... Из Афганистана
вернулись. И времени нет.
Когда ж ты дрожать перестанешь
от крика: «На стол парбилет!»

Когда же, когда же, Россия?
Вернее всего, никогда.
И падают слезы пустые
без смысла, стыда и следа.

И как наплевать бы, послать бы,
скипнуть бы в Европу свою...
Но лучше сыграем мы свадьбу,
но лучше я снова спою!

Ведь в городе Глупове детство
и юность прошли, и теперь
мне тополь достался в наследство,
асфальт, черепица, фланель,

и фантик от «Раковой шейки»,
и страшный поход в Мавзолей,
снежинки на рыжей цигейке,
герань у хозяйки моей,

и шарик от старой кровати,
и Блок, и Васек Трубачев,
крахмальная тещина скатерть,
убитый тобой Башлачев,

досталась Борисова Лена,
и песня про Ванинский порт,
мешочек от обуви сменной,
антоновка, шпанка, апорт,

закат, озаривший каптерку,
за Шильковым синяя даль,
защитна твоя гимнастерка
и темно-вишневая шаль,

и версты твои полосаты,
жена Хасбулата в крови,
и зэки твои, и солдаты,
начальнички злые твои!

Поэтому я продолжаю
надеяться черт-те на что,
любить черт-те что, подыхая,
и верить, и веровать в то,

что Лазарь воскреснет по Слову
Предвечному, вспрянет от сна,
и тихо к Престолу Христову
потянемся мы с бодуна!

Потянемся мы, просыпаясь,
с тяжелой, пустой головой,
и, щурясь, и преображаясь
от света Отчизны иной —

невиданной нашей России,
чахоточной нашей мечты,
воочью увидев впервые
ее дорогие черты!

И, бросив на стол партбилеты,
в сиянии радужных слез,
навстречу Фаворскому Свету
пойдет обалдевший колхоз!

Я верую — ибо абсурдно,
абсурдно, постыдно, смешно,
бессмысленно и безрассудно,
и, может быть, даже грешно.

Нелепо ли, братцы? — Нелепо.
Молись, Рататуй дорогой!
Горбушкой канадского хлеба
занюхай стакан роковой.

Эпитафии бабушкиному двору

3

Распахнута дверь. И в проеме дверном
колышется тщетная марля от мух.
И ты, с солнцепека вбежав за мячом,
босою и пыльной ступней ощутишь
прохладную мытую гладь половиц.
Побеленных комнат пустой полумрак
покажется странным. Дремотная тишь.
Лишь маятник, лишь монотонность осы,
сверлящей стекло, лишь неверная тень
осы сквозь крахмал занавески... Но вновь,

глотнув из ведра тепловатой воды,
с мячом выбегаешь во двор и на миг
ослепнешь от шума, жары и цветов,
от стука костяшек в пятнистой тени,
где в майках, в пижамах китайских сидят
мужчины и курят «Казбек», от возни
на клумбе мохнатых, медлительных пчел.

Горячей дорожкою из кирпича
нестарая бабушка с полным ведром
блестящей воды от калитки идет.
Томительно зреют плоды. Алыча,
зеленая с белою косточкой, вся
безвременно съедена... На пустыре
плохие большие мальчишки в футбол
и карты играют. Тебе к ним нельзя.

От стойкой жары выгорает земля,
и выцветет небо к полудню, совсем
как ситец трусов по колено. Вода

упругой и мелкой реки пронесет
тебя под мостом на резине тугой,
на камере автомобильной (Хвалько
«Победу» купили)...

                              И так далеко
все видно, когда, исцарапав живот,
влезаешь на тополь — гряда черепиц
утоплена в зелени, и над двором
соседним летают кругами, светясь
плакатной невинностью, несколько птиц.

ВОСКРЕСЕНЬЕ

Перед рассветом зазвучала птица.
И вот уже сереющий восток
алеет, розовеет, золотится.

Росой омыты каждый стебелек,
листок и лепесток, и куст рябины,
и розовые сосны, и пенек.

И вот уж белизною голубиной
сияют облака меж темных крон
и на воде, спокойной и невинной.

И лесопарк стоит заворожен.
Но вот в костюме импортном спортивном
бежит толстяк, спугнув чету ворон.

И в ласковых лучах виденьем дивным
бегуньи мчатся. Чесучовый дед,
глазами съев их грудки, неотрывно

их попки ест, покуда тет-а-тет
пса внучкина с дворнягой безобразной
не отвлечет его. Велосипед

несет меж тем со скоростью опасной
двух пацанов тропинкой по корням
дубов и дребезжит. И блещет ясно

гладь водная, где, вопреки щитам
осводовским, мужчина лысоватый
уж миновал буйки, где, к поплавкам

взгляд приковав, парнишка конопатый
бессмысленно сидит. Идет семья
с коляскою на бережок покатый.

И буквы ДМБ хранит скамья
в тени ветвей. На ней сидит старушка
и кормит голубей и воробья.

И слышен голос радостный с опушки
залитой солнцем: «Белка, белка!» — «Где?» —
«Да вот же, вот!» И вправду — на кормушке

пронырливый зверек. А по воде
уж лодки, нумерованные ярко,
скользят. Торчит окурок в бороде

верзилы полуголого. Как жарко.
И очередь за квасом. Смех и грех
наполнили просторы лесопарка.

Играют в волейбол. Один из тех,
кто похмелиться умудрился, громко
кадрится без надежды на успех

к блондинке в юбке джинсовой. Потомки
ворчливых ветеранов тарахтят —
они в Афган играют на обломках

фанерных теремка. И добрый взгляд
Мишутки олимпийского направлен
на волка с зайцем, чьи тела хранят

следы вечерних пьянок. Страшно сдавлен
рукою с синей надписью «Кавказ»
блестящий силомер. И мяч направлен

нарочно на очкарика. «Атас!»
И, спрятав от мента бутылки, чинно
сидят на травке. Блещет, как алмаз,

стакан, забытый кем-то. Викторина
идет на летней сцене. И поет
то Алла Пугачева, то Сабрина,

то Розенбаум. И струится пот
густой. И с непривычною обновой —
с дубинкой черной — рыжий мент идет,

поглядывает. И Высоцкий снова
хрипит из репродуктора. И вновь
«Май ласковый», и снова Пугачева.

Как душно. И уже один готов.
Храпит в траве с растегнутой ширинкой.
И женский визг, и хохот из кустов,

и кровь — еще в диковинку, в новинку —
сочится слишком ярко из губы
патлатого подростка, без запинки

кричащего ругательства. Жлобы
в тени от «Жигулей» играют в сику.
И ляжки, сиськи, животы, зобы,

затылки налитые, хохот, крики,
жара невыносимая. Шашлык
и пиво. Многоликий и безликий

народ потеет. Хохот. Похоть. Крик.
Блеск утомляет. Тучи тяжелеют,
сбиваются. Затмился гневный лик

светила лучезарного. Темнеет.
И духота томит, гнетет, башка
трещит, глаза налитые мутнеют,

мутит уже от теплого пивка,
от наготы распаренного тела,
от рислинга, портвейна, шашлыка

говяжьего... «Мочи его, Акела!» —
визжат подростки. Но подходит мент,
и драка переносится. Стемнело

уже совсем. А дождика все нет.
Невыносимо душно. Танцплощадка
пуста. Но наготове контингент

милиции, дружинников. Палатка
пивная закрывается. Спешит
пикник семейный уложить манатки

и укатить на «Запорожце». Спит
ханыга на скамейке. На девчонок,
накрашенных и потерявших стыд,

старуха напустилась, а ребенок,
держа ее за руку, смотрит зло.
«Пошла ты, бабка!» — голос чист и звонок,

но нелюдской какой-то. Тяжело
дышать, и все темнее, все темнее.
И фонари зажглись уже. Стекло

очков разбито. И, уже зверея
от душной темноты, в лицо ногой
лежащему. И с ревом по аллее

мотоциклисты мчатся. И рукой
зажат девичий рот. И под парнями
все бьется тело на траве сухой,

все извивается... Расцвечена огнями
ярится танцплощадка. Про любовь
поет ансамбль блатными голосами,

про звезды, про любовь. Темнеет кровь
на белом, на светящейся рубахе
лежащего в кустах. И вновь, и вновь

вскипает злость. И вот уже без страха
отверткой тонкой ментовскую грудь
пацан тщедушный проколол. И бляхой

свистящею в висок! И чем-нибудь —
штакетником, гитарой, арматурой —
мочи ментов! Мочи кого-нибудь! —

дружинника, явившегося сдуру,
вот этих сук! Вон тех! Мочи! Дави!
Разбитая искрит аппаратура.

И гаснет свет. И вой. И не зови
на помощь. Не придет никто. И грохот.
И вой, и стоны. И скользят в крови

подошвы. И спасенья нет. И похоть
визжит во мраке. И горит, горит
беседка подожженная. И хохот

бесовский. И стада людские мчит
в кромешном вихре злоба нелюдская.
И лес горит. И пламя веселит

безумцев. И кривляется ночная
тьма меж деревьев пламенных. Убей!
Убий его! И, кровью истекая,

хохочут и валяются в своей
блевоте, и сплетаются клубками
в зловонной духоте. И все быстрей

пляс дьявольский. И буйными телами
они влекомы в блуд, и в смерть, и в жар
огня, и оскверненными устами

они поют, поют, и сотни пар
вгрызаются друг в друга в скотской страсти,
и хлещет кровь, и ширится пожар.

И гибель. И ухмылка Вражьей пасти.
И длится ша́баш. И конец всему.
Конец желанный. И шаба́ш. И баста.

И молния, пронзив ночную тьму,
сверкнула грозно. И вослед великий
гром грянул. И неясные уму,

но властные с небес раздались клики.
И твердь земная глухо сотряслась.
И все сердца познали ужас дикий.

И первый Ангел вострубил. И глас
его трубы кровавый град горящий
низринул на немотствующих нас,

и жадный огнь объял луга и чащи.
И следующий Ангел вострубил!
И море стало кровию кипящей!

И третий Ангел вострубил! И был
ужасен чистый звук трубы. И пала
Звезда на реки. И безумец пил

смерть горькую. И снова прозвучала
труба! И звезды меркли, и луна
на треть затмилась. И во тьме блуждало

людское стадо. И была слышна
речь Ангела, летящего над нами.
И тень от бурных крыл была страшна.

И он гласил нам: «Горе!» И словами
своими раздирал сердца живых.
«О, горе, горе, горе!» И крылами

огромными шумел. «От остальных
трех труб вам не уйти!» И Ангел пятый
победно вострубил! И мир затих.

И в тишине кометою хвостатой
разверзнут кладезь бездны, и густой
багряный дым извергнулся, и стадо

129

огромной саранчи. И страшный вой
раздался. И, гонимый саранчою,
в мучениях метался род земной.

Как кони, приготовленные к бою,
была та саранча в венцах златых,
в железных бро́нях, а лицо людское,

но с пастью львиной. И тела живых
хвосты терзали скорпионьи. Имя
Аполлион носил владыка их.

И Ангел вострубил! И мир родимый
оглох навек от грохота копыт,
ослеп навеки от огня и дыма!

И видел я тех всадников — укрыт
был каждый в латы серные, и кони
их львам подобны были. И убит

был всяк на их пути. И от погони
не многие спаслись. Но те, кто спас
жизнь среди казней этих, беззаконья

не прекращали. И, покуда глас
трубы последней не раздастся, будут
все поклоняться бесам, ни на час

не оставляя бешенства и блуда...
И видел я, как Ангел нисходил
с сияющего неба, и как будто

Он солнце на челе своем носил
и радугу над головой. И всюду
разнесся глас посланца Высших Сил.

И клялся Он, что времени не будет!

Эпитафии бабушкиному двору

4

Дождь не идет, а стоит на дворе,
вдруг опустевшем в связи не с дождем,
а с наступлением — вот и октябрь! —
          года учебного.

Лист ярко-желтый ныряет в ведре
под водосточной трубой. Над кустом
роз полусгнивших от капель видна
          рвань паутинная.

Мертвой водой набухает листва,
клумба, штакетник, дощатый сортир,
шифер, и вишня, и небо... Прощай,
          дверь закрывается.

Как зелена напоследок трава.
В луже рябит перевернутый мир.
Брошен хозяйкою, зайка промок
          там, на скамеечке.

А на веранде холодной — бутыль
толстая с трубкой резиновой, в ней
бродит малина. А рядом в мешке
          яблоки красные.

Здесь, под кушеткою, мяч опочил.
Сверху собрание летних вещей —
ласты с утесовской шляпою, зонт
          мамин бамбуковый.

Что ж, до свиданья... Печальный уют
в комнатах дождь заоконный творит.
Длинных, нетронутых карандашей
    блеск соблазнителен.

Ластик бумагу терзает. Идут
стрелки и маятник. Молча сидит
муха последняя сонная... Что ж,
    будем прощаться.

Все еще летнему телу претят
сорок одежек, обувка, чулки,
байковый лифчик. На локте еще
    ссадины корочка.

Что ж, до свидания. Ставни стучат.
Дедушка спит, не снимая очки,
у телевизора. Чайник поет.
    Грифель ломается.

Конец

Послание Ленке
и другие сочинения

1990

I

СЕРЕЖЕ ГАНДЛЕВСКОМУ
О некоторых аспектах нынешней социокультурной ситуации

> *Марья, бледная, как тень, стояла тут же, безмолвно смотря на расхищение бедного своего имущества. Она держала в руке *** талеров, готовясь купить что-нибудь, и не имея духа перебивать добычу у покупщиков. Народ выходил, унося приобретенное.*
> А. С. Пушкин

Ленивы и нелюбопытны,
бессмысленны и беспощадны,
в своей обувке незавидной
пойдем, товарищ, на попятный.

Пойдем, пойдем. Побойся Бога.
Довольно мы поблатовали.
Мы с понтом дела слишком много
взрывали, воровали, врали

и веровали... Хва, Сережа.
Хорош базарить, делай ноги.

Харэ бузить и корчить рожи.
Побойся, в самом деле, Бога.

Давай, давай! Не хлюпай носом,
не прибедняйся, ексель-моксель!
Без мазы мы под жертвы косим.
Мы в той же луже, мы подмокли.

Мы сами напрудили лужу
со страху, сдуру и с устатку.
И в этой жиже, в этой стуже
мы растворились без остатка.

Мы сами заблевали тамбур.
И вот нас гонят, нас выводят.
Приехали, Сережа. Амба.
Стоим у гробового входа.

На посошок плесни в стаканчик.
Манатки вытряхни из шкапа.
Клади в фанерный чемоданчик
клифт и велюровую шляпу,

и дембельский альбом, и мишку
из плюша с латками из ситца,
и сберегательную книжку,
где с гулькин нос рублей хранится,

ракушку с надписью «На память
о самом синем Черном море»,
с кружком бордовым от «Агдама»
роман «Прощание с Матерой».

А со стены сними портретик
Есенина среди березок,
цветные фотки наших деток
и грамоту за сдачу кросса,

и «Неизвестную» Крамского,
чеканку, купленную в Сочи...
Лет семьдесят под этим кровом
прокантовались мы, дружочек.

Прощайте, годы безвременщины,
Шульженко, Лещенко, Черненко,
салатик из тресковой печени
и летка-енка, летка-енка...

Присядем на дорожку, зема.
И помолчим... Ну все, поднялись.
Прощай сто первый наш кило́метр,
где пили мы и похмелялись.

И мы уходим, мы уходим
неловко как-то, несуразно,
скуля и огрызаясь грозно,
бессмысленно и безобразно...

Но стоп-машина! Это слишком!
Да, мы действительно отсюда,
мы в этот класс неслись вприпрыжку,
из этой хавали посуды,

да мы топтали эту зону,
мы эти шмотки надевали,

вот эти самые гандоны
мы в час свиданья разорвали,

мы все баклуши перебили,
мы всё в бирюльки проиграли...
Кондуктор, не спеши, мудила,
притормози лаптею, фраер!

Ведь там, под габардином, все же,
там, под бостоном и ватином,
сердца у нас — скажи, Сережа, —
хранили преданность Святыням!

Ведь мы же как-никак питомцы
с тобой не только Общепита,
мы ж, ексель-моксель, дети солнца,
ведь с нами музы и хариты,

Феб светозарный, песнь Орфея —
они нас воспитали тоже!
И не теряясь, не робея,
мы в новый день войдем, Сережа!

Бог Нахтигаль нам даст по праву
тираж Шенье иль Гумилева,
по праву, а не на халяву,
по сказанному нами слову!

Нет, все мы не умрем. От тлена
хоть кто-то убежит, Сережа!
«Рассказ» твой строгий — непременно,
и я, и я, быть может, тоже!

Мы ж сохранили в катакомбах
Завет священный Аполлона,
несли мы в дол советский оба
огонь с вершины Геликона!

И мы приветствуем свободу,
и навострили наши лиры,
чтоб петь свободному народу,
чтоб нас любили и хвалили.

С «Памира» пачки ты нисходишь,
с «Казбека» пачки уношусь я,
и, «Беломор» минуя с ходу,
глядим мы на «Прибой». Бушуй же!

Давай, свободная стихия!
Мы вырвались!.. Куда же ныне
мы путь направим?.. Ах, какие
подвижки в наших палестинах!

Там, где сияла раньше «Слава
КПСС», там «Coca-cola»
горит над хмурою державой,
над дискотекой развеселой.

Мы скажем бодро: «Здравствуй, племя
младое, как румяный персик,
нью дженерэйшен, поколенье
навеки выбравшее "Пепси"»!

Ты накачаешься сначала,
я вставлю зубы поприличней.

В коммерческом телеканале
мы выступим с тобой отлично.

Ну, скажем, ты читаешь «Стансы»
весь в коже, а на заднем плане
я с группой герлс танцую танец
под музыку из фильма «Лайнер».

Кадр следующий — мы несемся
на мотоциклах иль на яхте.
Потом реклама — «Панасоник».
Потом мы по экрану трахнем

тяжелым чем-нибудь... Довольно.
Пойдем-ка по библиотекам!
Там будет нам светло и вольно,
уж там-то нас не встретят смехом.

Там по одежке нас встречает
старушка злобная шипеньем,
и по уму нас провожают
пинком за наши песнопенья.

Там нашу зыбкую музыку
заносит в формуляры скука.
Медведь духовности великой
там наступает всем на ухо.

Там под духовностью пудовой
затих навек вертлявый Пушкин,
поник он головой садовой —
ни моря, ни степей, ни кружки.

Он ужимается в эпиграф,
забит, замызган, зафарцован,
не помесь обезьяны с тигром,
а смесь Самойлова с Рубцовым.

Бежим скорей!... И снова гвалтом
нас встретит очередь в «Макдональдс».
«Интересуетесь поп-артом?» —
Арбат подвалит беспардонный.

И эротические шоу
такие нам покажут дива —
куда там бедному Баркову
с его купчихой похотливой!

Шварцнеггер выйдет нам навстречу,
и мы застынем холодея.
Что наши выспренние речи
пред этим торсом, этой шеей?

И в общем-целом, как ни странно,
в бараке мы уместней были,
чем в этом баре разливанном,
на конкурсе мисс Чернобы́ля...

И ничего не остается,
лишь угль пылающий, чадящий.
Все чертовым жерлом пожрется.
В грядущем, в прошлом, в настоящем

нам места нет... Проходят съезды.
Растут преступность, цены, дети...
Нет, не пустует свято место —
его заполонили черти.

Но если птичку голосисту
сдавили грубой пятернею,
посмей хоть пикнуть вместо свисту!
Успей же, спой же, Бог с тобою!

Жрецам гармонии не можно
пленяться суетой, Серега.
Пусть бенкендорфно здесь и тошно,
но все равно — побойся Бога!

Пой! Худо-бедно, как попало,
как Бог нам положил на душу!
Жрецам гармоньи не пристало
безумной черни клики слушать.

Давай, давай! Начнем сначала.
Не придирайся только к рифмам.
Рассказ пленительный, печальный,
ложноклассические ритмы.

Вот осень. Вот зима. Вот лето.
Вот день, вот ночь. Вот Смерть с косою.
Вот мутная клубится Лета.
Ничто не ново под луною.

Как древле Арион на бреге,
мы сушим лиры. В матюгальник
кричит осводовец. С разбега
ныряет мальчик. И купальник

у этой девушки настолько
открыт, что лучше бы, Сережа,
перевернуться на животик...
Мы тоже, я клянусь, мы тоже....

II

УСАДЬБА

*Деревня наша очень мила. Старинный дом на го-
ре, сад, озеро, кругом сосновые леса, все это осенью
и зимою немного печально, но зато весной и летом
должно казаться земным раем. Соседей у нас мало,
и я еще ни с кем не виделась. Уединение мне нравится на самом деле, как в элегиях твоего Ламартина.*

А. С. Пушкин

Ну, слава Богу, Александр Викентьич!
Насилу дождались! Здорово, брат!..
А это кто ж с тобой? Да быть не может!
Петруша! Петр Прокофьич, дорогой!
Да ты ли это, Боже правый? Дочка!
Аглаюшка, смотри, кто к нам приехал!
Ах, Боже мой, да у него усы!
Гвардеец, право слово!.. Ну, входите,
входите же скорее!.. Петя, Петя!
Ну, вылитый отец... Я, чай, уже
такой же сердцеед? О, покраснел!
Ну не сердись на старика, Петруша!
Так, значит, все науки превзошел...
Аглаюшка, скажи, чтоб подавали...
А мы покамест суд да дело — вот,
по рюмочке, за встречу... Так... Грибочком
ее... Вот этак... А? Небось в столицах
такого не пивали? То-то, братец!
Маркеловна покойная одна
умела так настаивать... Что, Петя,
Маркеловну-то помнишь? У нее

ты был в любимцах. Как она варенье
варить затеет — ты уж тут как тут
и пеночки выпрашиваешь... Славно
тогда мы жили, господа... И что ж
ты делать собираешься — по статской
или военной линии? Какое
ты поприще, Петруша, изберешь?
А может, по ученой части? А?
Профессор Петр Прокофьев сын Чердынцев?
А что?!.. Но если правду говорить, —
принялся б ты хозяйствовать, дружочек.
Совсем ведь захирело без присмотра
именье ваше... Ну-с, прошу к столу.
Чем Бог послал, как говорится... Глаша,
голубушка, вели еще кваску...
Именьице-то славное... Отец твой,
не тем помянут будь, пренебрегал
заботами хозяйственными, так он
и не привык за двадцать лет. Но Марья
Петровна — вот уж истинно хозяйка
была — во все сама входила, все
на ней держалось. Шельмеца Шварцкопфа,
именьем управлявшего, она
уже через неделю рассчитала.
Подрядчики уж знали — сразу к ней...
А батюшка все больше на охоте...
Да... Царствие небесное... А я б
помог тебе на первый случай, Петя...
Да вот и Александр Викентьич тоже...
Его теплицы славятся на всю
Россию, а теперь и сыроварню
голландскую завел... Грешно ведь, Петр.
Гнездо отцов, как говорится... Мы бы
тябя женили здесь — у нас-то девки

144

покраше будут петербургских модниц.
Да вот Аглая хоть — чем не невеста?
Опять же по соседству... Александр
Викентьевич, любезнейший, давай-ка
еще по рюмочке... А помнишь, Петя,
как ты на именины преподнес
Аглае оду собственную, помнишь?
«Богоподобной нимфе и сильфиде
дубравы Новоселковской». Уж так
смеялись мы... Ну как не помнишь, Петя?
Тебе лет десять было, Глаше шесть.
В тот год как раз мы с турком замирились,
и я в отставку вышел... Оставайся,
голубчик! Ну, ей-богу, чем не жизнь
у нас?... Вот и в журналах пишут, Петя, —
российское дворянство позабыло
свой долг священный, почва, мол, крестьянство,
совсем, мол, офранцузились, отсюда
и разоренье, и социализм...
Да-с, Петр Прокофьич... Мы ведь здесь, в глуши,
почитываем тоже, ты не думай,
что вот медведь уездный... Мы следим
за просвещеньем, так сказать, прогрессом,
гуманностью... А как же? Вот гляди —
«Европы вестник», «Пчелка», «Сын Отечества»,
вот «Русский инвалид». Я сам читаю,
но больше для Аглаи... А забавно,
я доложу вам, критики читать.
Хотя оно подчас не все понятно,
но так-то бойко... Вот барон Брамбеус
в девятом нумере отделывает — как
то бишь его? — Кибиров (очевидно,
из инородцев). Так и прописал —
мол, господин Кибиров живописец

пошлейшей тривиальности, а также
он не в ладах с грамматикой российской
и здравым смыслом.... Нынче мы прочли
роман Вальте́ра Скотта — «Ивангоэ».
Презанимательная, доложу вам, вещь.
Английская... А Глашенька все больше
стишками увлекается. Давала
мне книжечку недавно — «Сочиненья
в стихах и прозе Айзенберга». Только
я, грешным делом, мало что там понял.
Затейливо уж очень и темно...
Оно понятно — немец!.. Вася Шишкин
у нас в кадетском корпусе отлично
изображал, как немец пиво пьет.
Такой шалун был... А ведь дослужился
до губернаторства... Назад тому три года
его какой-то негодяй в театре
смертельно ранил... Был бы жив Столыпин,
порядок бы навел... А ты, Петруша,
случайно не из этих?.. То-то, нет...
Грех, Петя, грех... И ладно бы купчишки,
семинаристы, но ведь из дворянских
стариннейших семей — такой позор!
Нет, не пойму я что-то вас, новейших...
Да вот Аглая — вроде бы ничем
Бог девку не обидел — красотою,
умом и нравом — всем взяла, наукам
обучена, что твой приват-доцент.
Приданое — дай Боже всякой, Петя.
А счастья нет... И все молчит, и книжки
читает, и вздыхает... Года два
назад из-за границы возвратился
Навроцкий молодой, и зачастил
он к нам. Все книги привозил и ноты.

146

Аглая ожила. А мне, Петруша,
он как-то не понравился. Но все же
я б возражать не стал... А через две
недели приезжает он под вечер
какой-то тихий, сумрачный. А Глаша
велит сказать, что захворала. После
Палашку посылала, я приметил,
с письмом к нему... И все, Петруша, все!
Я спрашивал ее: «А что ж не ездит
к нам больше Дмитрий Палыч» — «Ах, оставьте,
откуда знать мне, папенька!» ...Вот так-то...
Э, Александр Викентьич, чур, не спать!
Давай-ка, брат, опрокидонт иваныч!
Давайте, Саша, Петенька, за встречу!
Как дьякон наш говаривал: «Не то,
возлюбленные чада, оскверняет,
что входит к нам в уста, а что из уст
исходит!»... Да-с, голубчик... Презабавный
мне случай вспомнился — году в тридцатом...
Нет, дай Бог памяти... В тридцать шестом.
Или в тридцать девятом?.. Под Варшавой
наш полк стоял в то лето, господа.
Вообразите — пыльное местечко,
ученья бесконечные, жара
анафемская, скука — хоть стреляйся!
И никакого общества, поскольку
окрестные паны не то что бал
какой-нибудь задать — вообще ни разу
не пригласили нас, что объяснимо,
конечно, но обидно... Как обычно,
мы собрались у прапорщика Лембке.
Ну, натурально, выпивка, банчишко.
Ничто, казалось бы, не предвещало
каких-либо событий... Но уже

к полуночи заметил я, что Бельский
рассеян как-то, молчалив и странен...
Но, впрочем, надобно вам рассказать
подробнее о нем. У нас в полку
он человек был новый — лишь неделю
из гвардии он был переведен.
За что — никто не знал. Ходили слухи
о связи романической, скандале,
пощечине на маскараде — толком
никто не знал... И каково же было
мое недоумение, когда,
внезапно бросив карты... Заболтал
я вас совсем, простите старика,
пора на боковую. Так сказать,
в объятия Морфея... Поздно, Петя...
Ну что ж, покойной ночи, господа.
Покойной ночи, спите, господа.
Уснете вы надолго. Никогда
вам не проснуться больше. Никогда
в конюшнях барских не заржет скакун.
Трезор, и Цыган, и лохматый Вьюн
не встретят хриплым лаем пришлеца.
Чувствительные не замрут сердца
от песни Филомелы в час ночной.
И гувернер с зажженною свечой
не спустится по лестнице. И сад
загубят и богатства расточат.
И подпалят заветный флигелек.
И в поседевший выстрелит висок
наследник бравый. И кузина Кэт
устроится пишбарышней в Совет.
В тот самый год, России черный год,
о коем вам пророчествовал тот

убитый лейб-гусар. И никогда
не навредит брусничная вода
соседу-англоману. В старый пруд
глядит луна — в солярку и мазут.
И линия электропередач
гудит под кровлей минводхозных дач.
Катушка из-под кабеля. Труба
заржавленная. Видно, не судьба.
Видать, не суждено. Мотоциклет
протарахтит и скроется. И свет
над фабрикою фетровой в ночи...
Прощай, ма шер. Молчи же, грусть, молчи.

III

Из цикла «Младенчество»

> *Мы вошли в комнаты. С трепетом смотрел я вокруг себя, припоминая свои младенческие годы. Ничто в доме не изменилось, все было на прежнем месте.*
>
> А. С. Пушкин

1

Майский жук прилетел из дошкольных времен.
Привяжу ему нитку на лапку.
Пусть несет меня в мир, где я был вознесен
на закорки военного папки.

В забылицу о том, как я нравился всем,
в фокус-покус лучей обожанья,
в угол, где отбывал я — недолго совсем —
по доносу сестры наказанье.

149

Где страшнее всего было то, что убил
сын соседский лягушку живую,
и что ревой-коровой меня он дразнил,
когда с ветки упал в крапиву я.

В белой кухне бабуля стоит над плитой.
Я вбегаю, обиженный болью.
Но поставлен на стул и читаю Барто,
первомайское теша застолье.

И из бани я с дедушкой рядом иду,
чистый-чистый под синей матроской.
Алычею зеленой объемся в саду,
перемажусь в сарае известкой.

Где не то что оправдывать — и подавать
я надежды еще не обязан.
И опять к логопеду ведет меня мать,
и язык мой еще не развязан.

2

Я горбушку хлеба натру чесноком пахучим.
Я слюной прилеплю к порезу лист подорожника.
Я услышу рассказы страшные — про красные руки,
про кровавые пятна и черный-пречерный гроб!

Я залезу на дерево у кинотеатра «Зеленый»,
чтоб без спросу смотреть «Королеву бензоколонки».
За сараем закашляюсь я от окурка «Казбека»
и в сортире на Республиканской запомню рисунки.

А Хвалько, а Хвалько будет вечно бежать, а тетя Раиса
будет вечно его догонять с ремнем или прутиком.

3

Карбида вожделенного кусочки
со стройки стырив, наслаждайся вонью,
шипеньем, синим пламенем от спички
в кипящей луже, в полдень, у колонки.

По пыли нежной, августовской, желтой
айда купаться!.. Глы́боко, с головкой!..
Зовут домой — скорей, приехал дядя...
И в тот же самый день взлетел Гагарин.

Какой-то диафильм — слоны и джунгли,
индусы, лань волшебная — на синей
известке, и какие-то созвездья
мерцают между крон пирамидальных...

Еще я помню сказку и картинки —
коза, козлята, — только почему-то
коза звала их — мой Алюль, Билюль мой
и мой Хиштаки... Черт-те что... Не помню...

4

На коробке конфетной — Людмила,
и Руслан, и волшебник пленен.
Это детство само — так обильно,
вкусно, ярко... Когда это было?
Сослуживица мамы дарила
мне конфеты, а я был смущен.

День бескраен. Наш сад процветает,
потому что наш дедушка жив.
И на солнышке форму теряя,

пластилиновый конь умирает,
всадник тает, копье уронив.

Нет пока на ответы вопросов,
хоть уже и ужасно чуть-чуть.
Как мне жалко кронштадтских матросов,
окровавленный Павлик Морозов
так мучителен, что не заснуть.

Ух, фашисты, цари, буржуины!
Вот мой меч — вашу голову с плеч...
Но уже от соседской Марины
так мне грустно, хотя и невинно.
Уже скалится рифмами речь.

5

Скоро все это предано будет
не забвенью, а просто концу.
И приду я в себя и в отчаянье,
нагрубив напоследок отцу.

Страшно все. Всех и вся позабудут.
Ничего же, пойми ты, не будет.
Но откуда — неужто оттуда? —
дуновенье тепла по лицу?

Я не знаю, чье это посланье,
указанье, признанье, воззванье,
но гляди — все, как прежде, стоит —
в палисаднике мама стирает,

мы в кубинских повстанцев играем,
горяча черепица сараев,
стрекоза голубая блестит...
Эй, прощайте мне. Бог вас простит.

IV

ПОСЛАНИЕ ЛЕНКЕ

> *Тут вошла девушка лет осьмнадцати, круг-*
> *лолицая, румяная, с светло-русыми волосами,*
> *гладко зачесанными за уши, которые у ней*
> *так и горели. С первого взгляда она не очень*
> *мне понравилась. Я смотрел на нее с преду-*
> *беждением: Швабрин описал мне Машу, ка-*
> *питанскую дочь, совершенною дурочкою.*
>
> А. С. Пушкин

Леночка, будем мещанами! Я понимаю, что трудно,
что невозможно практически это. Но надо стараться.
Не поддаваться давай... Канарейкам свернувши головки,
здесь развитой романтизм воцарился, быть может, навеки.
Соколы здесь, буревестники все, в лучшем случае — чайки.
Будем с тобой голубками с виньетки. Средь клекота злого
будем с тобой ворковать, средь голодного волчьего воя
будем мурлыкать котятами в теплом лукошке.
        Не эпатаж это — просто желание выжить.

И сохранить, и спасти... Здесь, где каждая вшивая шавка
хрипло поет под Высоцкого: «Ноги и челюсти быстры,
мчимся на выстрел!» И, Господи, вот уже мчатся на выстрел,
сами стреляют и режут... А мы будем квасить капусту,
будем варенье варить из крыжовника в тазике медном,
вкусную пенку снимая, назойливых ос отгоняя,
пот утирая блаженный, и банки закручивать будем,
и заставлять антресоли, чтоб вечером зимним, крещенским
долго чаи распивать под уютное ходиков пенье,
        под завыванье за окнами блоковской вьюги.

153

Только б хватило нам сил удержаться на этом плацдарме,
на пятачке этом крохотном твердом средь хлябей дурацких,
среди стихии бушующей, среди девятого вала
канализации гордой, мятежной, прорвавшей препоны
и колобродящей семьдесят лет на великом просторе,
нагло взметая зловонные брызги в брезгливое небо,
злобно куражась... О, не для того даже, не для того лишь,
чтобы спастись, а хотя б для того, чтобы, в зеркало глядя,
          не испугались мы, не ужаснулись, Ленуля.

Здесь, где царит романтизм развитой, и реальный, и зрелый,
здесь, где штамповщик любой, пэтэушник, шофер, и нефтяник,
и инженер, и инструктор ГУНО, и научный сотрудник —
каждый буквально — позировать Врубелю может, ведь каждый
здесь клеветой искушал Провиденье, фигнею, мечтою
каждый прекрасное звал, презирал вдохновенье, не верил
здесь ни один ни любви, ни свободе, и с глупой усмешкой
каждый глядел, и хоть кол ты теши им — никто не хотел здесь
          благословить ну хоть что-нибудь в бедной природе.

Эх, поглядеть бы тем высоколобым и прекраснодушным,
тем презиравшим филистеров, буршам мятежным,
полюбоваться на Карлов Мооров в любой подворотне!
Вот вам в наколках Корсар, вот вам Каин фиксатый и Манфред,
вот, полюбуйтесь, Мельмот пробирается нагло к прилавку,
вот вам Алеко поддатый, супругу свою матерящий!
Бог ваш лемносский сковал эту финку с наборною ручкой!
          Врет Александр Александрыч, не может быть злоба
                                                  святою.

Здесь на любой танцплощадке как минимум две Карменситы,
здесь в пионерской дружине с десяток Манон, а в подсобке
здесь Мариула да́рит свои ласки, и ночью турбаза

стонет, кряхтит Клеопатрой бесстыжей!.. И каждый студентик
Литинститута здесь знает — искусство превыше морали.
На семинаре он так и врезает надменно: «Эстетика
выше морали бескрылой, мещанской!» И мудрый Ошанин,
мэтр седовласый, ведущий у них семинары, с улыбкой
доброю слушает и соглашается: «В общем-то, да».
В общем-то, да... Уж конечно... Но мы с тобой все-таки будем
Диккенса вслух перечитывать, и Честертона, и, кстати,
«Бледный огонь», и «Пнина», и «Лолиту», Ленуля, и Леву
будем читать-декламировать, Бог с ним, с де Садом...

Но и другой романтизм здесь имеется — вот он, голубчик,
вот он сидит, и очки протирает, и все рассуждает,
все не решит, бедолага, какая-такая дорога
к храму ведет, балалайкой бесструнною все тарахтит он.
И прерывается только затем, чтобы с липкой клеенки
сбить таракана щелчком, — и опять о Духовности, Лена,
          и медитирует, Лена, над спинкой минтая.

А богоборцы, а богоискатели? Вся эта погань,
вся достоевщинка ро́дная? Помнишь, зимою в Нарыне
в командировке я был? Там в гостинице номер двухместный,
без унитаза, без раковины, но с эстампом ярчайшим,
целых три дня и две ночи делил я с каким-то усатым
мелиоратором, кажется, нет, гидротехником... в общем,
что-то с водою и с техникой связано... Был он из Фрунзе,
но не киргиз, а русак коренной. Поначалу спокойно
жили мы, «Сопот» смотрели, его угощал я индийским
чаем, а он меня всякой жратвою домашнею. Но на вторые
сутки под вечер явился он с другом каким-то, киргизом,
как говорится, ужратый в умат. И еще раздавили
(впрочем, со мною уже) грамм четыреста водки «Кубанской».
          Кореш его отвалил. И вот тут началося.

155

Начал икать он, Ленуля, а после он стал материться.
Драться пытался, стаканом бросался в меня, и салагой
хуевым он обзывал меня зло, и чучмеком ебанным.
После он плакал и пел — как в вагонах зеленых ведется,
я же — как в желтых и синих — помалкивал.

                    «В Бога ты веришь? —
вдруг вопросил он. — Я, бля, говорю, в Бога веришь?» —
                           «Ну, верю». —
«Верю! Нет, врешь, ты, бля, сука, не веришь!..
                       У, ебанный корень!
Не понимаешь ты, блядь! Я вот верю! Я, сука-бля, верю!
Но не молюсь ни хуя! Не, ты понял, бля? Понял, сучонка?» —
«Понял я, понял». — «А вот не пизди. Ни хера ты не понял.
Леха, бля, Шифер не будет стоять на коленях!!» Ей-богу,
не сочинил я ни капельки, так вот и было, как будто
это Набоков придумал, чтоб Федор Михалыча насмерть
несправедливо и зло задразнить... Так давай же стараться!
Будем, Ленулька, мещанами — просто из гигиенических
соображений, чтоб эту паршу, и коросту, и триппер
             не подхватить, не поплыть по волнам этим, женка.

Жить-поживать будем, есть да похваливать, спать-почивать будем,
будем герани растить и бегонию, будем котлетки
кушать, а в праздники гусика, если ж не станет продуктов —
хлебушек черненький будем жевать, кипяток с сахаринчиком.
Впрочем, Бог даст, образуется все. Ведь не много и надо
тем, кто умеет глядеть, кто очнулся и понял навеки,
как драгоценно все, как все ничтожно, и хрупко, и нежно,
кто понимает сквозь слезы, что весь этот мир несуразный
бережно надо хранить, как игрушку, как елочный шарик,
            кто осознал метафизику влажной уборки.

Выйду я утром с собачкою нашей гулять, и, вернувшись,
зонтик поставив сушиться, спрошу я: «Елена Иванна,
в кулинарии на Волгина все покупали ромштексы.
Свежие вроде бы. Может быть, взять?» — «Нет, ромштексы
не надо.

Сало одно в них. Нам мама достала индейку. А что это
как вы чудно произносите — кулинари́я?» — «А что ж тут,
женка, чудного, так все говорят». — «Кулина́рия надо
произносить, Тимур Юрьич, по правилам» — «Ну, насмешила!
Что еще за кулина́рья?» — «А вот мы посмотрим». — «Давайте».
«Вот вам, пожалуйста!» — «Где?.. Кулина́рия... Ну, я не знаю...
Здесь опечатка, наверно».

И как-нибудь ночью ты скажешь:
«Кажется, я залетела...» Родится у нас непременно
мальчик, и мы назовем его Юрой в честь деда иль Ваней.
Мы воспитаем его, и давай он у нас инженером
или врачом, или сыщиком, Леночка, будет.

157

V

Вариации

Барков заспорил однажды с Сумароко-
вым о том, кто из них скорее напишет оду.
Сумароков заперся в своем кабинете, оставя
Баркова в гостиной. Через четверть часа Су-
мароков выходит с готовой одою и не заста-
ет уже Баркова. Люди докладывают, что
он ушел и приказал сказать Александру Пе-
тровичу, что-де его дело в шляпе. Сумароков
догадывается, что тут какая-нибудь прока-
за. И в самом деле, видит на полу шляпу, и...

А. С. Пушкин

1. ПРОГУЛКА В ОКРЕСТНОСТЯХ ОДИНЦОВО
Элегия

Осенний ветр над нивой обнаженной.
Расхлябанность дорог и нагота дерев.
Над Родиной моей уже не Божий гнев,
но Божья скорбь... Убожеством блаженный,

навстречу люд идет, неся домой
дары сельпо для жизни и веселья.
В страна́х полуденных справляют новоселье
станицы птиц, изгна́нные зимой.

И монумент я вижу близь села,
во славу ратников погибших посребренный.
Но мгла сгущается, и, влагой отягченный,
так низок небосвод, так жизнь изнемогла,

так смутно на душе... И вот кирза грузнеет
от косной тяжести земли моей родной.
И враны каркают — ужели надо мной?
И сумрак кра́дется, и дождь обиды сеет.

2. ОТРЫВОК ИЗ ИРОИ-КОМИЧЕСКОЙ ПОЭМЫ «РЯДОВОЙ МАСИЧ, ИЛИ ДЕМБЕЛЬСКИЙ АККОРД»

За подвиг трудный сей герой предерзкий взялся
и тотчас в путь потек, лишь старшина убрался.
Счастливо избежав препоны патрулей,
он тихо постучал в дверь душеньки своей,
котора, быв женой майора, не гнушалась
любовью рядовых и часто утешалась
в объятьях Масича, когда майор лихой
дежурство нес в ночи. Но знай, читатель мой, —
у Масича резон в сей страсти был особый —
вино он брал у ней или гражданску робу.
Всяк ищет выгоды, уж так устроен свет.
Что пользы сетовать — святых меж нами нет...
И нынче, взяв полштоф джамбульского разлива,
герой в обратный путь стремится торопливо.
Меж тем в каптерке я и рядовой Дроздов,
томимы алчностью, ждем Вакховых даров...
Но, оскабляючись, майорша привлекает
его к своим грудям дебелым и вздыхает:
«Ах, милый, не спеши! Ужель ты так уйдешь
и страстью нежною моей пренебрежешь?»
В глубь комнаты меж тем героя увлекает
и вот уж на диван бесстыдно упадает.

Желаньем распален, мой Масич позабыл,
о чем сержант Стожук его предупредил.
Покровов лишено уже майорши лоно,
уж ноги пышные взметнулись на погоны,
уж наслаждение ея туманит взор...
Но ужас! Настежь дверь, и входит сам майор!

3. ПЕРЕЛОЖЕНИЕ ПСАЛМА

Созижди, Отче, чудеса
в душе моей, страстьми издранной,
как злым бореем паруса,
безвдохновенной, бездыханной!
Я смраден, нищ, озлоблен, наг,
молю не милости, не благ,
не нег роскошества, не славы —
дабы я жизнь благословил,
яви Себя мне, Боже Сил,
хоть гневом, казнью, хоть расправой!

Молю — да двигнется гора
неверия, да снидет в душу,
вотще алкавшую добра,
Твое присутствие! Не струшу,
реку — Благословен Господь,
творящий щедро мысль и плоть!
О, существуй же, Боже правый!
Я стану неусыпно жить
и в звучных гимнах возносить
хвалу Тебе, меня создавый!

4. ПЕСНЯ ИЗ КИНОФИЛЬМА «ФИЛАЛЕТ И МЕЛОДОР»

Почто, о Лила, судьбы
нас встрече обрекли,
и для чего законы
нас разлучили вновь?

Твои я поцелуи
еще ловлю во снах,
но тщетно я томлюся
и токи слезны лью.

Минутна радость вянет,
как цветик полевой,
и счастье улетает,
как в осень соловей.

Пою днесь песнь печальну,
несча́стливый певец,
и Борнгольм, милый Борнгольм
воспоминаю вновь.

Никто нам не поможет,
и тщетны все мольбы,
вкруг нас жестоки души
и хладные сердца.

О, хоть на миг явися,
любезнейшая тень,
хоть сон мой овевая
красою неземной!

5. РОМАНС

Там, под сенью осеннего сада,
мы встречались, любовью горя.
О, как страстно, как долго лобзал я
пурпуровые губки ея!

И летели дни нашего счастья,
и, безумный, не чувствовал я,
что наполнены ядом измены
пурпуровые губки ея!

Вспоминаю, и слезы катя́тся!
Где ж ты, счастье, где младость моя?
О, кому ж они нынче лобзают
пурпуровые губки ея?

6. ИДИЛЛИЯ
Из Андрея Шенье

Месяц сентябрь наступил. Вот с кошницами, полными щедрых
матери Геи даров, возвращаются девы и слышат
стройные звуки — то баловень муз и Киприды,
юный пастух Эвфилой на свирели играет Силену,
старому другу, насмешнику и женолюбцу.

Сядем за трапезу, выпьем вино молодое.
Славный денек пусть сменяется вечером тихим.
Вовремя пусть перережут нить дней наших Парки.
В ночь благодатную мирно сойдем, как и жили.

О, как хотел бы я так, как придумал! О, как же мне мало
надобно было! О, теплая, добрая зелень!
О, золотые лучи уходящего солнца,
вечер, прохладу лиющий на томную землю!

О, как я вижу и слышу, как ладно язык мой подвешен!
Как же не вовремя все это сделали с нами, как страшно...
Всей и надежды — на Музу, на штиль столь высокий,
что не позволит унизиться.... Слушай же, Хлоя.

7

Как неразумное дитя
все хнычет, попку потирает,
все всхлипывает, все не знает,
за что отшлепано, хотя
обкакалось, — душа моя,
не так ли ты сквозь слез взываешь
к Всевышнему и все не знаешь,
за что так больно бьют тебя?

VI

ДЕНИСУ НОВИКОВУ
Заговор

> *Яркая луна озаряла обезображенные лица*
> *несчастных. Один из них был старый чу-*
> *ваш, другой – русский крестьянин, сильный*
> *и здоровый малый лет двадцати. Но, взгля-*
> *нув на третьего, я сильно был поражен и не*
> *мог удержаться от жалобного восклицания:*
> *это был Ванька, бедный мой Ванька, по глу-*
> *пости своей приставший к Пугачеву.*
>
> А. С. Пушкин

Слышишь, капает кровь?
    Кап-кап.
Спать. Спать. Спать.

За окном тишина. И внутри тишина.
За окном притаилась родная страна.
Не война еще, Диня, еще не война.
   Сквозь гардины синеет луна.

Тянет холодом из-за полночных гардин.
Надо б завтра заклеить. А впрочем, один
только месяц остался, всего лишь один,
и весна... Не война еще, Динь.
Не война, ни хрена, скоро будет весна...
Слышишь? Снова послышалось, блин.

   Слышишь, капает кровь?
   Слышишь, хлюпает кровь?
Слышишь, темною струйкой течет?
Слышишь, горе чужое кого-то гребет?..
   Сквозь гардины синеет луна.
Спать пора. Скоро будет весна.
Спать пора. Новый день настает.

Нынче холодно очень. Совсем я продрог.
В коридоре сопит лопоухий щенок.
Обгрызает, наверное, Ленкин сапог.
   Надо б трепку задать.
    Неохота вставать.
  Ничего, ничего. Нормалек.

   Тишина, тишина.
   Темнота, темнота.
   Ничего, ничего.
   Ни фига, ни черта.
Спать пора. Завтра рано вставать.

Как уютно настольная лампа горит.
И санузел урчит.
Отопленье журчит.
И внезапно во тьме холодильник рычит.
И опять — тишина, тишина.
И луна сквозь гардины, луна.

Наверху у соседей какой-то скандал.
Там как резаный кто-то сейчас заорал.
Перепились, скоты.... Надо спать.
Завтра рано вставать. Завтра рано вставать.
Лифт проехал. Щенок заворчал.
Зарычал и опять замолчал.

Кап да кап... Это фобии, комплексы, бред.
Это мании. Жаль, что снотворного нет.
Седуксенчику вмазать — и полный привет.
Кап да кап. Это кровь. Кап да кап.

Неужели не слышишь? Ну вот же! Сквозь храп,
слышишь, нет? — разверзается хлябь,
и волною вздымается черная кровь!...
Погоди, я еще не готов.

Погоди, не шуми ты, Дениска... Тик-так.
Тишина. За гардинами мрак.
Лишь тик-так, лишь напряг, лишь бессмысленный страх.
За гардинами враг. За гардинами враг.
Тишина. За гардинами враг.
Тик да так. Кап да кап. Тик да так.

Знать, вконец охренела моя голова.
Довели, наконец, до психушки слова.

Вот те счастье, Дениска, и вот те права.
Наплевать бы — да нечем плевать!

Пересохла от страха щербатая пасть.
Чересчур я замерз, чересчур я очкаст,
как вблизи аномалии чуткий компа́с
все я вру. И Великий Атас,

и Вселенский Мандраж окружает кровать.
Окружает, подходит, отходит опять...
Может, книжку какую на сон почитать?
    Или что-нибудь посочинять?
Надо спать. Завтра рано вставать.

    Слышишь, кровь, слышишь, кровь,
        слышишь, пенится кровь,
слышишь, льется, вздымается кровь?
Не готов ты еще? Говоришь, не готов?
    Говоришь, надо вызвать ментов?
Вызывай. Только помни про кровь.

Кровь гудит, кровь шевелится, кровь говорит,
и хрипит, и стучится, кипит-голосит,
и куражится, корчится, кровь не простит,
    кровь не спит, говорю я, не спит!

Ах, как холодно. Как неохота вставать.
Кровь крадется в ночи, аки лев, аки тать,
как на Звере Багряном Вселенская Блядь.
    Слышишь, топот? Опять и опять
        в жилах кровь начинает играть.

Не хватайся за крестик нательный в ночи,
«Отче наш» с перепугу во тьме не шепчи,
и не ставь пред иконой, Дениска, свечи,
            об линолеум лбом не стучи.

Слишком поздно уже, слишком поздно, Денис!
Здесь молись не молись, и крестись не крестись,
            и постись, и в монахи стригись —
                не поможет нам это, Денис!

Он не сможет простить. Он не сможет простить.
        Если Бог — Он не может простить
эту кровь, эту вонь, эту кровь, этот стыд.
        Нас с тобой Он не может простить.

И одно нам осталось — чтоб кровь затворить,
            будем заговор ветхий творить.
Волхвовать, заговаривать, очи закрыть,
            говорить, говорить, говорить!

            Повторяй же:
        на море на том окияне,
на Хвалынском на море да на окияне,
там, Дениска, на острове славном Буяне,
среди темного лесу, на полой поляне,
        там, на полой поляне лежит,

лежит бел-горюч камень прозваньем Ала́тырь,
там лежит Алаты́рь бел-горючий заклятый,
        а на том Алаты́ре сидит,

красна девка сидит, непорочна девица,
сидит красна девица, швея-мастерица,
густоброва, Дениска, она, яснолица,
    в ручке белой иголку держи́т,

в белой рученьке вострую держит иголку
и вдевает в булатную эту иголку
драгоценную нить шемаханского шелку,
    рудожелтую, крепкую нить,
    чтоб кровавые раны зашить.

Завяжу я, раб Божий, шелко́вую нить,
чтобы всех рабов Божиих оборонить,
чтоб руду эту буйную заговорить,
    затворить, затворить, затворить!

Ты, булат мой, булат мой, навеки отстань,
ты, кровь-матушка, течь перестань, перестань!
Слово крепко мое! Ты уймись, прекратись,
    затворись, мать-руда, затворись!

VII

ЛИТЕРАТУРНАЯ СЕКЦИЯ

> *В сей крайности пришло мне на мысль, не попро-*
> *бовать ли самому что-нибудь сочинить? Благосклон-*
> *ный читатель знает уже, что воспитан я был на*
> *медные деньги и что не имел я случая приобрести*
> *сам собою то, что было раз упущено, до 16 лет играя*
> *с дворовыми мальчишками, а потом переходя из гу-*
> *бернии в губернию, из квартиры на квартиру, про-*
> *вождая время с жидами да с маркитантами, играя*
> *на ободранных биллиардах и маршируя в грязи.*
> *К тому же быть сочинителем казалось мне так му-*
> *дрено, так недосягаемо нам, непосвященным, что*
> *мысль взяться за перо сначала испугала меня. Смел*
> *ли я надеяться попасть когда-нибудь в число писате-*
> *лей, когда уже пламенное желание мое встретиться*
> *с одним из них никогда не было исполнено? Но это*
> *напоминает мне случай, который намерен я расска-*
> *зать в доказательство всегдашней страсти моей*
> *к отечественной словесности.*
>
> А. С. Пушкин

Я не знаю, к кому обращаюсь, —
то ли к Богу, а может, к жене...
К Миле, к Семе.... Прости мне, прощаюсь...
К жизни, что ли? Да нет, не вполне.

Но пойми, ты же все понимаешь,
смерть не тетка, и черт мне не брат.
Да, я в это выгрался, но, знаешь,
что-то стало мне стыдно играть.

Не до жиру. Пора наступает.
Не до литературы, пойми.
Что-то пропадом все пропадает,
на глазах осыпается мир.

Ты пойми, мне уже не до жиру.
Наступа... наступила пора.
Обернулась тяжелая лира
бас-гитарой кабацкой. Пора.

Ах ты, литературочка, лапушка,
Н. Рубцов, Д. Самойлов и я.
Так лабайте под водочку, лабухи.
Распотешьте купчишек, друзья!..

Помнишь, в фильме каком-то эсеры
разругались, и злой боевик
сбил пенсне трусоватому Штерну,
изрыгая презрительный крик:

«Ах ты, литературная секция!!»
Так дразнил меня друг Кисляков
в старших классах, и, руку на сердце
положа, — я и вправду таков.

Это стыдно — но ты же свидетель,
я не этого вовсе хотел!
Я не только ведь рифмы на ветер,
я и сам ведь как дурень летел!

Я ведь не в ЦДЛ собирался
порционные блюда жевать,
не для гранок и версток старался,
я, ты знаешь, я, в общем, спасать —

ну, не смейся, ну, хватит — спасаться
и спасать я хотел, я готов
расплатиться сполна, расквитаться
не словами... Но что, кроме слов,

я имею? И этой-то мелочью
я кичился, тщеславный дурак...
В ресторанчике, ах, в цэдээлочке
вот те фирменных блюд прейскурант —

и котлеточка одноименная,
за 2.20 с грибками рулет,
2.15 корейка отменная,
тарталеточки с сыром... Поэт!

Что, поэт? Закозлило?... Пожалте
Вашу книжечку нам надписать!..
Пряча красный блокнотик под партой,
для того ль я учился писать?!

Ах ты, секция литературная,
отпусти ты меня, я не твой!
Ах ты, аудиторья культурная,
кыш отсюда, не стой над душой!

Стыдно... «Здрасьте! Вы кто по профессии?» —
«Я? Поэт!» — «Ах, поэт....» — «Да, поэт!
Не читали? Я, в общем, известный
и талантливый, кстати...» — «Да нет,

не читал» — «А вот Тоддес в последнем
„Роднике“...» Но клянусь, не о том
я мечтал в моей юности бедной,
о другом, о каком-то таком,

самом главном, что все оправдает
и спасет!.. Ну хоть что-то спасет!
Жизнь поставит и смерть обыграет,
обмухлюет, с лихвою вернет!

Так какая же жалкая малость,
и какая бессильная спесь
эти буковки в толстых журналах,
что зовутся поэзией здесь!

Нет, не ересь толстовская это,
не хохла длинноносого бзик —
я хочу, чтобы в песенке спетой
был всесилен вот этот язык!

Знаю, это кощунство отчасти
и гордыня. Но как же мне быть,
если, к счастью — к несчастию — к счастью,
только так я умею любить?

Потому что далеко-далеко,
лет в тринадцать попал в переплет,
фиолетовым пламенем Блока
запылала прыщавая плоть.

Первых строчек пьянящая мерность.
Филька бедненький был не готов,
чтобы стать почитателем верным
вот таких вот, к примеру, стихов:

«Этот синий, таинственный вечер
тронул белые струны берез,
и над озером... Дальше не помню...
та-та-та-та мелодия грез!»

И еще, и еще вот такие...
Щас... Минутку... «...в тоске роковой
попираю святыни людские
я своей дерзновенной ногой!»

172

Лет с тринадцати эти старанья.
Лет в пятнадцать — сонетов венки.
И армейские пиздостраданья —
тома на два сплошной чепухи.

И верлибры, такие верлибры —
непонятны, нелепы, важны!
Колыханье табачного нимба.
Чуткий сон моей первой жены.

И холодных потов утиранье,
рифмы типа судьбе—КГБ,
замирания и отмиранья,
смелость—трусость, борьбе—КГБ.

Но искал я, мятежный, не бури,
я хотел ну хоть что-то спасти...
Так вот в секцию литературную
я попался... Прощай же. Прости.

Вот сижу я и жду гонорара,
жду, что скажут Эпштейн и Мальгин...
Лира, лира моя, бас-гитара,
Аполлонишка, сукин ты сын!

Ничего я не спас, ничего я
не могу — все пропало уже!
Это небо над степью сухою,
этот запах в пустом гараже!

Мент любой для спасенья полезней,
и фотограф, и ветеринар!
Исчезает, исчезло, исчезнет
все, что я, задыхаясь, спасал.

Это счастие, глупости, счастье,
это стеклышко в сорной траве,
это папой подарены ласты,
это дембель, свобода, портвейн

«Три семерки», и нежное ухо,
и шершавый собачий язык,
от последних страниц Винни-Пуха
слезы помнишь? Ты вспомнил? И блик

фонаря в этих лужах, и сонный
теплый лепет жены, и луна!
Дребезжал подстаканник вагонный,
мчалась, мчалась навеки страна.

И хрустальное утро похмелья
распахнуло глаза в небеса,
и безделье, такое безделье —
как спасать это, как описать?

Гарнизонная библиотека,
желтый Купер и синий Марк Твен,
без обложки «Нана» у Олега....
Был еще «Золотистый» портвейн,

мы в пивной у Елоховской церкви
распивали его, и еще
вдруг я вспомнил Сопрыкину Верку,
как ее укрывал я плащом

от дождя, от холодного ливня
и хватал ее теплую грудь...
И хэбэшку, ушитую дивно,
не забудь, я молю, не забудь!

Как котенок чужой забирался
на кровать и все время мешал,
как в купе ее лик озарялся
полустанками, как ревновал

я ее не к Копернику, к мужу,
как в окошке наш тополь шумел,
как однажды, обрызган из лужи,
на свидание я не успел.

Как слезинка ее золотая
поплыла, отражая закат.
Как слетел, и слетает, слетает
липов цвет на больничный халат...

Все ты знаешь... Так что ж ты?.. Прощай же!
Ухожу. Я уже завязал...
Не молчи, отвечай мне сейчас же,
для чего ты меня соблазнял?

Чтоб стоял я, дурак, наблюдая,
как воронка под нами кружит,
чтоб сжимал кулачонки, пытаясь
удержать между пальцами жизнь?..

Был у бабушки коврик, ты помнишь —
волки мчались за тройкой лихой,
а вдали опускался огромный
диск оранжевый в снег голубой?

Так пойми же — теперь его нету!
И не надо меня утешать.
Волки мчались по санному следу.
Я не в силах об этом сказать.

Значит, все-таки смерть неизбежна,
и бессмысленно голос поет,
и напрасна прилежная нежность.
Значит, все-таки время идет...

На фига ж ты так ласково смотришь?
На фига ты балуешь меня?
Запрети быть веселым и гордым —
я не справлюсь, не справился я!

На фига же губой пересохшей
я шепчу над бумагой: «Живи!» —
задыха... задыхаясь, задохшись
от любви, ты же знаешь, любви?

И какому-то гласу внимаю,
и какие-то чую лучи...
Ты же зна... ты же все понимаешь!
Ты же знаешь! Зачем ты молчишь?

Все молчишь, улыбаешься тихо.
Папа? Дедушка? Кто ты такой?..
Может, вправду еще одну книгу?
Может, выйдет?.. А там, над рекой,

посмотри же, вверху, над Коньково,
над балхашскою теплой волной,
над булунскою тундрой суровой,
надо мной, над женой, над страной,

над морями, над сенежским лесом,
где идет в самоволку солдат,
там, над фабрикой имени Лепсе,
охуительный стынет закат!

Конец

Сортиры
1991

Е. И. Борисовой

1

Не все ль равно? Ведь клялся Пастернак
насчет трюизмов — мол, струя сохранна.
Поэзия, струись! Прохладный бак
фаянсовый уж полон. Графомана
расстройство не кончается никак.
И муза, диспепсией обуяна,
забыв, что мир спасает красота,
зовет меня в отхожие места —

2

в сортиры, нужники, ватерклозеты,
etc. И то сказать, давно
все остальные области воспеты
на все лады возможные. Вольно
осводовцам отечественной Леты
петь храмы, и заимки, и гумно,
и бортничество — всю эту халяву
пора оставить мальчикам в забаву.

3

Равно как хлорофилл, сегмент, дисплей,
блюз, стереопоэмы — все, что ловко
к советскому дичку привил Андрей
Андреич. Впрочем, так же, как фарцовку
огарками ахматовских свечей,
обрывками цветаевской веревки,
набоковской пыльцою. Нам пора
сходить на двор. Начнем же со двора.

4

О, дай Бог памяти, о, дай мне, Каллиопа,
блаженной точности, чтоб описать сей двор!
Волною разноцветного сиропа
там тянется июль, там на забор
отброшена лучами фильмоскопа
тень бабочки мохнатой, там топор
сидит, как вор, в сирени, а пила
летит из-за сарая, как стрела.

5

Там было все — от белого налива
до мелких и пятнистых абрикос,
там пряталась малиновая слива,
там чахнул кустик дедушкиных роз,
и вишня у Билибиных на диво
была крупна. Коротконогий пес
в тени беседки изнывал от скуки,
выкусывая блох. Тоску разлуки

6

пел Бейбутов Рашид по «Маяку»
в окне Хвалько. Короче, дивным садом

эдемским этот двор в моем мозгу
запечатлен навеки, вертоградом
Господним. Хоть представить я могу,
что был для взрослых он нормальным адом
советским. Но опять звенит оса,
шипит карбид, сияют небеса

7

между антенн хрущевских, дядя Слава,
студент КБГУ, садится вновь
в костюме новом на погранзаставу
из пластилина. Выступает кровь
после подножки на коленке правой.
И выступают слезы. И любовь
першит в груди. И я верчусь в кровати,
френч дедушкин вообразив некстати.

8

Но ближе к теме. В глубине двора
стоял сортир дощатый. Вот примерно
его размеры — два на полтора
в обоих отделеньях. И наверно,
два с половиной высота. Дыра
имела форму эллипса. Безмерна
глубь темная была. Предвечный страх
таился в ней... Но, кстати, о горшках

9

я не сказал ни слова! Надо было
конечно же начать с ночных горшков
и описать, как попку холодило
касание металла. Не таков
теперь горшок — пластмасса заменила

181

эмалевую гладкость, и цветов
уж не рисуют на боках блестящих.
И крышек тоже нету настоящих.

10

Как сказано уже, дышала тьма
в очке предвечным ужасом. В фольклоре
дошкольном эта мистика дерьма
представлена богато. Толстый Боря
Чумилин, по прозванию Чума,
рассказывал нам, сидя на заборе,
о детских трупах, найденных на дне,
о крысах, обитавших в глубине

11

сортира, отгрызающих мгновенно
мужские гениталии... Кошмар...
Доселе я, признаюсь откровенно
(фрейдист, голубчик, ну-ка, не кемарь!),
опаску ощущаю неизменно,
садясь орлом... В реальности комар
один зудел. Что тоже неприятно...
Еще из песни помнится невнятно

12

смерть гимназистки некой... Но забыл
я рассказать о шифере, о цвете,
в который наш сортир покрашен был,
о розоватом яблоневом цвете,
который вешний ветер заносил
в окошки над дверями, о газете
республиканской «Коммунизгме жол»
на гвоздике... а может, жул... нет, жол.

13

Был суриком, словно вагон товарный,
покрашен наш сортир. Когда бы Бог
мне даровал не стих неблагодарный,
а кисть с мольбертом, я бы тоже смог,
как тот собор Руанский кафедральный
живописал Моне, сплести венок
пейзажный из сортира — утром чистым,
еще не жарким, ярким и росистым,

14

когда пирамидальный тополь клал
тень кроны на фасад его, и в жгучий
июльский полдень — как сиял металл
горячих ручек, и Халид могучий
на дочку непослушную орал,
катавшуюся на двери скрипучей,
и крестовик зловещий поджидал
блистающую изумрудом муху
под шиферною крышей, и старуху

15

хакуловскую медленно вела
к сортиру внучка взрослая и долго
на солнцепеке злилась и ждала.
А на закате лучик, ярче шелка
китайского, и тонкий, как игла,
сочился сзади сквозь любую щелку,
и остывал спокойный небосвод
в окошке с перекладиной. Но вот

16

включали свет, и наступала темень
в окошке и вообще во всем дворе.

И насекомых суетное племя
у лампочки толклось, а у дверей
светились щели... Впрочем, эта тема
отдельная. Любимый мой хорей
тут подошел бы более... В Эдеме,
как водится, был змий. В моей поэме

17

его мы обозначим Саша Х.
Ровесниками были мы, но Саша
был заводилой. Не возьму греха
на душу — ни испорченней, ни гаже
он не был, но труслива и тиха
была моя натура, манной кашей
размазанная. Он же был смелей
и предприимчивей. И может быть, умней.

18

Поэтому, когда пора настала,
и наш животный ужас пред очком
сменился чувством новым, он, нимало
не медля, не страшась, приник зрачком
к округлым тайнам женского начала,
воспользовавшись маленьким сучком
в сортирной стенке... И боренье долга
с преступным чувством продолжалось долго

19

в моей душе, но наконец я пал
перед соблазном Сашкиных рассказов
и зрелищ любострастных возалкал.
Лет семь нам было. В чаяньи экстазов
неведомых я млел и трепетал.

В особенности Токишева Аза
(я вынужден фамилью изменить —
еще узнает, всяко может быть)

20

влекла нас, очевидно, потому,
что мы чутьем звериным уловляли
вокруг нее таинственную тьму
намеков, сплетен. У Хохловой Гали
она квартировала. Почему
в греховности ее подозревали —
неясно. Разведенкою была
она. К тому ж без своего угла.

21

От тридцати до сорока, а может,
и меньше было ей. Огромный бюст,
шиньон огромный, нос огромный тоже.
Тугой животик, нитка алых бус.
Метр пятьдесят с шиньоном. На «Искоже»
она была бухгалтершей. Но пусть
читатель лучше вспомнит крышку пудры
с портретом Карменситы чернокудрой.

22

И мы подстерегли ее! Когда
она, как мусульманке подобает,
с кувшином серебристым (лишь вода,
отнюдь не целлюлоза очищает
ислама дочерей) вошла туда,
куда опять, увы, не поспевает
тройная рифма, я за Сашкой вслед
шмыгнул в отсек соседний... Сколько лет

185

23

прошло, а до сих пор еще мне страшно
припомнить это — только Сашка смог
сучок проклятый вытащить, ужасный
раздался крик, и звон, и плеск! Мой Бог!
Остолбенев, я видел, как напрасный
крючок был сорван бурей, как Сашок
пытался мимо проскользнуть взбешенной
бухгалтерши, как оживлялся сонный,

24

залитый солнцем двор... Я был спасен
каким-то чудом. Почему-то Аза
заметила лишь Сашку... Как же он
был выпорот! Никто меня ни разу
так не порол. А после заточен
он был в сарай до ночи. Впрочем, сразу
уже под вечер следующего дня
к окошкам бани он манил меня.

25

Но тщетно... Представляю, как злорадно
из «Обозренья книжного» О. М.
посмаковал бы случай этот. Ладно.
Неинтересно это. Между тем
есть столько интересного! Отрадно
Пегасу на раздолье свежих тем
резвиться и пастись — пускай немного
воняет, но уж лучше, чем дорога

26

шоссейная, где тянется обоз
усталых кляч... И кстати, о дорогах!

Пыхтит и пахнет сажей паровоз,
не списанный еще. Давай-ка трогай,
и песню не забудь, и папирос
дым голубой в вагоне-ресторане
ты не забудь, и жидкий чай в стакане

27

с барочным подстаканником, и взгляд
в окне кромешном двойника смешного,
и как во тьме мучительно храпят
в купе соседнем, как проходишь снова
в конец вагона, и бредешь назад,
прочтя дугой начертанное слово
безжалостное «Занято». Но вот
свободно наконец. И настает

28

блаженства миг. И не забудь про ручку
удобную на стенке, чтобы ты
не грохнулся со стульчака, про тучки
в приспущенном окошке, красоты
необычайной, мчавшиеся кучно
со скоростью экспресса из Читы,
покуда ты, справляя напряженно
нужду большую, смотришь удивленно

29

на схему труб и кранов на стене.
Так не забудь! Клянусь, что не забуду!
Теперь нажми педаль. Гляди, на дне
кружок открылся, стук колес оттуда
ворвался громкий и едва ли не
тревожный ветер странствий... Но кому-то

187

уже приспичило... Ты только не забудь
мельканье шпал в кружочке этом... Путь

30

воздушный ждет теперь нас. Затхлый запах,
химически тоскливый, на борту
Аэрофлота ожидает. Трапы
отъехали. И вот гудящий Ту
парит над облаками. Бедный папа
идет меж кресел, к моему стыду,
с моим гигиеническим пакетом
в конец салона... Этим туалетам

31

я посвящу не более строфы.
Упомяну лишь дверцу. И конечно,
цвет жидкости, смывающей в эфир
земные нечистоты плоти грешной.
И все. Немного северней Уфы,
внедрившись внутрь равнины белоснежной,
идем мы на сниженье. Силуэт
планера украшает мой пакет.

32

Сестра таланта, где же ты, сестрица?
Уж три десятка строф я миновал,
а описал покамест лишь крупицу
из тех богатств, что смутно прозревал
я сквозь кристалл магический. Вертится
нетерпеливый Рубинштейн. Бокал
влечет Сережу. Надо бы прерваться.
Итак, антракт и смена декораций.

. . . .

33

Ну что ж, продолжим. Вот уже угри
язвительное зеркало являет.
Они пройдут нескоро. Но смотри —
полярное сиянье разливает
свой пламень над поселком Тикси-3,
и пышный Ломоносов рассуждает
о Божием величии не зря,
когда с полночных стран встает заря!

34

На бреге моря Лаптевых, восточней
впаденья Лены, гарнизон стоял.
Приехали туда мы летом. Сочный
аквамарин соленый оттенял
кумач политработы и сверхсрочный
линялый хаки. Свет дневной мешал
заснуть, и мама на ночь прикрепляла
к окну два темно-синих одеяла

35

солдатских. Мы вселились налегке
в барак длиннющий. За окошком сопки
из Рокуэлла Кента. Вдалеке
аэродром. У пищеблока робко
вертелся пес мохнатый, о Клыке
напомнив Белом. Серебрились пробки
от питьевого спирта под окном
общаги лейтенантской, где гуртом

36

герои песен Визбора гуляли
после полетов. Мертвенный покой

189

родимой тундры чутко охраняли
локаторы. Стройбат долбил киркой
мерзлоты вековечные. Пылали
костры, чтоб хоть немного ледяной
грунт размягчить. А коридор барака
загроможден был барахлом. Однако

37

в нем жизнь кишела: бегали туда-
сюда детишки, и со сковородкой
с кусками оленины (никогда
я не забуду этот вкус!) походкой
легчайшею шла мама, и вражда
со злыми близнецами Безбородко
мне омрачила первые деньки.
Но мы от темы слишком далеки.

38

Удобств, конечно, не было. У каждой
двери стояла бочка с питьевой
водою. Раз в неделю или дважды
цистерна приезжала с ледяной,
тугой, хрустальной влагою... Пока что
никак не уживаются со мной
злодейки-рифмы — две еще приходят,
но хоть ты тресни — третью не приводят!...

39

А туалет был размещен в сенях.
Уже не помню, как там было летом.
Зимою толстый иней на стенах

белел, точней, желтел под тусклым светом.
Арктический мороз вгрызался в пах
и в задницу, и лишь тепло одетым
ты мог бы усидеть, читатель мой,
над этой ледовитою дырой.

40

Зато зловонья не было, и проще
гораздо было яму выгребать.
Якут зловещий, темнолицый, тощий,
косноязычно поминавший мать
любых предметов, пьяный как извозчик,
верней, как лошадь пьющий... Я читать
тогда Марк Твена начал — он казался
индейцем Джо, и я его боялся...

41

Он приходил с киркой и открывал
дверь небольшую под крыльцом, и долго
стучал, и бормотал, и напевал,
а после желто-бурые осколки
на санки из дюраля нагружал
и увозил куда-то, глядя волком
из-под солдатской шапки. Как-то раз,
напившись, он... Но требует рассказ

42

введенья новых персонажей. Пара
супружеская Крошкиных жила
напротив кухни. Ведал муж товаром
на складе вещевом. Его жена
служила в Военторге. Он недаром

носил свою фамилью, но жирна
и высока была его Лариса
Геннадиевна. Был он белобрысый

43

и лысоватый, а она, как хром
навакшенный. Средь прапорщиков... Здрассте!
Какие еще прапоры? Потом,
лет через десять, эта злая каста
название приобретет с душком
белогвардейским. А сосед очкастый,
конечно, старшиною был. Так вот,
представь читатель, не спеша идет

44

в уборную Лариса. Закрывает
дверь на щеколду. Ватные штаны
с невольным содроганием снимает.
Садится над дырою. Тишины
ничто не нарушает. Испускает
она струю... Но тут из глубины
ее за зад хватают чьи-то руки!..
И замер коридор, заслышав звуки

45

ужасные. Она кричала так,
что леденела в жилах кровь у самых
отважных офицеров, что барак
сотрясся весь, и трепетные мамы
детей к груди прижали! Вой собак
напуганных ей вторил за стенами!
И, перейдя на ультразвук, она
ворвалась в коридор. В толпе видна

была мне белизна такого зада,
какого больше не случалось мне
увидеть никогда... Посланцем ада,
ты угадал читатель, был во сне
обмоченный индеец Джо... Громада
Ларисиного тела по стене
еще сползала медленно, а Крошкин,
лишь подтянув штаны ее немножко,

схватил двустволку, вывалился в дверь
с клубами пара... Никого... Лишь вьюга
хохочет в очи... Впрочем, без потерь
особенных все обошлось — подруга
сверхсрочника пришла в себя, теперь
не помню, но, наверно, на поруки
был взят ассенизатор. Или суд
товарищеский претерпел якут.

48

А вскоре переехали мы в новый
пятиэтажный дом. Мела пурга.
Гораздо выше этажа второго
лежал сугроб. Каталась мелюзга
с его вершины. И прогноз суровый
по радио нас вовсе не пугал,
а радовал — занятья отменялись.
И иногда из школы возвращались

мы на армейском вездеходе. Вой
метели заглушен был мощным ревом

бензина... А веселый рядовой
со шнобелем горбатым и багровым,
наверно отмороженным пургой,
нас угощал в курилке и суровым
измятым «Северком», и матерком.
Благодаря ему я был знаком

50

уже тогда с Высоцким, Окуджавой,
и Кукиным, и Городницким. Я
тогда любил все это... Тощей павой
на сцену клуба выплывала, чья
уже не помню, дочка. Боже правый!
Вот наступает очередь моя —
со сцены я читаю «Коммунисты,
вперед!»... Вещь славная... Теперь ее речистый

51

почтенный автор пишет о тоске
по внучке, что скипнула в Сан-Франциско.
Ей трудно жить от деда вдалеке,
без Коктебеля, без родных и близких.
Но все же лучше там, чем в бардаке
российском, и намного меньше риска.
И больше колбасы. За это дед
клянет Отчизну... Через столько лет

52

аплодисменты помню я... В ту пору,
чуть отрок, я пленен был навсегда
поэзией. «Суд памяти» Егора
Исаева я мог бы без труда,

не сбившись, прочитать на память. Вскоре
я к «Братской ГЭС» припал. Вот это да!
Вот это книжка!.. Впрочем, так же страстно
я полюбил С. Михалкова басни.

53

Но вредную привычку приобрел
в ту зиму я — читать на унитазе.
Казнь Разина я, помнится, прочел
как раз в подобной позе. Бедный Разин!
Как он хотел добра, и как же зол
неблагодарный люд! Еще два раза
в восторге пиитическом прочел
я пятистишья пламенные эти.
И начал третий. «Сколько в туалете, —

54

отцовский голос я услышал вдруг, —
сидеть ты будешь?!» Папа был уверен,
что я страдал пороком тайным. Вслух
не говорил он ничего. Растерян,
я ощущал обиду и испуг,
когда отец, в глаза мне глядя, мерно
стучал газетой по клеенке. Два
учебных года отойдут сперва,

55

каникулы настанут — подозренья
папаши оправдаются тогда.
Постыдные и сладкие мгновенья
в дыру слепую канут без следа
в сортире под немолчное гуденье

огромной цокотухи. Без сомненья,
читатель понял, что опять А. Х.
увлек меня на поприще греха.

56

Пора уже о школьном туалете
речь завести. Затянемся бычком
коротким от болгарской сигареты,
припрятанным искусно за бачком
на прошлой переменке. Я отпетый
уже вполне, и папа Челкашом
меня назвал в сердцах. Курить взатяжку
учу я Фильку, а потом и Сашку.

57

Да нет, конечно, не того! Того
я потерял из вида. В Подмосковье
теперь живем мы. Воин ПВО
чуть-чуть косой, но пышущий здоровьем,
глядит со стенда строго. Половой
вопрос стоит. Зовется он любовью.
Пусть я басист в ансамбле «Альтаир»,
но автор «Незнакомки» мой кумир.

58

И вот уж выворачивает грубо
мое нутро проклятый «Солнцедар».
Платком сопливым вытирая губы,
я с пьяным удивленьем наблюдал
над унитазом в туалете клуба
боренье двух противных ниагар —
струй белопенных из трубы холодной
с кроваво-красной жижей пищеводной.

196

59

Прости меня, друг юности, портвейн!
Теперь мне ближе водки пламень ясный.
Читатель ждет уж рифмы Рубинштейн,
или Эпштейн, или Бакштейн. Напрасно.
К портвейну приримуем мы сырок
«Волна» или копченый сыр колбасный.
Чтоб двести грамм вобрал один глоток,
винтом раскрутим темный бутылек.

60

Год 72-й. Сквозь дым пожарищ
электропоезд движется к Москве.
Горят леса, и тлеет торф. Товарищ,
ты помнишь ли? В патлатой голове
от зноя только тяжесть. Ты завалишь
экзамены, а мне поставят две
пятерки. Я переселюсь в общагу.
А ты, Олежка, строевому шагу

61

пойдешь учиться следующей весной...
Лишь две из комнат — Боцмана и наша —
мужскими были. Весь этаж второй
был населен девицами — от Маши
скромнейшей до Нинельки разбитной.
И, натурально, сладострастья чашу
испил я, как сказал поэт, до дна.
Но помнится мне девушка одна.

62

Когда и где, в какой-такой пустыне
ее забуду? Твердые соски
под трикотажной кофточкою синей,

зовущейся «лапшою», вопреки
зиме суровой крохотное мини
и на платформе сапоги-чулки.
В горячей тьме топчась под Джо Дассена,
мы тискали друг друга откровенно.

63

А после я уламывал своих
сожителей уйти до завтра. Пашка
не соглашался. Наконец одних
оставили нас. Потную рубашку
уже я скинул и, в грудях тугих
лицом зарывшись, торопливо пряжку
одной рукой отстегивал, другой
уже лаская холмик пуховой.

64

И наконец, сорвав штаны, оставшись
уже в одних носках, уже среди
девичьих ног, уже почти ворвавшись
в промежный мрак, уже на полпути
к мятежным наслаждениям, задравши
ее колени, чуя впереди,
как пишет Цвейг, пурпурную вершину
экстаза, и уже наполовину,

65

представь себе, читатель! Не суди,
читательница! Я внезапно замер,
схватил штаны и, прошептав: «Прости,
я скоро!» — изумленными глазами

подружки провожаемый, пути
не разбирая, стул с ее трусами
и голубым бюстгальтером свалив,
дверь распахнул и выскочил, забыв

66

закрыть ее, промчался коридором
пустым. Бурленье адское в кишках
в любой момент немыслимым позором
грозило обернуться. Этот страх
и наслажденье облегченьем скорым
заставили забыть желанный трах
на время. А когда я возвратился,
кровать была пуста. Еще курился

67

окурочек с блестящею каймой
в стакане лунном. И еще витали
ее духи. И тонкою чертой
на наволочке волос. И печали
такой, и тихой нежности такой
не знал я. И потом узнал едва ли
пять раз за восемнадцать долгих лет...
Через неделю, заглянув в буфет,

68

ее я встретил. Наклонясь к подруге,
она шепнула что-то, и вдвоем
захохотали мерзко эти суки.
Насупившись, я вышел... Перейдем
теперь в казарму. Строгий храм науки
меня изгнал, а в мае военком...

Но все уже устали. На немножко
прерваться надо. Наливай, Сережка!

. . . .

69

Ну вот. Продолжим. Мне давалась трудно
наука побеждать... Никак не мог
я поначалу какать в многолюдном
сортире на глазах у всех. Кусок
(то бишь сержант) с улыбкой абсолютно
беззлобною разглядывал толчок
и говорил спокойно: «Не годится.
Очко должно гореть!» И я склониться

70

был должен вновь над чертовой дырой,
тереть, тереть, тереть и временами
в секундный сон впадать, и, головой
ударившись, опять тереть. Ручьями
тек грязный пот. И в тишине ночной
я слышал, как дурными голосами
деды в каптерке пели под баян
«Марш дембельский». Потом они стакан

71

мне принесли: «Пей, салабон!» С улыбкой
затравленною я глядел на них.
«Не бойся, пей!» В моей ладони липкой
стакан дрожал. Таких напитков злых
я не пивал до этого. И зыбко
все сделалось, все поплыло в моих

глазах сонливых к вящему веселью
дедов кирных. На мокрый пол присел я

72

и отрубился... Надобно сказать,
что кроме иерархии, с которой
четвертый год сражается печать,
но победит, я думаю, нескоро,
средь каждого призыва угадать
нетрудно и вассалов, и сеньоров,
и смердов, т. е. есть среди салаг
совсем уж бедолаги, и черпак

73

не равен черпаку, и даже деду
хвост поджимать приходится, когда
в неуставных китайских полукедах
и трениках является беда
к нам в строй, как беззаконная комета,
из самоволки, то есть вся среда
казарменная сплошь иерархична.
Что, в сущности, удобно и привычно

74

для нас, питомцев ленинской мечты.
Среди салаг был всех бесправней Жаров
Петруша. Две коронки золотых
дебильная улыбка обнажала.
На жирных ручках и лице следы
каких-то постоянных язв. Пожалуй,
он не глупее был, чем Ванька Шпак,
иль Демьянчук, иль Масич, и никак

уж не тупее Леши Пятакова,
но он был ростом меньше всех, и толст,
и грязен фантастически. Такого
казарма не прощает. Рыхлый торс
полустарушечий и полуподростковый
и на плечах какой-то рыжий ворс
в предбаннике я вижу пред собою
с гадливой и безвыходной тоскою.

Он плавать не умел. Когда старлей
Воронин нас привел на пляж солдатский,
он в маечке застиранной своей
остался на песке сидеть в дурацкой
и трогательной позе. Солоней
воды морской был среднеазиатской
озерной влаги ласковый прибой.
И даже чайки вились над волной.

А из дедов крутейшим был дед Жора,
фамилии не помню. Невысок
и, в общем, несилен он был, но взора
веселого и наглого не мог
никто спокойно выдержать, и свору
мятежных черпаков один плевок
сквозь стиснутые зубы образумить
сумел однажды ночью. Надо думать,

он на гражданке сел. А на плече
сухом и загорелом деда Жоры
наколочка синела — нимб лучей
над женской головой. «Ты мое горе», —
гласила надпись. Вместо кирзачей
он офицерский хром носил. Майора
Гладкова пышнотелую жену
он совратил. И не ее одну.

Я был тогда и вправду салабоном.
В окне бытовки пламенел рассвет.
Степная пыль кружилась над бетоном.
А вечером был залит туалет
и умывалка золотом червонным.
Все более червонным. Сколько лет
сияет этот кафель! Как красивы
сантехники закатной переливы!..

Однажды я услышал: «Эй, боец!
Не за падло, слетай-ка за бумажкой
для дедушки!» — и понял, что крантец
мне настает. Дед Жора, тужась тяжко,
сидел с ремнем на шее. Я не лжец
и не хвастун — как все салаги с фляжкой
в столовую я бегал для дедов,
и койки заправлял, и был готов

81

по ГГС ответить за храпящих
сержантов на дежурстве. Но сейчас
я понял, что нельзя, что стыд палящий
не даст уснуть, и что на этот раз
не отвертеться — выбор настоящий
я должен сделать. «Слушай, Фантомас,
(так звал он всех салаг) умчался мухой!
Считаю до одиннадцати!» Глухо

82

стучало сердце. Медленно прошел
я в ленинскую комнату. Газету
я вырвал из подшивки. Как тяжел
был путь обратный. И минуту эту
нельзя мне забывать. И тут вошел
в казарму Петя. И, схвативши Петю
за шиворот, я заорал: «Бегом!
Отнес бумагу Жоре!» — и пинком

83

придал я Пете ускоренье... Страшно
и стыдно вспоминать, но в этот миг
я счастлив был. И весь багаж бумажный,
все сотни благородных, умных книг
не помогли мне поступить отважно
и благородно. Верный ученик
блатного мира паханов кремлевских,
я стал противен сам себе. Буковский

который раз садился за меня...
Но речь не обо мне. Поинтересней
предметы есть, чем потная возня
нечистой совести, чем жалобные песни
советского интеллигента, дня
не могущего провести, хоть тресни,
без строчки. В туалетах, например,
рисунки! Сколько стилей и манер

разнообразных — от условных палок
и треугольников до откровенных поз
совокупленья. Хохлома, и Палех,
и Гжель, и этот, как его, поднос
конечно же красивее беспалых,
безглазых этих пар. И все же нос
не стоит воротить — быть может, эти
картинки приоткроют нам секреты

искусства настоящего. Вполне
возможно, механизм один и тот же...
А надписи? Нет места на стене
свободного. И, Господи мой Боже,
чего тут только нет. Неловко мне
воссоздавать их. Буду осторожен.
Квартирных объявлений бойкий слог
там очень популярен — номерок

дается телефонный и глаголы
в первом лице, в единственном числе —
хочу, сосу, даю. И подпись — Оля
или Марина. В молодом козле,
выпускнике солнечногорской школы,
играло ретивое, на челе
пот выступал, я помню, от волненья.
Хоть я не верил в эти объявленья.

Встречались и похабные стишки
безвестных подражателей Баркова.
И зачастую даже потолки
являли взору матерное слово:
всем тем, кто ниже ростом, шутники
минетом угрожали. Но сурово
какой-то резонер грозил поэту,
который пишет здесь, а не в газету!..

Вот, в сущности, и все. Давно пора
мне закругляться. Хоть еще немало
в мозгу моем подобного добра —
и липкий кафель Курского вокзала,
и на простынке смертного одра
носатой утки белизна, и кала
анализ в коробке, и турникет
в кооперативном платном нужнике.

И как сияла твердь над головою,
когда мочился ночью на дворе,
как в электричке мечешься порою
и вынужден сойти, как в январе
снег разукрашен яркою мочою,
как злая хлорка щиплется в ноздре,
как странно надпись «Требуйте салфетки»
читать в сортире грязном, как конфетки

из всякого дерьма творит поэт.
Пускай толпа бессмысленно колеблет
его треножник. Право, дела нет
ему ни до чего. Он чутко внемлет
веленьям — но кого? Откуда свет
такой струится? И поэт объемлет
буквально все, и первую любовь
ко всякой дряни ощущает вновь.

92

«Гармония есть цель его». Цитатой
такой я завершаю опус мой.
Или еще одной — из Цинцинната.
Цитирую по памяти — «Земной...
нет, мировой... всей мировой проклятой...
всей немоте проклятой мировой
назло сказать... нет, высказаться... Точно
не помню, к сожаленью... Но построчно

когда бы заплатили — хоть по два
рубля — я получил бы куш солидный.
Уже семь сотен строк. Пожалуй, хва.
Кончаю. Перечесть немного стыдно.
Мной искажалась строгая строфа
не раз. Знаток просодии ехидный
заметит незаконную стопу
шестую в ямбах пятистопных. Пусть

простит Гандлевский рифмы. Как попало
я рифмовал опять. Сказать еще?
И тема не нова — у Марциала
смотри, Аристофана и еще,
наверно, у Менандра. И навалом
у Свифта, у Рабле... Кого еще
припомнить? У Гюго канализация
парижская дана. Цивилизацией

ватерклозетов Запад обозвал,
по-моему, Леонтьев. Пушкин тоже
об афедроне царском написал
и о хвостовской оде. И Алеша
в трактире ужасался и вздыхал,
когда Иван, сумняшеся ничтоже,
его вводил в соблазн, ведя рассказ
о девочке в отхожем месте. Вас,

быть может, удивит, но Горький окал
об испражненьи революцьонных толп
в фарфор... Пропустим Белого и Блока...
А вот Олеша сравнивает столп
библейский с кучкой кала невысокой.
Таксист из русских деликатен столь,
что воду не спустил, и злость душила
бессильная эстета-педофила.

97

И Вознесенский пишет, что душа —
санузел совмещенный... Ну, не знаю.
Возможно... Я хочу сказать — прощай,
читатель. Я на этом умолкаю.
Прощай, читатель, помнить обещай!..
Нет! Погоди немного! Заклинаю,
еще немного! Вспомнил я сейчас
о том, что иногда не в унитаз

урина проливается. О влажных
простынках я ни слова не сказал.
Ну, согласись, что это крайне важно!..
Однажды летней ночью я искал
в готическом дворце многоэтажном
уборную. И вот нашел. И стал
спокойно писать. И проснулся тут же
во мгле передрассветной, в теплой луже.

99

Я в пятый класс уже переходил.
Случившееся катастрофой было.
Я тихо встал и простыню скрутил.
На цыпочках пошел. Что было силы
под рукомойником я выводил
пятно. Меж тем светало. И пробили
часы — не помню сколько. Этот звон
таинственным мне показался. Сон,

100

казалось, длился. Потихоньку вышел
я из террасы. Странно освещен
был призрачный наш двор (смотрите выше
подробнее о нем). И небосклон
уже был светел над покатой крышей
сортирною. И, мною пробужден,
потягиваясь, вышел из беседки
коротконогий пес. Качнулись ветки

101

под птицею беззвучной. На песке
следы сандалий... Улица пустынна
была в тот час. Лишь где-то вдалеке
протарахтела ранняя машина...
На пустыре, спускавшемся к реке,
я встретил солнце. Точно посредине
пролета мостового, над рекой
зажглось и пролилось, и — Боже мой! —

102

пурпурные вершины предо мною
воздвиглись! И младенческая грудь
таким восторгом и такой тоскою
стеснилась! И какой-то долгий путь
открылся, звал, и плыло над рекою,
в реке дробилось, и какой-нибудь
искал я выход, что-то надо было
поделать с этим! И, пока светило

103

огромное всходило, затопив,
расплавив мост над речкой, я старался
впервые в жизни уловить мотив,
еще без слов, еще невинный, клялся
я так и жить, вот так, не осквернив
ни капельки из этого!.. Менялся
цвет облаков немыслимых. Стоял
пацан босой, и ветер овевал

104

его лицо, трепал трусы и челку...
Нет. Все равно. Бессмысленно. Прощай.
Сейчас я кончу, прохрипев без толку:
«Поэзия!» И, в общем, жизнь прошла,
верней, проходит. Погляди сквозь щелку,
поплачь, посмейся — вот и все дела.
Вода смывает жалкие листочки.
И для видений тоже нет отсрочки —

105

лирический герой встает с толчка,
но автор удаляется. Ни строчки
уже не выжмешь. И течет река
предутренняя. И поставить точку
давно пора. И, в общем, жизнь легка,
как пух, как пыль в луче. И нет отсрочки.
Прощай, А. Х., прощай, мой бедный друг.
Мне страшно замолчать. Мне страшно вдруг

106

быть поглощенным этой немотою.
И ветхий Пушкин падает из рук.
И Бейбутов тяжелою волною
уже накрыт. Затих последний звук.
Безмолвное светило над рекою
встает. И веет ветер. И вокруг
нет ни души. Один лишь пес блохастый
мне тычется в ладонь слюнявой пастью.

Конец

Парафразис
1992–1996

ОТ АВТОРА

Предлагаемая вашему вниманию книга писалась с 1992 по 1996 год. Злосчастная склонность автора даже в сугубо лирических текстах откликаться на злобу дня привела к тому, что некоторые стихотворения, вошедшие в книгу, производят впечатление нелепого размахивания кулаками после драки. В частности, это касается послания Игорю Померанцеву. Сознавая это, автор тем не менее вынужден включить эти стихи в состав новой книги, поскольку «Парафразис» задумывался и писался как цельное, подчиненное строгому плану сочинение. Надо, впрочем, признаться, что полностью воплотить свой замысел автору не удалось — так не была дописана поэма «Мистер Пиквик в России», которая должна была занять место между сонетами и «Историей села Перхурова» и, являясь стилистическим и идеологическим столкновением Диккенса с создателем «Мертвых душ», дала бы возможность и русофобам и русофилам лишний раз убедиться в собственной правоте.

К сожалению, в цикле «Памяти Державина» также остались ненаписанными несколько «зимних» стихотворений, отчего вся книга приобрела избыточно мажорное звучание, что в нынешней социокультурной ситуации, быть может, не так уж и плохо.

I

ИГОРЮ ПОМЕРАНЦЕВУ

*Летние размышления о судьбах
изящной словесности*

> *Эта борьба с омерзительным призраком
> нищеты, неумолимо надвигавшейся на мар-
> киза, в конце концов возмутила его гор-
> дость. Дон Фернандо готов был бросить все
> на произвол судьбы.*
>
> Густав Эмар

Нелепо сгорбившись, застыв с лицом печальным,
овчарка какает. А лес как бы хрустальным
сияньем напоен. И даже песнь ворон
в смарагдной глубине омытых ливнем крон
отнюдь не кажется пророческой. Лесною
дорогой утренней за влагой ключевою
иду я с ведрами. Июль уж наступил.
Дней знойных череда катится в даль, и пыль,
прибитая дождем, ступню ласкает. Томик,
Руслана верного бессмысленный потомок,
мчит, черной молнии подобный, за котом
ополоумевшим. Навстречу нам с мешком
полиэтиленовым, где две рыбешки вяло

216

хвостами шевелят, бредет рыбарь бывалый
Трофим Егорович: «Здорово, молодежь!
Ну, у тебя кобель! Я, чай, не напасешь
харчей для этакой орясины!» Докучный
рой комаров кружит над струйкой сладкозвучной
источника. Вода в пластмассовом ведре
прохладна и чиста. И Ленка во дворе
пеленки Сашкины полощет, напевая
мелодью Френкеля покойного. Цветная
капуста так и прет, свекольная ботва
пышна... Любезный друг, картина не нова:
дубравы мирной сень, дубровы шум широкий,
сребристых ив гряда, колодезь кривобокий
и, словно фронтиспис из деревенских проз,
в окне рябины гроздь и несколько берез.

И странный взгляд козы, и шип гусей змеиный,
златых шаров краса, незлобный и невинный
мат шильковских старух, и жгучий самогон,
и колорадский жук, и первый патиссон.
Так, Игорь, я живу на важных огородах.
Казалось бы, давно в элегиях и одах
я должен бы воспеть пустынный уголок.
Чем не Тригорское? Гармонии урок
дают мне небеса, леса, собаки, воды.
Казалось бы. Ан нет! Священный глас природы
не в силах пробудить уснувшей лиры звук.
Ах, как красиво все, как тихо все вокруг!
Но мысль ужасная здесь душу посещает!
Далекий друг, пойми, мой робкий дух смущает
инфляция! Уже излюбленный «Дымок»
стал стоить двадцать пять рублей. А денег йок!
Нет денег ни хрена! Товар, производимый

в восторгах сладостных, в тоске неизъяснимой,
рифмованных словес заветные столбцы
все падают в цене, и книгопродавцы
с поэтом разговор уже не затевают.
Меж тем семья растет, продукты дорожают,
все изменяется. Ты, право, б не узнал
наш порт пяти морей. Покойный адмирал
Шишков в своем гробу не раз перевернулся
от мэрий, префектур, секс-шопов. Развернулся
на стогнах шумный торг — Гонконг, Стамбул, Тайвань
соблазнов модных сеть раскинули и дань
сбирают со славян, забывших гром победы.
Журнальный балагур предсказывает беды.
А бывший замполит (теперь политоло́г)
нам демократии преподает урок.
А брокер с дилером и славный дистрибьютер
мне силятся продать Тойоту и компьютер.
Вотще! Я не куплю. Я покупаю с рук
«Имбирную». О да! Ты прав, далекий друг, —
вкус препротивнейший у сей настойки горькой.
С аванса я куплю спирт «Роял»... Перестройка
закончена. Теперь нам, право, невдомек,
чем так прельщал умы хитрейший «Огонек»,
честнейший «Новый мир», Коротич дерзновенный
и «Moscow news». Увы! Читатель развращенный
листает «Инфо-СПИД» и боле не следит
за тем, кто, наконец, в сраженьи победит —
свободы друг Сарнов иль Кожинов державный.
«Литературочка» все более забавна
и непристойна. Жизнь, напротив, обрела
серьезность. Злой Кавказ кусает удила,
имамов грозных дух в нем снова закипает
и терпкой коноплей джигитов окрыляет.

Российский патриот, уже слегка устав
от битв с масонами и даже заскучав
от тягостной борьбы с картавою заразой,
все пристальней глядит на сыновей Кавказа,
что, честно говоря, имеет свой резон,
но лично мне совсем не нравится. Кобзон
отметил юбилей. Парнишка полупьяный
I need your love в метро играет на баяне.
В пивной Гандлевского и Витю Коваля
блатные пацаны избили. П.....ля
витают в воздухе. А Говорухин бедный
Россию потерял на склоне лет. Намедни
еще была и вдруг — бац! Нету! Где искать?
В Вермонте, может быть?.. Мне, в общем, наплевать
на это все. Но есть предметы, коих важность
не в силах отрицать ни Эпикур вальяжный,
ни строгий Эпиктет. К примеру — колбаса!
Иль водочка! Иль сыр! Благие небеса!
Сколь дороги они и сколь они желанны!

И вот, пока в слезах за склокой Марианны
с кичливою Эстер все Шильково следит,
я отвращаю слух от пенья аонид,
я, как Альбер, ропщу, как Германн, алчу злата,
склоняясь с лейкою над грядкою салата.
Как оной стрекозе, мне песнь нейдет на ум.
Исполнен алчности, озлоблен и угрюм,
прикидываю, как мне обрести богатство.
Поэзия — увы — при всех своих приятствах
низкорентабельна. Конечно, есть Симон
Осиашвили и Ю. Ряшенцев — музон
стихам их придает товарный вид. Ах, Игорь,
когда б я тоже мог спесивости вериги

отбросить и пора-порадоваться всласть!
Ах, пуркуа па? Но нет. Не суждено попасть
мне в сей веселый цех, где некогда царили
Ошанин и Кумач, где Инна Гофф грустила
над тонким колоском, и где мильоны роз
Андрей Андреевич Раймо́нду преподнес.

Что делать? Может быть, реклама? Мне Кенжеев
советовал. А что? Полночный мрак рассеяв,
сияют Инкомбанк, «Алиса», МММ,
у коей нет проблем, час пробивает Рэм.
Да и завод «Кристалл» явился в новой славе.
И Баковский завод. Да и пахучей «Яве»
пора воспеть хвалу. К примеру — пара строк:
петитом «If you smoke» и крупно «Smoke Дымок!!»
Но это Рубинштейн придумал хитромудрый,
а я ни тпру, ни ну. Упрямая лахудра
все корчит девочку, кривит надменный рот.
Ах, Муза, Музочка! Как будто первый год,
дурилка, замужем. Пора бы стать умнее.

Короче. Отложив бесцельные затеи
поэзии, хочу смиренной прозой впредь
я зарабатывать. Ведь, если посмотреть
на жизнь прозаика, как не прельститься! Бодро
вернувшись утречком с излюбленного корта,
засесть за новый цикл рассказов, за роман,
который уж давно издатель вставил в план.
Так, просидев в тиши родного кабинета
пять или шесть часов, пиджак такого цвета
зеленого надеть, что меркнет изумруд,
и галстук в тон ему. А в ЦДЛе ждут
друзья, поклонники. Уже заказан столик.

Котлетка такова, что самый строгий стоик
и киник не смогли б сдержать невольный вздох.
Вот благоденствие прямое, видит Бог!

Но это все не вдруг! Покамест, Померанцев,
чтоб растолкать толпу таких же новобранцев
и в сей Эдем войти, на сей Олимп взойти,
нам надобно стезю надежную найти.
Что выгодней? Давай подумаем спокойно,
Отбросим ложный стыд, как говорил покойный
маркиз де Сад. У нас, заметим кстати, он
теперь властитель дум и выше вознесен
столпов и пирамид. Пост-шик-модерн российский
задрав штаны бежит за узником бастильским.
Вообще-то мне милей другой французский зэк,
воспетый Пушкиным, но в наш железный век
не платят СКВ за мирную цевницу.
Чтоб рукопись могла перешагнуть границу,
необходимо дать поболее того,
что сытых бюргеров расшевелит. Всего
и надо-то, мой друг, описывать пиписьки,
минет, оргазм, инцест, эрекцию и сиськи,
лесбийскую любовь или любовь педрил,
героем должен быть, конечно, некрофил,
в финале не забыть про поеданье трупа.
А чтобы это все не выглядело глупо,
аллюзиями текст напичкать. Вот рецепт.
Несложно вроде бы. Теперь его адепт
уже Нагибин сам, нам описавший бойко,
как мастурбировал Иосиф Сталин. Ой, как
гнет роковой стыда хотелось свергнуть мне,
чтоб в просвещении стать с веком наравне.
Не получается. Ох, дикость наша, Игорь,

ох, бескультурье, бля! Ведь сказано — нет книги
безнравственной, а есть талантливая иль
не очень — голубой британец так учил.
Я ж это понимал еще в девятом классе!
А нынче не пойму. Отточенные лясы
все тщусь я прицепить и к Правде, и к Добру.
Прощай же, СКВ! Моральности муру
давно уже отверг и Лондон изобильный,
и ветреный Париж, и Гамбург изобильный.
А строгий Тегеран, пожалуй, слишком строг...

Итак, даешь рубли! Посмотрим на лоток.
Что нынче хавают? Так. Понял. Перспективы
ясны. Наметим план. Во-первых, детективы:
«Смерть в Красном уголке», «Ухмылка мертвеца»,
«Поручик Порох прав», «Кровавая маца»,
«Хореныч и Кузьмич», «Так жить нельзя, Шарапов!»,
«В пивной у Коваля», «Блондинка из гестапо»,
«Последний миллилитр», «Цикады», «Дело Швах»,
«Каплан, она же Брик и Айседора», «Крах
коньковской мафии», «Прозренье Левы», «Драма
в Скотопригоньевске», «Месть Бусикеллы», «Мама
на антресолях», «Кровь не пахнет, миссис Мэйн!»,
«Видок и Фантомас», «Таинственный нацмен»,
«Наследник Бейлиса», «Огонь на пораженье,
или 600 секунд», «Сплетенье рук, сплетенье
ног», «Красное пятно», «Не спи в саду, отец!»,
«Гроб на колесиках», «Крантец на холодец»,
«Фас, Томик, фас!» Хорош.

       Ну а теперь романы
под Пикуля, Дюма, а то и Эйдельмана:
«Альков графини Д.», «Киприда и арак»,

«Мсье Синекур», «Вадим», «Перхуровский бивак»,
«Нос принца Фогельфрай», «Ошибка комиссара
Ивана Швабрина», «Сын Вольфа», «Месть хазарам»,
«Арзрумский сераскир», «Ксеркс или Иисус»,
«Средь красных голубой или святая Русь
Нью-Йорку не чета», «Семейство Ченчи», «Платье
поверх халата», «Мой курсив для дам», «Проклятье
Марии Лаптевой», «Кавалергард на той,
единственной гражданской», «Домострой
и вольный каменьщик».

Затем займусь научной
фантастикою я и мистикою. Звучный
возьму я псевдоним — Дар Ветер. Значит, так:
«Конец звезды Овир», «Космический кунак»,
«Корсар Галактики», «Загадка фараона»,
«Манкурт и НЛО», «Посланники Плутона»,
«Альдебаран в огне», «Хохол на Альтаире»,
«Гробница Рериха», «Пульсар ТК-4»,
«Среди астральных тел», «Меж черных дыр», «Залет
космических путан».

Здесь, Игорь, переход
в раздел «Эротика»: «Физрук и лесбиянки»,
«В постели с отчимом», «Проделки вольтерьянки»,
«Шальвары Зульфии», «Наказанный Ловлас»,
«Маньячка в Гороно», «СВ иль восемь раз»,
«Бюст Ниночки», «Кошмар ефрейтора Ивашко»,
«Разгневанный Приап», «Чертог сиял», «Монашка
и сенбернар», «Дневник Инессы», «Карандаш,
Фрейд и Дюймовочка», «Всего лишь герпес!», «Паж
на виноградниках Шабли», «Кровосмеситель»,
«Мечты сбываются, иль конский возбудитель»,
«Ансамбль "Березка" и Краснознаменный хор»,

«Лаисин мелкоскоп», «Техничка и член-корр.»,
«Утехи Коллонтай», «Поэт в объятьях кафра»,
«Вот так обрезали!», «Летающая вафля»,
«Цыпленок уточку» и «Черный чемодан».
Вот приблизительно в таком разрезе. План
намечен. Цель ясна. За дело, что ли, Игорь?..

Карман мой пустотой пугает. Раньше фигой
он переполнен был, теперь... А что теперь? —
Свобода! — как сказал Касторский Буба. Верь,
товарищ, верь — Она взошла! Она прекрасна!
Ужасен лик ее. И жалобы напрасны.
Все справедливо, все! Коль хочешь рыбку съесть,
оставь и панску спесь, и выпендреж, и честь.
Не хочешь — хрен с тобой... Бесстыдно истекая
слюной стяжательства, я голову теряю
от калькуляции. Но, потеряв ее,
вновь обретаю я спокойствие. Вранье,
и глупости, и страх исчезли. Треволненья
отхлынули. И вновь знакомое гуденье
му́зыки чую я. Довольно. Стыдно мне
на вольность клеветать! В закатной тишине
я на крыльце курю, следя за облаками,
как Колридж некогда, как Галич. Пустяками
божественными я утешен и спасен.
И бесом обуян, и ленью упоен.
Не надо ничего. След самолета алый
в лазури так хорош, что жизни будет мало,
чтоб расплатиться мне. Бог Нахтигаль, прости!
Помилуй мя и грех холопский отпусти!

Кабак уж полон. Чернь резвится и блатует.
Прости, бог Нахтигаль, нас все еще вербуют

для новых глупостей, и новая чума
идет на нас, стучит в хрущевские дома,
осклабившись. Так что ж нам делать? Ведь не Сирин
вернулся в Ульдаборг, мсье Пьер все так же жирен,
все так же юморит. Лощеный финансист,
конечно, во сто крат милей, чем коммунист,
и все же, как тогда от мрази густобровой,
запремся, милый друг, от душки Борового!
Бог ему в помощь! Пусть народ он одарит
«Макдональдсом». Дай Бог. Он пищу в нем варит.
И нам достанется. И все же — для того ли
уж полтораста лет твердят — покой и воля —
пииты русские — свобода и покой! —
чтоб я теперь их предал? За душой
есть золотой запас, незыблемая скала...

И в наш жестокий век нам, право, не пристало
скулить и кукситься. Пойдем. Кремнистый путь
все так же светел. Лес, и небеса, и грудь
прохладой полнятся. Туман стоит над прудом.
Луна огромная встает. Пойдем. Не будем
загадывать. Пойдем. В сияньи голубом
спит Шильково мое. Мы тоже отдохнем,
немного погоди. В рябине филомела,
ты слышишь, как тогда, проснулась и запела,
и ветр ночной в листве плакучих ив шумит,
стволы берез во тьме мерцают, и блестит
бутылки горлышко у полусгнивших кладей.
Душа полна тоской, покоем и прохладой.
И черный Том бежит за тению своей
красиво и легко, и над башкой моей,
от самогоночки слегка хмельной, сияют
светила вечные, и вдалеке играет

(в Садах, наверное) гармоника. Пойдем.
Не бойся ничего. Мы тоже отдохнем.
Кремнистый путь блестит, окно горит в сельмаге.
Вослед за кошкой Том скрывается в овраге.

Лето – осень 1992

II

Из цикла «Памяти Державина»

1. ПАРАФРАЗИС

Блажен, кто видит и внимает!
Хотя он тоже умирает.
И ничего не понимает,
и, как осенний лист, дрожит!
Он Жириновского страшится
и может скурвиться и спиться
и, по рассказам очевидцев,
подчас имеет бледный вид.
Блажен озлобленный пиит.

Незлобивый блажен тем паче!
В террасе с тещею судача,
над вымыслами чуть не плача,
блажен — хотя и неумен.
Вон ива над рекой клонится,
а вон химкомбинат дымится,
и все физические лица
блаженны — всяк на свой фасон,
хотя предел им положен.

Блажен, кто сонного ребенка
укрыв, целует потихоньку,
полощет, вешает пеленки
и вскакивает в темноте,
дыханья детского не слыша,
и в ужасе подходит ближе
и слышит, слава Богу, слышит
сопенье! И блаженны те
и эти вот. И те, те, те.

А, может быть, еще блаженней,
кто после семяизверженья
во мгле глядит на профиль женин
и курит. И блажен стократ
муж, не входящий ни в советы,
ни в ССП, ни в комитеты,
не вызываемый при этом
в нарсуд или военкомат.
Блажен и ты, умерший брат.

Блаженны дядьки после пьянки,
играющие в футболянку.
Блажен пацан, везущий санки
на горку и летящий вниз.
Блажен мужик с подбитым глазом —
легко отделался, зараза!
Поэтому и маршал Язов
блажен, и патриот Алксни́с
(ему же рифма — Бурбули́с).

Блажен, закончивший прополку,
блажен глазеющий без толку
в окно на «Жигули» и «Волги»,

блажен, на утренней заре,
поеживаясь и зевая,
вотще взыскующий трамвая,
блажен, кто дембельнулся в мае,
кто дембельнулся в ноябре!
Блажен и зверь в своей норе.

Блажен, вкусивший рюмку водки,
закусывающий селедкой,
притискивающий молодку.
Кино, вино и домино —
блаженство тоже! Шуры-муры,
затеянные нами сдуру,
дают в итоге Шуру, Муру,
а это — чудо, и оно
зовется благом все равно!

А малосольный огуречик?
А песня, слышная далече?
А эти очи, перси, плечи?
А этот зад? А этот свет,
сквозь туч пробившийся? А эти,
горящие в потоке света,
стекляшки старого буфета?
А этот комплексный обед?
Ужели мало? Вовсе нет!

Блаженств исполнен мир гремучий.
Почто ж гнездится страх ползучий,
и ненависть клубится тучей
в душе несмысленной твоей?
И что ты рек в сердцах, безумец?
Однообразно, словно зуммер,

гудит привычная угрюмость.
Взгляни на птиц и на детей!
Взгляни на лилии полей.

Твой краткий век почти что прожит.
Прошедшее томит и гложет.
Кто жил и мыслил, тот не может
в душе не презирать себя.
Претензий с каждым годом меньше.
Долги растут. Детей и женщин
учитывай. Еще блаженьше
ты станешь, боль и стыд стерпя,
гордыню в сердце истребя.

Найди же мужество и мудрость,
чтоб написать про это утро,
про очи женщины-лахудры,
распахнутый ее халат,
про свет и шум в окне раскрытом,
бумагой мокрою промытом,
про Джойса на столе накрытом
(и надо бы — да лень читать).
Блажен, кто может не вставать.

Водопровод — блаженство тоже!
Упругий душ утюжит кожу.
Клокочет чайник. Ну так что же?
Продолжим? — Ласковый Зефир
листву младую чуть колышет.
Феб светозарный с неба пышет.
Блажен, кто видит, слышит, дышит,
счастлив, кто посетил сей мир!

Грядет чума. Готовьте пир.

2

Столь светлая — аж золотая! —
весенняя зелень сквозит.
Вверху облака пролетают,
а снизу водичка блестит.

Направо, налево — деревья.
Вот тут — ваш покорный слуга.
Он смотрит направо, налево
и вверх, где плывут облака.

Плывите! Я тоже поплыл бы,
коль был бы полегче чуть-чуть,
высокому ветру открыл бы
уже поседевшую грудь!

И так вот — спокойный и чистый,
лениво вертя головой,
над этой землей золотистой...
Такой вот, простите, херней,

такою вот пошлостью вешней,
и мусорной талой водой,
и дуростью клейкой и нежной
наполнен мой мозг головной!

Спинной же сигналит о том, что
кирзовый ботинок протек,
что сладко, столь сладко — аж тошно,
аж страшно за этот денек.

Август 1993

3

Отцвела-цвела черемуха-черемуха,
расцвела, ой, расцвела-цвела сирень!
У Небесного Царя мы только олухи.
Ах, лень-матушка, залетка моя лень.

По поднебесью шустришь, моя касаточка,
в теплом омуте, ой, рыбка ты моя,
змейка тихонькая в травушке-муравушке,
лень-бесстыдница, заступница моя.

Ой, сирени мои, яблони-черемухи,
ой ты дольче фар ниентишко мое!
Ой, чего? — да ничего — да ничегошеньки,
ну ей-богу, право слово, ничего!

Зелень-мелень, спирт «Рояль» разбавлен правильно.
Осы с мухами кружатся над столом.
Владислав Филицианович, ну правда же,
ну ей-богу же, вторая соколом!

Как я бу... ой, и вправду как же буду я
отвечать и платить за это всё?
Ой сирень, ой ты счастишко приблудное,
лоботрясное, ясное мое.

4

Не умничай, не важничай!
Ты сам-то кто такой?
Вон облака вальяжные
проходят над тобой.

Проходят тучи синие
над головой твоей.
А ты-то кто? — Вот именно!
Расслабься, дуралей!

Не важничай, не напичай!
Чего тебе еще?
Пивко в литровой баночке
с солененьким лещом,
с лучом косым сквозь стеклышко,
сквозь пыльную листву.
Уймись, мое ты солнышко!
Ой, сглазишь — тьфу-тьфу-тьфу!

Не напичай, не подличай!
Гляди, разуй глаза!
Ах, сколько тайной горечи
в спокойных небесах!
С какой издевкой тихою
они глядят на нас.
А ты все небу тыкаешь!
Заткнулся б хоть сейчас!

Не подличай, не жадничай!
Ишь цаца ты какой!..
Блестит платформа дачная
под летнею грозой.
И с голубой каемочкой
стоит весь Божий мир,
опасный и беспомощный,
замызганный до дыр

такими вот — не ерничай! —
такими вот, как ты!..

Дождись июльской полночью
малюсенькой звезды.
Текут лучи бесшумные
мильоны лет назад.
Они велят не умничать.
И хныкать не велят.

Июль 1993

5

Слишком уж хочется жить. Чересчур
хочется жить. Стрекоза голубая,
четырехкрылая, снова дрожит
над отраженьем своим... Я не знаю...

Пахнет шиповник. Трещит мотоцикл.
А над Перхуровым синие тучи.
А в магазин завезли дефицит.
Слишком уж хочется. Было бы лучше,

было бы проще, наверно, закрыть
эти глаза, задремать потихоньку,
правила неуловимой игры
не выяснять, не кидаться вдогонку

за пустяками летучими, вслед
за мимолетным намеком на что-то,
не проверять эту мелочь на свет...
Завтра суббота. О, как же охота

жить!.. Трясогузка трепещет хвостом.
Вновь опоздал воскресенский автобус.
Спорит Гогушин с соседом о том,
прав или нет Хасбулатов. Попробуй

свыкнуться с мыслью, что ты никогда,
о, никогда!.. Приближается ливень.
В речке рябит и темнеет вода.
Ивы шумят. И жена торопливо

с белой веревки снимает белье.
Лист покачнулся под каплею тяжкой.
Как же мне вынести счастье мое?
С кем там ругается Лаптева Машка?

Осень 1993

6. ВЕЧЕРНЕЕ РАЗМЫШЛЕНИЕ

На самом деле все гораздо проще.
Не так ли, Вольфганг? Лучше помолчим.
Вон Филомела горлышко полощет
в сирени за штакетником моим.

И не в сирени даже, а в синели,
лиющей благовонья в чуткий нос.
Гораздо все сложней на самом деле.
Утих совхоз. Пропел электровоз

на Шиферной — томительно и странно,
как бы прощаясь навсегда. Поверь,
все замерло во мгле благоуханной,
уже не вспыхнет огнь, не скрыпнет дверь.

И может, радость наша недалече
и бродит одиноко меж теней.
На самом деле все гораздо легче,
короче вздоха, воздуха нежней!

А там вдали химкомбинат известный
дымит каким-то ядом в три трубы.

Он страшен и красив во мгле окрестной,
но тоже общей не уйдет судьбы,

как ты да я. И также славит Бога
лягушек хор в темнеющем пруду.
Не много ль это все? Не слишком ль много
в конце концов имеется в виду?

Неверно все. Да я и сам неверен.
То так, то этак, то вообще никак.
Все зыблется. Но вот что характерно —
и зверь, и злак, и человечек всяк,

являяся загадкой и симво́лом,
на самом деле дышит и живет,
как исступленно просится на волю,
как лезет в душу и к окошку льнет!

Как пахнет! Как шумит! И как мозолит
глаза! Как осязается перстом,
попавшим в небо! Вон он, дядя Коля,
а вон Трофим Егорович с ведром!

А вон — звезда! А вон — зарей вечерней
зажжен парник!... Земля еще тепла.
Но зыблется уже во мгле неверной,
над гладью вод колышется ветла.

На самом деле простота чревата,
а сложность беззащитна и чиста,
и на закате дым химкомбината
подскажет нам, что значит Красота.

Неверно все. Красиво все. Похвально
почти что все. Усталая душа

сачкует безнадежно и нахально,
шалеет и смакует не спеша.

Мерцающей уже покрыты пленкой
растений нежных грядки до утра.
И мышья беготня за стенкой тонкой.
И ветра гул. И пенье комара.

Зажжем же свет. Водой холодной тело
гудящее обмоем кое-как...
Но так ли это все на самом деле?
И что же все же делать, если так?

1995

7

Чуть правее луны загорелась звезда.
Чуть правее и выше луны.
Грузовик прогудел посреди тишины
и пропал в тишине навсегда.
И в чешуйках пруда
раздробилась звезда.
И ничто не умрет никогда.

То ли Фет, то ли Блок, то ль Исаев Егор —
просто ночь над деревней стоит.
Просто ветер тихонько листы шевелит.
Просто так. Так о чем говорить?
И с каких это пор
этот лепет и вздор
увлажняют насмешливый взор?

Что́ ты, сердце? — Да так как-то все, ничего. —
Ничего, так не надо щемить!

Но, как в юности ранней вопрос половой,
что-то важное надо решить.
То ли все позабыть,
то ли все сохранить
не пролить, не отдать ничего.

То ль куда-то уйти, то ль остаться навек,
то ли лопнуть от счастья и слез,
петь, что вижу, как из анекдота чучмек,
нюхать ветер ночной во весь нос.
И всего-то нужны
две на палке струны.
Сформулируй же точно вопрос!

Скажем так — почему это все, почему
это все? Ну за что же, зачем?
Есть ли Бог? Да не в этом ведь дело совсем!
Он-то есть, но, видать по всему,
Он не то чтобы нем,
Он доступен не всем,
Я его никогда не пойму.

Просто ивы красивы, и тополь высок,
высотою почти до звезды.
Просто пахнут и пахнут ночные цветы.
Просто жизнь продолжается впрок.
Просто дал я зарок
пред лицом пустоты...
Дайте срок, только дайте мне срок.

Август 1993

8

Ты пробуждаешься, о Байя, из гробницы
При появлении Аврориных лучей,
Но не отдаст тебе багряная денница
Сияния протекших дней...

К. Н. Батюшков

Словно маньяк с косой неумолимой
проходит Время. Шелестят года.
Казалось бы — любовь не струйка дыма,
но и она проходит навсегда.

Из жареной курятины когда-то
любил я ножки, ножки лишь одне!
И что ж? Промчались годы без возврата,
и ножки эти безразличны мне.

Я мясо белое теперь люблю. Абрамыч,
увы, был прав: всевидящей судьбе
смешны обеты смертных и программы,
увы, не властны мы в самих себе!

Опять-таки портвейн! Иль, скажем, пиво!
Где ж та любовь? Чюрленис где и Блок?
Года проходят тяжко и спесиво,
как оккупанта кованый сапог.

И нет как нет былых очарований!
Аукаюсь. Зима катит в глаза.
Жлоб-муравей готовит речь заране.
Но, в сущности, он сам как стрекоза.

Все-все пройдет. И мне уж скоро сорок.
А толку-то? Чего ж я приобрел?
Из года в год выдумывая порох,
я вновь «Орленок» этот изобрел!

И все понятней строки Мандельштама
про холодок и темя... Ой-ой-ой!..
А в зеркале — ну вылитый, ну прямо
не знаю кто. Но сильно испитой.

И все быстрей года бегут, мелькают,
как электричка встречная шумят.
Все реже однокурсники икают.
Я все забыл. Никто не виноват.

Я силюсь вспомнить. Так же вот когда-то
грядущее я силился узнать.
И также, Боже мой, безрезультатно.
Я все забыл. Ни зги не разобрать.

Одышка громче. Мускул смехотворен.
Прошло, проходит и навек пройдет.
Безумного Эдгара гадкий ворон
на бюстик Ильича присел и ждет.

Сменился буйный кайф стихосложенья
похмельем с кислым привкусом вины.
И половой любви телодвиженья
еще желанны, но уже смешны

чуть-чуть. Чуть-чуть грустны. Уже не спорить
с противником, а не иметь его
хотелось бы, и, очевидно, вскоре
уже не будет больше ничего.

Все-все пройдет, как пали Рим и Троя,
как Феликс — уж на что железным был!
Не прикасайся. Не буди былое.
Там ржа и смрад, там тлен, и прах, и пыль!..

Лежу, пишу. Проходит время. В спину
четвертый раз впивается комар.
Опять свалился пепел на перину.
Вот так вот и случается пожар.

Пора уж спать. Морфеевы объятья
так сладостны. О сон, коллега мой!
Душа тоскою смертною объята!
Утешь меня. Побудь хоть ты со мной.

Спи-спи. Все-все пройдет. Труда не стоит.
Все-все пройдет. Ты спи. Нормально все.
Не обращай вниманья, все пустое.
Все правильно. Ты спи. Чего тебе еще?..

. . . .

Ты пробуждаешься, о Байя... С добрым утром!
Еще роса не обратилась в пар,
и облака сияют перламутром,
и спит на тюле вздувшийся комар,
а клен уж полон пением немудрым...

Проходит все — и хмель, и перегар.
Но пьяных баек жар не угасает!

Июль 1993

9. ИСТОРИЧЕСКИЙ РОМАНС

Что ты жадно глядишь на крестьянку,
подбоченясь, корнет молодой,
самогонку под всхлипы тальянки
пригубивши безусой губой?

Что ты фертом стоишь, наблюдая
пляску, свист, каблуков перестук?
Как бы боком не вышла такая
этнография, милый барчук!

Поезжай-ка ты лучше к мамзелям
иль к цыганкам на тройке катись!
Приворотное мутное зелье
сплюнь три раза и перекрестись!

Ах, mon cher, ах, mon ange, охолонь ты!
Далеко ли, ваш бродь, до беды,
до греха, до стыда, до афронта?
Хоть о маменьке вспомнил бы ты!

Что ж напялил ты косоворотку,
Полюбуйся, mon cher, на себя!
Эта водка сожжет тебе глотку,
оплетет и задушит тебя.

Где ж твой ментик, гусар бесшабашный?
Где Моэта шипучий бокал?
Кой же черт тебя гонит на пашню,
что ты в этой избе потерял?

Одари их ланкастерской школой
и привычный оброк отмени,
позабавься с белянкой веселой,
только ближе не надо, ни-ни!

Вот послушай, загадка такая —
что на землю бросает мужик,
ну а барин в кармане таскает?
Что, не знаешь? Скажи напрямик!

241

Это сопли, миленочек, сопли!
Так что лучше не надо, корнет.
Первым классом, уютным и теплым,
уезжай в свой блистательный свет.

Брось ты к черту Руссо и Толстого!
Поль де Кок неразрезанный ждет!
И актерки к канкану готовы,
Оффенбах пред оркестром встает.

Блещут ложи, брильянты, мундиры.
Что ж ты ждешь? Что ты прешь на рожон?
Видно, вправду ты бесишься с жиру,
разбитною пейзанкой пленен!

Плат узорный, подсолнухов жменя,
черны брови да алы уста.
Ой вы сени, кленовые сени,
ах, естественность, ах, простота!

Все равно ж не полюбит, обманет,
насмеется она над тобой,
затуманит, завьюжит, заманит,
обернется погибелью злой!

Все равно не полюбит, загубит!..
Из острога вернется дружок.
Искривятся усмешечкой губы.
Ярым жаром блеснет сапожок.

Что топорщится за голенищем?
Что так странно и страшно он свищет?
Он зовет себя Третьим Петром.
Твой тулупчик расползся на нем.

Август 1993

Когда фонарь пристанционный
клен близлежащий освещает
и черноту усугубляет
крон отдаленных, ив склоненных,
а те подчеркивают светлость
закатной половины неба,
оно ж нежданно и нелепо
воспоминанье пробуждает
о том, что в полночь вот такую
назад лет двадцать иль пятнадцать
когда мне было восемнадцать,
нет, двадцать, я любил другую,
но свет вот так же сочетался,
и так же точно я старался
фиксировать тоску и счастье,
так вот, когда фонарь на рельсы
наводит блеск, и семафоры
горят, и мимо поезд скорый
«Ташкент — Москва» проносит окна,
и спичка, осветив ладони,
дугу прочертит над перроном
и канет в темноте июльской,
и хочется обнять, и плакать,
и кануть, словно эта спичка,
плевать, что эта электричка
последняя, обнять, и плакать,
и в темные луга и рощи
бежать, рюкзак суровой тещи
оставив на скамейке, — это
пример использованья света
в неблаговидных в общем целях

воздействия на состоянье
психическое, а быть может,
психофизическое даже
реципиента.

Август 1996

11

На слова, по-моему, Кирсанова
песня композитора Тухманова
«Летние дожди».
Помнишь? — Мне от них как будто лучше...
та-та-та́-та.... радуги и тучи
будто та-та-та́-та впереди.

Я припомнил это, наблюдая,
как вода струится молодая.
Дождик-дождик, не переставай!
Лейся на лысеющее темя,
утверждай, что мне еще не время,
пот и похоть начисто смывай!

Ведь не только мне как будто лучше,
а, к примеру, ивушке плакучей
и цветной капусте, например.
Вот он дождь — быть может, и кислотный.
Радуясь, на блещущие сотки
смотрит из окна пенсионер.

Вот и солнце между туч красивых,
вот буксует в луже чья-то «Нива»,
вот и все, ты только погоди!
Покури спокойно на крылечке,
посмотри — замри, мое сердечко,
вдруг и впрямь та-та-та впереди!

Вот и все, что я хотел напомнить.
Вот и все, что я хотел исполнить.
Радуга над Шиферной висит!
Развернулась радуга Завета,
преломилось горестное лето.
Дальний гром с душою говорит.

1995

12

Меж тем отцвели хризантемы, а также
пурпурный закат догорел
за химкомбинатом, мой ангел. Приляг же,
чтоб я тебе шепотом спел.

Не стану я лаской тебя огневою,
мой друг, обжигать, утомлять,
ведь в сердце отжившем моем все былое
опять копошится, опять!

Я тоже в часы одинокие ночи
люблю, грешным делом, прилечь.
Но слышу не речи и вижу не очи,
не плечи в сиянии свеч.

Я вижу курилку, каптерку, бытовку,
я слышу команду «Подъем!»,
политподготовку и физподготовку,
и дембельский алый альбом.

Столовку, перловку, спецовку, ментовку,
маевку в районном ДК,
стыковку, фарцовку и командировку,
«Самтрест», и «Рот-Фронт», и «Дукат»!

И в этой-то теме — и личной, и мелкой! —
кручусь я опять и опять!
Кручусь поэтической Белкой и Стрелкой,
покуда сограждане спят.

Кручусь Терешковой, «Союз—Аполлоном»
над круглой советской землей,
с последним на «Русскую водку» талоном
кружусь над забытой страной!

«Чому я ни сокил?» — поют в Шепетовке,
плывет «Сулико» над Курой,
и пляшут чеченцы на пальчиках ловко,
и слезы в глазах Родниной!

Великая, Малая, Белая Мама
и прочая Родина-Мать!
Теперь-то, наверно, не имешь ты сраму,
а я продолжаю имать.

Задравши штаны, выбираю я пепси,
но в сердце — «Дюшес» и «Ситро»,
пивнуха у фабрики имени Лепсе,
«Агдам» под конфетку «Цитрон»!

Люблю ли я это? Не знаю. Конечно.
Конечно же нет! Но опять
лиризм кавээновский и кагэбэшный
туманит слезою мой взгляд!

И с глупой улыбкой над алым альбомом
мурлычу Шаинского я.
Чому ж Чип и Дэйл не спешат мне на помощь,
без сахара «Орбит» жуя?

Чому ж я ни сокил? Тому ж я не сокол,
что каркаю ночь напролет,
что плачу и прячусь от бури высокой...
А впрочем, и это пройдет.

Тогда я спою тебе, ангел мой бедный,
о том, как лепечет листва,
как пахнет шиповник во мгле предрассветной,
как ветхие гаснут слова,

как все забывается, все затихает,
как чахнет пурпурный закат,
как личная жизнь не спеша протекает
и не обернется назад.

1995

13

Читатель, прочти вот про это —
про то, что кончается лето,
что я нехорош и немолод,
что больше мне нравится город,
хоть здесь и гораздо красивей,
что дремлют плакучие ивы,
что вновь магазин обокрали,
а вора отыщут едва ли,
что не уродилась картошка,
что я умирал понарошку,
но вновь как ни в чем не бывало
живу, не смущаясь нимало,
что надо бы мне не лениться,
что на двадцать третьей странице
забыт Жомини и заброшен,
что скоро московская осень

опять будет ныть и канючить
со мной в унисон, что плакучий
я стал, наподобие ивы,
что мне без тебя сиротливо,
читатель ты мой просвещенный,
и что на вопрос твой резонный:
«А на хрен читать мне про это?» —
ответа по-прежнему нету.

Август 1996

14

В окне такое солнце и такой
листвы, еще не тронутой, струенье,
что кажется апрельским воскресеньем
сентябрьский понедельник городской.

Но в форточку открытую течет
великоросской осени дыханье.
Пронизан легким светом расставанья
совокупленья забродивший мед.

Спина моя прохладой залита.
Твои колени поднятые — тоже.
И пух златой на загорелой коже,
и сквозь ветвей лазури пустота.

И тополь наклоняется к окну
и, как подросток, дышит и трепещет,
и видит на полу мужские вещи,
и смятую постель, и белизну

вздымающихся ягодиц — меж гладких,
все выше поднимающихся ног...

Окурка позабытого дымок
синеет и уходит без остатка

под потолок и в форточку — туда,
куда ты смотришь, но уже не видишь.
Конечностями стройными обвитый,
я тоже пропадаю без следа....

Застыть бы так — в прохладном янтаре,
в подруге нежной, в чистом сентябре,
губами сжав колючую сережку.
Но жар растет в низовьях живота.
И этот полдень канет навсегда.
Еще чуть-чуть. Еще совсем немножко.

1995

15. ВОКАЛИЗ

И вот мы вновь поем про осень.
И вот мы вновь поем и пляшем
на остывающей земле.
Невинны и простоволосы,
мы хрупкими руками машем,
неразличимы лица наши
в златой передзакатной мгле.

Подходят юные морозы
и смотрят ясными глазами,
и мы не понимаем сами,
мы просто стынем и поем,
мы просто так поем про осень,
сливаясь с зыбкими тенями,
мы просто гибнем и живем.

И бродим тихими лесами.
И медленные кружат птицы.
А время замерло и длится,
и луч сквозь тучи тянет к нам.
Неразличимы наши лица
под гаснущими небесами.
И иней на твоих ресницах,
и тени по твоим стопам.

А время замерло и длится,
вершится осени круженье,
и льдинки под ногой звенят.
Струятся меж деревьев тени,
и звезды стынут на ресницах,
стихает медленное пенье
и возвращается назад.

И юной смерти приближенье
мы чувствуем и понимаем
и руки хрупкие вздымаем,
ища подругу средь теней,
ища в тумане отраженье,
лесами тихими блуждаем,
и длится пенье и круженье,
и звезды меркнут меж ветвей.

Мы пляшем в темноте осенней,
а время зыбкое клубится,
струятся медленные тени,
смолкают нежные уста.
И меркнут звезды, никнут лица,
безмолвные кружатся птицы.
Шагов не слышно в отдаленьи.
На льду не отыскать следа.
1995

16. РОМАНС

Тут у берега рябь небольшая.
Разноцветные листья гниют.
Полусмятая банка пивная
оживляет безжизненный пруд.

Утки-селезни в теплые страны
улетели. И юность прошла.
На заре постаренья туманной
ты свои вспоминаешь дела.

Стыдно. Впрочем, не так чтобы очень.
Пусто. Пасмурно. Поздно уже.
Мокнет тридцать девятая осень.
Где ж твой свет на восьмом этаже?

Вот итог. Вот изжога и сода.
Первой тещи припомни слова:
«Это жизнь!» Это жизнь. Так чего ты
ждешь, садовая ты голова?

Это жизнь. Это трезвость похмелья.
Самоварного золота дни.
Как неряшливо и неумело
ты стареешь в осенней тени.

Не кривись — это вечная тема,
поцелуя прощального чмок.
Это жизнь, дурачок, то есть время,
то есть, в сущности, смерть, дурачок.

Это жизнь твоя, как на ладони,
так пуста, так легка и грязна.
Не готова уже к обороне
и к труду равнодушна она.

И один лишь вопрос настоящий:
с чем сравнить нас — с опавшей листвой
или все-таки с уткой, летящей
в теплый край из юдоли родной?

1994

17

Осень настала. Холодно стало.
И в соответствии с этой листвой
екнуло сердце, сердце устало.
Нету свободы — но вот он, покой!

Вот он! Рукою подать и коснешься
древних туманов, травы и воды.
И охолонешь. И не шелохнешься.
И не поймешь, далеко ль до беды.

Осень ты осень, моя золотая!
Что бы такого сказать о тебе?
Клен облетает. Ворона летает.
Мокрый окурок висит на губе.

Как там в заметках фенолога? — птицы
в теплые страны, в берлогу медведь,
в Болдино Пушкин. И мне не сидится.
Все бы мне ныть, и бродить, и глядеть.

Так вот и скажем — в осеннем убранстве
очень красивы поля и леса!
Дачник садится в общественный транспорт
и уезжает. И стынет слеза.

Бродит грибник за дарами природы.
Акционерный гуляет колхоз.

Вот и настала плохая погода.
Сердце устало, и хлюпает нос.

Так и запишем — неброской красою
радует глаз Воскресенский район,
грязью густою, парчой золотою
и пустотой до скончанья времен.

Осень ты осень, пора листопада.
Как это там — терема, Хохлома...
Слабое сердце лепечет: «Не надо» —
«Надо, лапуля, подумай сама».

Вот уж летят перелетные птицы,
вот уж Гандлевский сажает чеснок.
Осень. Пора воротиться, проститься.
Плакать пора и сморкаться в платок.

Стелется дым. В среднерусских просторах
я под дождем и под ветром бреду.
Видно, прощаюсь с какой-то Матерой
или какого-то знаменья жду.

Слабое сердце зарапортовалось,
забастовало оно, завралось.
Вот и осталась мне самая малость.
Так уж сложилось, вот так повелось.

Что тут поделаешь — холодно стало.
Скворушка машет прощальным крылом.
Я ж ни о чем не жалею нимало.
Дело не в этом. И речь не о том.

Октябрь 1993

III

СОЛНЦЕДАР

О. Хитруку и С. Кислякову

Минувших дней младые были
Пришли доверчиво из тьмы.

Александр Блок

Серо-черной, не очень суровой зимою
в низкорослом райцентре средь волжских равнин
был я в командировке. Звалося «Мечтою»
то кафе, где сметаной измазанный блин,

отдающий на вкус то ли содой, то ль мылом,
поедал я на завтрак пред тем, как идти
в горсовет, где склонясь над цифирью унылой,
заполнял я таблицы. Часам к девяти

возвращались мы с Васькой в гостиницу «Волга»,
накупивши сырков, беляшей и вина
(в городке, к сожалению, не было водки).
За стеною с эстампом была нам слышна

жизнь кавказцев крикливых с какою-то «Олгой»
и с дежурною по этажу разбитной.
Две недели тянулись томительно долго.
Но однажды в ларьке за стеклянной «Мечтой»

я увидел — глазам не поверив сначала —
«Солнцедар»!! В ностальгическом трансе торча,
я купил — как когда-то — портфель «Солнцедара»,
отстояв терпеливо почти два часа.

Возмущенный Василий покрыл матюками
мой портфель и меня. Но смирился потом.
И (как Пруста герой) по волнам моей памяти
вмиг поплыл я, глоток за глотком...

254

И сейчас же в ответ что-то грянули струны
самодельных электрогитар!
И восстала из тьмы моя бедная юность,
голубой заметался пожар!

Видишь — медленно топчутся пары в спортзале.
Завуч свет не дает потушить.
Белый танец. Куда ты, Бессонова Галя?
Без тебя от портвейна тошнит!

Быстрый танец теперь. Чепилевский и Филька
вдохновенно ломают шейка.
А всего-то одна по ноль восемь бутылка,
да и та недопита слегка!

Но, как сомовский Блок у меня над диваном,
я надменно и грустно гляжу.
Завуч, видно, ушла. В этом сумраке странном
за Светланою К. я слежу.

И проходит Она в темно-синем костюме,
как царица блаженных времен!
Из динамиков стареньких льется «My woman!».
Влагой терпкою я оглушен.

Близоруко прищурясь (очков я стесняюсь)
в электрическом сне наяву,
к шведской стенке, как Лермонтов, я прислоняюсь,
высоко задирая главу.

Я и молод, и свеж, и влюблен, и прыщами
я не так уж обильно покрыт.
Но все ночи и дни безнадежное пламя
у меня меж ногами гудит!

И отчаянье нежно кадык мне сжимает,
тесно сердцу в родимом дому.
Надвигается жизнь. Бас-гитара играет.
Блок взирает в грядущую тьму.

И никто не поймет. На большой переменке
«Яву» явскую с понтом куря,
этой формой дурацкой сортирную стенку
отираю... Настанет пора

и тогда все узнают, тогда все оценят,
строки в общей тетради прочтут
с посвященьем С.К. ... Но семейные сцены
утонченную душу гнетут.

И русичка в очках, и физрук в олимпийке,
и отец в портупее, и весь
этот мир, этот мир!.. О моя Эвридика!
О Светлана, о светлая весть,

лунный свет, и пресветлое лоно, и дальше
в том же духе — строка за строкой —
светоносная Веста, и Сольвейг, и даже
влага ласк!.. Но — увы — никакой

влаги ласк (кроме собственноручной) на деле
наяву я еще не видал.
Эвридика была не по возрасту в теле,
фартук форменный грудь не вмещал.

И конечно, поверьями древними веял
ниже юбки упругий капрон.
Ей бы шлейф со звезда́ми, и перья, и веер...
В свете БАМовских тусклых знамен

мы росли, в голубом и улыбчивом свете
«Огоньков», «Кабачков», КВН.
Рдел значок комсомола на бюсте у Светы,
и со всех окружающих стен

(как рентген, по словам Вознесенского) зырил
человечный герой «Лонжюмо».
Из Москвы возвращались с колбаской и сыром,
с апельсинами — даже зимой.

Дети страшненьких лет забуревшей России,
Фантомасом взращенный помет,
в рукавах пиджаков мы портвейн проносили,
пили, ленинский сдавши зачет.

И отцов поносили, Высоцкого пели,
тротуары клешами мели.
И росли на дрожжах, но взрослеть не взрослели,
до сих пор повзрослеть не смогли...

ВИА бурно цвели. И у нас, натурально,
тоже был свой ансамбль — «Альтаир».
Признаюсь, и вокально, и инструментально
он чудовищен был. Но не жир

(как мой папа считал) был причиной того, что
мы бесились — гормоны скорей
и желание не соответствовать ГОСТу
хоть чуть-чуть, хоть прической своей!

«Естердей, — пел солист, — ол май трабыл...», а дальше
я не помню уже, хоть убей.
Фа мажор, ми минор... Я не чувствовал фальши.
«Самсинг вронг...» Ре минор. Естердей.

А еще были в репертуаре пьесенки
«Но то цо» и «Червонных гитар».
«Нэ мув ниц», например. Пели Филька и Венька.
Я завидовал им. Я играл

на басу. Но не пел. Даже «Ша-ла-лу-ла́-ла»
подпевать не доверили мне.
Но зато уж ревела моя бас-гитара,
весь ансамбль заглушая вполне.

Рядом с Блоком пришпилены были к обоям
переснятые Йоко и Джон,
Ринго с Полом. Чуть ниже — пятно голубое,
огоньковский Дега.... Раздражен

грохотанием магнитофонной приставки
«Нота-М», появлялся отец.
Я в ответ ему что-то заносчиво тявкал.
Вот и мама. «Сынок твой наглец!» —

сообщает ей папа. Мятежная юность
не сдается. Махнувши рукой,
папа с «Красной Звездой» удаляется. Струны
вновь терзают вечерний покой.

А куренье?! А случай, когда в раздевалке
завуч Берта Большая (она
так за рост и фигуру свою прозывалась)
нас застукала с батлом вина?!

(Между прочим, имелась другая кликуха
у нее — «Ява-100»). До конца
буду я изумляться присутствию духа,
доброте и терпенью отца.

Я конечно же числил себя альбатросом
из Бодлера. В раскладе таком
папа был, разумеется, грубым матросом,
в нежный клюв он дышал табаком!

(Это — аллегорически. В жизни реальной
папа мой никогда не курил.
Это я на балконе в тоске инфернальной,
притаившись во мраке, дымил.)

Исчерпавши по политработе знакомый
воспитательных мер арсенал,
«Вот ты книги читаешь, а разве такому
книги учат?» — отец вопрошал.

Я надменно молчал. А на самом-то деле
не такой уж наивный вопрос.
Эти книги — такому, отец. Еле-еле
я до Пушкина позже дорос.

Эти книги (особенно тот восьмитомник)
подучили меня, увели
и поили, поили смертельной истомой,
в петербургские бездны влекли.

Пусть не черная роза в бокале, а красный
«Солнцедара» стакан и сырок,
но излучины все пропитались прекрасно,
льется дионисийский восторг.

Так ведь жили поэты? Умру под забором,
обывательских луж избежав.
А леса криптомерий и прочего вздора
заслоняли постылую явь.

Смысл неясен, но томные звуки прекрасны.
Темной музыкой взвихренный снег.
Уводил меня в даль Крысолов сладкогласый
дурнопьяный Серебряный век.

Имена и названья звучали как песня —
Зоргенфрей, Черубина и Пяст!
Где б изданья сыскать их творений чудесных,
дивных звуков наслушаться всласть!

И какими ж они оказались на деле,
когда я их — увы — прочитал!
Даже Эллис, волшебный, неведомый Эллис,
Кобылинским плешивым предстал!

Впрочем, надо заметить, что именно этот
старомодного чтения круг
ледяное презрение к власти Советов
влил мне в душу. Читатель и друг,

помнишь? «Утренней почты» воскресные звуки,
ждешь, что будет в конце, но опять
Карел Гот! За туманом торопится Кукин.
Или Клячкин? Не стоит гадать.

Пестимея Макаровна строила козни,
к пятой серии Фрол прозревал,
и опять Карел Гот! И совсем уже поздно
соблазнительно ляжки вздымал

Фридрих Штадт, незабвенный Палас. О детанте
Зорин, Бовин и Цветов бубнят.
Маслюков веселится и ищет таланты.
Фигуристски красиво скользят.

Литгазета клеймит Солженицера, там же
врет поэт про знакомство с Леже,
и описана беспрецедентная кража,
впрочем, стрелочник пойман уже.

И когда б не дурацкая страсть к зоргенфреям,
я бы к слуцким, конечно, припал.
что, наверно, стыдней и уж точно вреднее,
я же попросту их не читал.

Был я юношей смуглым со взором горящим,
демонически я хохотал
над «Совдепией». Нет, я не жил настоящим,
Гамаюну я тайно внимал.

Впрочем, все эти бездны, и тайны, и маски
не мешали щенячьей возне
с Чепилевским, и Филькой, и Масиным Васькой
в мутноватой сенежской волне.

Или сенежской, как говорили в поселке,
расположенном на берегу,
огороженном — чтобы дары Военторга
не достались лихому врагу.

Старшеклассники, мы с дембелями якшались,
угощали их нашим вином
и, внимая их россказням, мы приучались
приблатненным болтать матерком.

Как-то так уживалась Прекрасная Дама
с той, из порнографических карт,
дамой пик с несуразно большими грудями.
На физре баскетбольный азарт

сочетался с тоскою, такою тоскою,
с роковою такою тоской,
что хоть бейся о стенды на стенах башкою
или волком Высоцкого вой!

Зеркала раздражали и усугубляли
отвращение к жизни, хотя
сам я толком не выбрал еще идеала,
перед старым трельяжем вертясь —

иль уто́нченность, бледность, круги под глазами,
иль стальной Гойки Митича торс,
или хаер хипповский с такими очками,
как у Леннона?.. Дамы и герлс,

и индейские скво, и портовые шлюхи,
и Она... Но из глуби зеркал
снова коротко стриженный и близорукий
толстогубый подросток взирал.

Но желаннее образов всех оставался
тот портрет над диваном моим.
Как старался я, как я безбожно кривлялся,
чтоб хоть чуточку сблизиться с ним!

Как я втягивал щеки, закусывал губы!
Нет! Совсем не похож, хоть убей.
И еще этот прыщ на носу этом глупом!
Нет, не Блок. Городецкий скорей.

Все равно! Совпадений без этого много!
Ну, во-первых, родной гарнизон

не случайно почти что в имении Блока
был по воле судеб размещён!

Не случайно, я знал, там, за лесом зубчатым
километрах в пяти-десяти
юный Блок любовался зловещим закатом
в слуховое окно! И гляди —

не случайно такие ж багровые тучи
там сияют, в безбрежность маня!
Как Л. Д. Менделееву, друг наилучший
не случайно увёл у меня

Свету К.!.. И она не случайно похожа
толщиной на предтечу свою!
Не случайно, отбив её четвертью позже,
я в сонетах её воспою!

Воспою я в венках и гирляндах сонетов,
вирелэ, виланелей, секстин,
и ронделей, и, Боже ты мой, триолетов,
и октав, и баллад, и терцин!

И добьюсь наконец! Незабвенною ночью
на залитой луной простыне
Света К., словно Вечная Женственность, молча,
отбивалась и льнула ко мне!

А потом отдалась! Отдавалась грозово!
Отдаётся и ждёт, что возьму!
Я стараюсь, я пробую снова и снова,
я никак не пойму почему!

Что же делать? Ворота блаженства замкнуты!
Ничего, как об стенку горох.

Силюсь вспомнить хоть что-нибудь из «Кама сутры».
Смотрит холодно сомовский Блок.

Чуть не плачу уже. Час разлуки все ближе.
Не выходит. Не входит никак...
. . . .

И во сне я шептал: «Подними, подними же!
Подними ей коленки, дурак!» —

и проснулся на мглистом, холодном рассвете
безнадежного зимнего дня.
И двойник в зазеркалии кафельном встретил
нехорошей ухмылкой меня.

За стеной неуемные азербайджанцы
принимались с утра за свое
и кричали, смеясь, про какую-то Жанку...
Что ж ты морщишься, счастье мое?

Душ принять не хватало решимости. Боже!
Ну и рожа! Саднило в висках.
И несвежее тело с гусиною кожей
вызывало брезгливость и страх.

И никак не сбривалась седая щетина.
В животе поднималась возня.
И, смешавшись, во рту никотин с помарином,
как два пальца, мутили меня.

Видно, вправду пора приниматься за дело,
за пустые делишки свои.
Оживал коридор. Ретрансляция пела
и хрипела заре о любви.

Из цикла «Памяти Державина»

18

От благодарности и страха
совсем свихнулася душа,
над этим драгоценным прахом
не двигаясь и не дыша.

Над драгоценным этим миром,
над рухлядью и торжеством,
над этим мирозданьем сирым
дрожу, как старый скопидом.

Гарантий нет. Брюллов свидетель.
В любой момент погаснет свет,
порвутся радужные сети,
прервется шествие планет.

Пока еще сей шарик нежный
лежит за пазухой Христа,
но эти ризы рвет прилежно
и жадно делит сволота.

В любой момент задует ветер
сию дрожащую свечу,
сияние вишневых веток,
и яблоню, и алычу,

протуберанцев свистопляску,
совокупления поток,
и у Гогушиных в террáске
погаснет слабый огонек!

Погаснет мозг. Погаснут очи.
Погаснет явский «Беломор».
Блистание полярной ночи
и луга Бежина костер.

Покамест полон мир лучами
и неустойчивым теплом,
прикрой ладошкой это пламя,
согрей дыханьем этот дом!

Не отклоняйся, стой прямее,
а то нарушится баланс,
и хрустнет под ногой твоею
сей Божий мир, сей тонкий наст,

а то нарушишь равновесье
и рухнет в бездны дивный шар!
Держись, душа, гремучей смесью
блаженств и ужасов дыша.

Август 1993

19

Саше Бродскому

Да нет же! Со страхом, с упреком
Гляжу я на кухне в окно.
Там где-то, на юго-востоке
стреляют, как будто в кино.

Ползет БТР по ущелью,
но не уползет далеко.
Я склонен к любви и веселью.
Я трус. Мне понять нелегко,

что в этом мозгу пламенеет?
Кем этот пацан одержим?
Язык мой веселый немеет.
Клубится Отечества дым.

И едкими полон слезами
мой взгляд. Не видать ни хрена.
Лишь страшное красное знамя
ползет из фрейдистского сна.

И пошлость в обнимку со зверством
за Правую Веру встает,
и рвется из пасти разверстой
волшебное слово — «Народ!»

Как я ненавижу народы!
Я странной любовью люблю
прохожих, и небо, и воды,
язык, на котором корплю.

Тошнит от народов и наций,
племен и цветастых знамен!
Сойдутся и ну разбираться,
кем именно Крым покорен!

Семиты, хамиты, арийцы —
замучишься перечислять!
Куда ж человечику скрыться,
чтоб ваше мурло не видать?

Народы, и расы, и классы
страшны и противны на вид,
трудящихся мерзкие массы,
ухмылка заплывших элит.

Но странною этой любовью
люблю я вот этих людей,
вот эту вот бедную кровлю
вот в этой России моей.

Отдельные лица с глазами,
отдельный с березой пейзаж
красивы и сами с усами!
Бог мой, а не ваш и не наш!

Я чайник поставлю на плитку,
задерну на кухне окно.
Меня окружают пожитки,
любимые мною давно —

и книжки, и кружки, и ложки,
и плюшевый мишка жены.
Авось проживем понемножку.
И вправду — кому мы нужны?

В Коньково-то вроде спокойно.
Вот только орут по ночам.
Стихи про гражданские войны
себе сочиняю я сам.

Я — трус. Но куда же я денусь.
Торчу тут, взирая на страх...
Тяжелый и теплый младенец
притих у меня на руках.

1993

Наш лозунг — «А вы мне не тыкайте!»
«А ты мне не вякай!» — в ответ.
Часы и столетия тикают,
консенсуса нету как нет.

Фиксатый с похмелья кобенится.
Очкастый потеет и ждет.
Один никуда тут не денется,
другой ни хрена не поймет.

В трамвае, в подсобке, в парламенте
все тот же пустой диалог.
Глядишь — кто-то юный и пламенный
затеплил бикфордов шнурок.

Беги, огонечек, потрескивай,
плутай по подвалам, кружи...
Кому-то действительность мерзкая,
но мне-то — сестра моя жизнь!

Да тычьте вы, если вам тычется!
Но дайте мне вякнуть разок —
по-моему, меж половицами
голубенький вьется дымок.

Июль 1993

21

Чайник кипит. Телик гудит.
Так незаметно и жизнь пролетит.

Жизнь пролетит, и приблизится то,
что атеист называет Ничто,

что Баратынский не хочет назвать
дочерью тьмы — ибо кто тогда мать?

Выкипит чайник. Окислится медь.
Дымом взовьется бетонная твердь.

Дымом развеются стол и кровать,
эти обои и эта тетрадь.

Так что покуда чаевничай, друг...
Время подумать, да все недосуг.

Время подумать уже о душе,
А о другом поздновато уже.

Думать, лежать в темноте. Вспоминать.
Только не врать. Если б только не врать.

Вспомнить, как пахла в серванте халва,
и подобрать для серванта слова.

Вспомнить, как дедушка голову брил.
Он на ремне свою бритву точил.

С этим ремнем по общаге ночной
шел я, качаясь. И вспомнить, какой

цвет, и какая фактура, и как
солнце, садясь, освещало чердак...

Чайник кипел. Примус гудел.
Толик Шмелев мастерил самострел.

1995

Видимо, можно и так: просвистать и заесть,
иль, как Набоков, презрительно честь предпочесть.

Многое можно, да где уж нам дуракам.
Нам не до жиру и не по чину нам.

Нам бы попроще чего-нибудь, нам бы забыть.
Нам бы зажмурить глаза и слух затворить.

Спрятаться, скорчиться, змейкой скользнуть в траву.
Ниточкой тонкой вплестись в чужую канву.

Нам-то остатки сладки, совсем чуть-чуть.
Перебирать, копошиться и пыль смахнуть.

Мелочь, осколки, бисер, стеклянный прах.
Так вот Кощей когда-то над златом чах.

Так вот Гобсек и Плюшкин... Да нет, не так.
Так лишь алкаш сжимает в горсти трояк.

Цены другие, дурень, и деньги давно не те.
Да и ларек закрыли. Не похмелиться тебе.

1995

23. РУСОФОБСКАЯ ПЕСНЯ

Снова пьют здесь, дерутся и плачут.
Что же все-таки все это значит?
Что же это такое, Господь?
Может, так умерщвляется плоть?
Может, это соборность такая?
Или это ментальность иная?..

Проглотивши свой общий аршин,
пред Россией стоит жидовин.
Жидовин (в смысле — некто в очках)
ощущает бессмысленный страх.

Выпей, парень, поплачь, подерися,
похмелися и перекрестися,
«Я ль не свойский?» — соседей спроси,
и иди по великой Руси!
И отыщешь Царевну-лягушку,
поцелуешь в холодное брюшко,
и забудешь невесту свою,

звуки лютни и замок зубчатый,
крест прямой на сверкающих латах,
и латыни гудящий размах...
Хорошо ль тебе, жид, в примаках?

Тихой ряской подернулись очи.
Отдыхай, не тревожься, сыночек!..
Спросит Хайдеггер: «Что есть Ничто?»
Ты ответишь: «Да вот же оно».

1996

24

Щекою прижавшись к шинели отца —
     вот так бы и жить.
Вот так бы и жить — ничему не служить,
заботы забыть, полномочья сложить,
и все попеченья навек отложить,
     и глупую гордость самца.
     Вот так бы и жить.

На стриженом жалком затылке своем
        ладонь ощутить.
Вот так быть любимым, вот так бы любить
и знать, что простит, что всегда защитит,
что лишь понарошку ремнем он грозит,
        что мы не умрем.

Что эта кровать, и ковер, и трюмо,
        и это окно
незыблемы, что никому не дано
нарушить сей мир и сей шкаф платяной
подвинуть. Но мы переедем зимой.
        Я знаю одно,

я знаю, что рушится все на глазах,
        стропила скрипят.
Вновь релятивизмом кичится Пилат.
А стены, как в доме Нуф-Нуфа, дрожат,
и в щели ползет торжествующий ад,
        хохочущий страх.

Что хочется грохнуть по стеклам в сердцах,
        в истерику впасть,
что легкого легче предать и проклясть
        в преддверьи конца.
И я разеваю слюнявую пасть,
чтоб вновь заглотить галилейскую снасть,
и к ризам разодранным Сына припасть
        и к ризам нетленным Отца!

Прижавшись щекою, наплакаться всласть
        и встать до конца.

1996

273

25

За все, за все. Особенно за то, что
меня любили. Господи, за все!
Считай, что это тост. И с этим тостом
когда-нибудь мое житье-бытье

окончится, когда-нибудь, я знаю,
придется отвечать, когда-нибудь
отвечу я. Пока же, дорогая,
дай мне поспать, я так хочу уснуть,

обняв тебя, я так хочу, я очень
хочу, и чтоб назавтра не вставать,
а спать и спать, и чтобы утром дочка
и глупый пес залезли к нам в кровать.

Понежиться еще, побаловаться,
Какие там мучения страстей!
Позволь мне, Боже мой, еще остаться,
в числе Твоих неизбранных гостей.

Спасибо. Ничего не надо больше.
Ума б хватило и хватило б сил.
Устрой лишь так, чтоб я как можно дольше
за все, за все Тебя благодарил.

12 августа 1996

26

Отцвела черемуха.
Зацвела сирень.
Под крылечко кошечка
спряталась в тень.

Крошечка Хаврошечка,
как тебе спалось?
Отчего ты плакала?
С бодуна небось?

Уточки прокрякали.
Матюкнулся дед.
Ничего особого
за душою нет.

Я иду без обуви,
улыбаюсь я.
Босоногой стаечкой
мчится малышня.

Получи же саечку,
парень, за испуг!
Ну и за невежливость
получи, мой друг!

Все идет по-прежнему
страшно и смешно.
Поводов достаточно.
Доводов полно.

Всяко дело статочно,
ведь Христос воскрес.
Хоть поверить этому
невозможно здесь.

День грядет неведомый.
Шмель летит, жужжа.
В пятках спит убогая,
мелкая душа.

Всяко дело по боку!
Грейся, загорай!
«Горькую имбирную»
пивом запивай!..

Так вот, балансируя,
балуясь, блажа,
каясь, зарекаяся,
мимо гаража,

мимо протекающих
тихоструйных вод
я иду с авоською.
Так вот. Так-то вот.

1994

V

МОЛИТВА

Господь мой, в утро Воскрешенья
вся тварь воскликнет: Свят, Свят, Свят!
Что ж малодушные сомненья
мой мозг евклидов тяготят?

Я верю, все преобразится,
и отразишься Ты во всем,
и Весть патмосского провидца
осуществится, и Добром

исполнится земля иная,
иное небо. Но ответь —
ужели будет плоть святая
и в самой вечности терпеть

276

сих кровопийц неумолимых,
ночных зловещих певунов,
бессчетных и неуловимых —
я разумею комаров?

Ужели белые одежды
и в нимбе светлое лицо
окрасят кровию, как прежде,
летучих сонмы наглецов?

И праведник, восстав из гроба,
ужель вниманье отвлечет
от арфы Серафима, чтобы
следить назойливый полет?

Средь ясписа и халкидона
ужель придется нам опять
по шее хлопать раздраженно
и исступленно кисть чесать?

Что говорю? О Боже Правый!
О Поядающий Огонь!
Конечно, ты найдешь управу
на комара, и сгинет он!

Бесчисленные вспыхнут крылья
бенгальским праздничным огнем
и, покружившись, легкой пылью
растают в воздухе Твоем.

И больше никогда, мой Боже,
овечек пажити Твоей
не уязвит, не потревожит
прозрачный маленький злодей.

Аминь. Конечно, справедливы
Твои решенья. Но прости,
я возропщу! Они ж красивы!
Они изящны и просты

Клещи, клопы — иное дело!
Глисты — тем более, Господь!
Но это крохотное тело,
но эта трепетная плоть!

И легкокрылы, длинноноги,
и невесомы, словно дух,
бесстрашные, как полубоги,
и тонкие, как певчий слух,

они зудят и умирают,
подобно как поэты мы,
и сон дурацкий прерывают
средь благодатной летней тьмы!

Их золотит июньский лучик,
они чернеют, посмотри,
на фоне огнекрылых тучек
вечерней шильковской зари!

Не зря ж их пел певец Фелицы
и правнук Кукин восхвалял,
и, отвернувшись от синицы,
младой Гадаев воспевал!

Так если можно, Боже правый,
яви безмерность Сил Твоих —
в сиянии небесной славы
преобрази Ты малых сих!

Пусть в вечности благоуханной
меж ангелов и голубей
комар невинный, осиянный
пребудет с песенкой своей!

Меж ангелов и трясогузок,
стрекоз, шмелей и снегирей
его рубиновое пузо
пусть рдеет в вечности Твоей

уже не кровию невинной,
но непорочным тем вином,
чей вкус предчувствуется ныне
в закатном воздухе Твоем!

Лето 1993

VI

КОЛЫБЕЛЬНАЯ
ДЛЯ ЛЕНЫ БОРИСОВОЙ

Золотит июльский вечер
облаков края.
Я тебя увековечу,
девочка моя.

Я возьму и обозначу
тишиной сквозной
тонкий звонкий и прозрачный
милый образ твой.

Чтоб твое изображенье
легкое, как свет,
мучило воображенье
через сотни лет,

чтоб нахальные хореи,
бедные мои,
вознесли бы, гордо рея,
прелести твои,

чтоб нечаянная точность
музыки пустой
заставляла плакать ночью
о тебе одной,

чтоб иных веков мальчишка
тешил сам себя,
от лодыжки до подмышки
прочитав тебя,

от коленок до веснушек
золотых твоих,
от каштановой макушки
до волос срамных,

от сосков почти девичьих
до мальчишьих плеч,
до ухваток этих птичьих
доведу я речь!

И от кесарева шрама
до густых бровей,
до ладошки самой-самой
ласковой твоей,

и от смехотворных мочек
маленьких ушей
до красивых, узких очень,
узеньких ступней,

от колготок и футболки
до слепых дождей,
от могилы до конфорки
у плиты твоей,

от зарплаты до зарплаты
нету ни хрена!
Ты, как Муза, глуповата,
ты умней меня.

От получки до получки
горя нет как нет,
игры, смехи, штучки, дрючки,
вкусный винегрет!

От Коньково до вечерней
шильковской звезды
обведу чертою верной
всю тебя! И ты

в свете легковесных строчек,
в окруженьи строф,
в этой вечности непрочной
улыбнешься вновь —

чтоб сквозь линзы засияли
ясные глаза,
чтоб стояла в них живая
светлая слеза,

чтоб саднила и звенела
в звуковом луче
та царапина на левом
на твоем плече,

чтоб по всей Руси могучей
гордый внук славян
знал на память наш скрипучий
шильковский диван,

чтоб познал тоску и ревность
к сча́стливому мне
мастер в живописве первой
в Родской стороне!

He exegi monumentum!
Вовсе не о том!
Чтоб струилось тело это
в языке родном,

чтобы в сумраке, согретом
шепотом моим,
осветилась кожа эта
светом неземным,

чтобы ты не умирала,
если я сказал,
чтоб яичница шкворчала,
чайник ворковал,

чтобы в стеклах секретера
так же, как сейчас,
отраженье бы глядело
той звезды на нас,

чтобы Томик заполошный
на полночный лифт
лаял вечно и истошно,
тленье победив,

чтобы в точности такой же
весь твой мир сверкал,
как две капельки похожий
сквозь живой кристалл —

в час, когда мы оба (обе?),
в общем, мы уйдем
тем неведомым, загробным,
призрачным путем,

тем путем печальным, вечным,
в тень одну слиясь,
безнадежно, скоротечно
скроемся из глаз

по долинам асфоделей,
в залетейской мгле,
различимы еле-еле
на твоей земле.

Тем путем высоким, млечным
нам с тобой идти...
Я тебя увековечу.
Ты не бойся. Спи.

Июль 1993

ДВАДЦАТЬ СОНЕТОВ К САШЕ ЗАПОЕВОЙ

1

Любимая, когда впервые мне
ты улыбнулась ртом своим беззубым,
точней, нелепо растянула губы,
прожженный и потасканный вполне,

я вдруг поплыл — как льдина по весне,
осклабившись в ответ светло и тупо.
И зазвучали ангельские трубы
и арфы серафимов в вышине!

И некий голос властно произнес:
«Incipit vita nova!» Глупый пес,
потягиваясь, вышел из прихожей

и ткнул свой мокрый и холодный нос
в живот твой распеленутый. О Боже!
Как ты орешь! Какие корчишь рожи!

2

И с той январской ночи началось!
С младых ногтей алкавший Абсолюта
(нет, не того, который за валюту
мне покупать в Стокгольме довелось,

который ныне у платформы Лось
в любом ларьке поблескивает люто),
я, полусонный, понял в ту минуту,
что вот оно, что все-таки нашлось

хоть что-то неподвластное ухмылкам
релятивизма, ни наскокам пылким
дионисийских оголтелых муз!

Потом уж, кипятя твои бутылки
и соски под напев «Европы-плюс»,
я понял, что еще сильней боюсь.

3

Но в первый раз, когда передо мной
явилась ты в роддоме (а точнее —
во ВНИЦОЗМИРе), я застыл скорее
в смущеньи, чем в восторге. Бог ты мой!

Как странен был нездешний облик твой.
А взгляд косящий и того страннее.
От крика заходясь и пунцовея,
три с лишним килограмма чуть живой

ничтожной плоти предо мной лежало,
полметра шевелилось и взывало
бессмысленно ко мне, как будто я

сам не такой же... Мать твоя болтала
с моею тещей. И такси бежало,
как утлый челн, в волнах небытия.

4

И понял я, что это западня!
Мой ужас, усмиренный только-только,
пошел в контрнаступление. Иголки,
булавки, вилки, ножницы, звеня,

к тебе тянулись! Всякая фигня
опасности таила втихомолку.
Розетка, кипяток, котенок Борька,
балкон и лифт бросали в дрожь меня.

А там, во мгле грядущей, поджидал
насильник, и Невзоров посылал
ОМОН на штурм квартиры бедной нашей,

АЭС взрывались... Бездны на краю
уже не за свою, а за твою
тончайшую я шкуру трясся, Саша.

5

Шли дни. Уже из ложки ела ты.
Вот звякнул зуб. Вот попка округлилась.
Ты наливалась смыслом, ты бесилась,
агукала средь вечной пустоты.

Шли съезды. Шли снега. Цвели цветы.
Цвел диатез. Пеленки золотились.
Немецкая коляска вдаль катилась.
И я забыл мятежные мечты.

Что слава? Что восторги сладострастья?
Что счастие? Наверно, это счастье.
Ты собрала, как линзочка, в пучок

рассеянные в воздухе ненастном
лучи любви, и этот свет возжег —
да нет, не угль — лампадный фитилек.

6

Чтоб как-то структурировать любовь,
избрал я форму строгую сонета.
Катрена два и следом два терцета.
abba. Поэтому морковь

я тру тебе опять. Не прекословь! —
как Брюсов бы сказал. Морковка эта
полезнее котлеты и конфеты.
abba. И вот уже свекровь

какая-то (твоя, наверно) претёся
в злосчастный стих. ccdc. Бороться
нет сил уж боле. Зря суровый Дант

не презирал сонета. Остается
dd, Сашура. Фант? Сервант? Сержант?
А может, бант? Нет, лучше бриллиант.

7

Я просыпаюсь оттого, что ты
пытаешься закрасить мне щетину
помадою губной. И так невинно
и нагло ты хохочешь, так пусты

старанья выбить лживое «Прости,
папулечка!», так громогласно псина
участвует в разборке этой длинной,
и так полны безмозглой чистоты

твои глаза, и так твой мир огромен,
и неожидан, и притом укромен,
и так твой день бескраен и богат,

287

что даже я, восстав от мутной дремы,
продрав угрюмый и брезгливый взгляд,
не то чтоб счастлив, но чему-то рад.

8

Ну вот твое Коньково, вот твой дом
родной, вот лесопарк, вот ты на санках,
визжа в самозабвеньи, мчишься, Санька,
вот ты застыла пред снеговиком,

мной вылепленным. Но уже пушком
покрылись вербы, прошлогодней пьянки
следы явила вешняя полянка,
и вот уж за вертлявым мотыльком

бежишь ты по тропинке. Одуванчик
седеет и лысеет, и в карманчик
посажен упирающийся жук.

И снова тучи в лужах ходят хмуро...
Но это все с тобою рядом, Шура,
спираль уже, а не порочный круг.

9

«Ну что, читать?.. У Лукоморья дуб
зеленый... Да, как в Шильково... златая...
ну золотая, значит, вот такая,
как у меня кольцо...» Остывший суп

десертной ложкой тыча мимо губ,
ногой босою под столом болтая,
обедаешь, а я тебе читаю
и раздражаюсь потихоньку. Хлюп —

картошка в миску плюхается снова.
Обсценное я сглатываю слово.
«Ешь, а не то читать не буду, Саш!..

...на дубе том...» — «Наш Том?!» — «Не понимаю,
что́ — наш?» — Но тут является, зевая,
легчайший на помине Томик наш.

10

Как описать? Глаза твои красивы.
Белок почти что синий, а зрачок
вишневый, что ли? Черный? Видит Бог,
стараюсь я, но слишком прихотливы

слова, и, песнопевец нерадивый,
о видео мечтаю я, Сашок.
Твоих волос густой и тонкий шелк
рекламе уподоблю я кичливой

«Проктэр энд Гэмбл» продукции. Атлас
нежнейшей кожи подойдет как раз
рекламе «Лореаль» и мыла «Фриско».

Прыжки через канаву — «Адидас»
использовать бы мог почти без риска.
А ласковость и резвость — только «Вискас»!

11

Ты горько плачешь в роковом углу.
Бездарно притворяясь, что читаю
Гаспарова, я тихо изнываю,
прервав твою счастливую игру

с водой и рафинадом на полу.
Секунд через пятнадцать, обнимая
тебя, я безнадежно понимаю,
как далеко мне, старому козлу,

до Пестолоцци... Ну и наплевать!
Тебя еще успеют наказать.
Охотников найдется выше крыши.

Подумаешь, всего-то полкило.
Ведь не со зла ж и явно не на зло.
Прости меня. Прижмись ко мне поближе.

12

Пройдут года. Ты станешь вспоминать.
И для тебя вот эта вот жилплощадь,
и мебель дээспэшная, и лошадь
пластмассовая, и моя тетрадь,

в которой я пытаюсь описать
все это, и промокшие галоши
на батарее, и соседский Гоша,
и Томик, норовящий подремать

на свежих простынях — предстанут раем.
И будет светел и недосягаем
убогий, бестолковый этот быт,

где с мамой мы собачимся, болтаем,
рубли считаем, забываем стыд.
А Мнемозина знай свое творит.

13

Уж полночь. Ты уснула. Я сижу
на кухне, попивая чай остылый.
И так как мне бумаги не хватило,
я на твоих каракулях пишу.

И вот уже благодаря у-шу
китаец совладал с нечистой силой
по НТВ, а по второй — дебилы
из фракции какой-то. Я тушу

очередной окурок. Что там снится
тебе, мой ангел? Хмурая столица
ворочается за окном в ночи.

И до сих пор неясно, что случится.
Но протянулись через всю страницу
фломастерного солнышка лучи.

14

«Что это — церковь?» — «Это, Саша, дом,
где молятся». — «А что это — молиться?»
Но тут тебя какая-то синица,
по счастью, отвлекает. Над прудом,

над дядьками с пивком и шашлычком
крест вновь открытой церкви золотится.
И от ответа мне не открутиться.
Хоть лучше бы оставить на потом

беседу эту. «Видишь ли, вообще-то,
есть, а верней, должно быть нечто, Саш,
ну, скажем, трансцендентное... Об этом

уже Платон... и Кьеркегор... и наш
Шестов...» Озарены вечерним светом
вода и крест, и опустевший пляж.

15

Последние лет двадцать-двадцать пять
так часто я мусолил фразу эту,
так я привык, притиснув в танце Свету
иль в лифте Валю, горячо шептать:

«Люблю тебя!» — что стал подозревать,
что в сих словах иного смысла нету.
И все любови, канувшие в Лету,
мой скепсис не могли поколебать.

И каково же осознать мне было,
что я... что ты... не знаю, как сказать.
Перечеркнув лет двадцать-двадцать пять,

Любовь, что движет солнце и светила,
свой смысл мне хоть немножко приоткрыла,
и начал я хоть что-то понимать.

16

Предвижу все. Набоковский фрейдист
хихикает, ручонки потирает,
почесывает пах и приступает
к анализу. А концептуалист,

чьи тексты чтит всяк сущий здесь славист,
плечами сокрушенно пожимает.
И палец указательный вращает
у правого виска метафорист.

Сальери в «Обозреньи книжном» лает,
Моца́рт зевок ладошкой прикрывает,
на до́бычу стремится пародист,

все громче хохот, шиканье и свист!
Но жало мудрое упрямо возглашает,
как стан твой пухл, и взор твой как лучист!

17

Где прелести чистейшей образцы
представлены на удивленье мира —
Лаура, леди смуглая Шекспира,
дочь химика, которую певцы,

Прекрасной Дамы верные жрецы
делили, и румяная Пленира —
туда тебя отеческая лира
перенесет. Да чтут тебя чтецы!

А впрочем, нет, сокровище мое!
Боюсь, что это вздорное бабье
тебя дурному, доченька, научит.

Не лучше ли волшебное питье
с Алисой (Аней) выпить? У нее
тебе, по крайней мере, не наскучит.

18

Промчались дни мои. Так мчится буйный Том
за палкою, не дожидаясь крика
«Апорт!», и в нетерпении великом
летит назад с увесистым дрючком.

И вновь через орешник напролом,
и лес, и дол наполнив шумом диким —
и топотом, и тявканьем, и рыком,
не ведая конечно же о том,

что вот сейчас докурит сигарету
скучающий хозяин, и на этом
закончится игра, и поводок

защелкнется, а там, глядишь, и лето
закончено, а там уже снежок...
Такая вот метафора, дружок.

19

И если нам разлука предстоит...
Да что уж «если»! Предстоит, конечно.
Настанет день — твой папа многогрешный,
неверный муж, озлобленный пиит,

лентяй и врун, низвергнется в Аид.
С Франческой рядом мчась во мгле кромешной,
воспомню я и профиль твой потешный,
и на горшке задумчивый твой вид!

Но я взмолюсь, и Сила Всеблагая
не сможет отказать мне, дорогая,
и стану я являться по ночам

в окровавле́нном саване, пугая
обидчиков твоих. Сим сволочам
я холоду могильного задам!

Я лиру посвятил сюсюканью. Оно
мне кажется единственно возможной
и адекватной (хоть безумно сложной)
методой творческой. И пусть Хайям вино,

пускай Сорокин сперму и говно
поют себе усердно и истошно,
я буду петь в гордыне безнадежной
лишь слезы умиленья все равно.

Не граф Толстой и не маркиз де Сад,
князь Шаликов — вот кто мне сват и брат
(кавказец, кстати, тоже)!.. Голубочек

мой сизенький, мой миленький дружочек,
мой дурачок, Сашочек, ангелочек,
кричи «Ура!» Мы едем в зоосад!

Январь – май 1995

VIII

ИСТОРИЯ СЕЛА ПЕРХУРОВА
Компиляция

> *– Что, сынку, помогли тебе твои ляхи?*
> *Андрий был безответен.*
>
> Н. В. Гоголь

Июльский полдень золотой
жужжал в сто тысяч жал.
Не одолев и полпути,
взопрел я и устал.

Натерла сумка мне плечо,
кроссовки ноги жгли,
лицо запорошила пыль
иссушенной земли.

С небес нещадно шпарил зной.
Вострянск навозом пах.
Промчался мимо самосвал,
взметнув дорожный прах.

И было ясно мне вполне,
что зря я пиво пил.
Тяжелый и нечистый хмель
К земле меня клонил.

Ни облачка, одни дымки
химкомбинатских труб.
Ворона нехотя клюет
сухой лягушкин труп.

И в поте своего лица,
в нетрудовом поту
по рытвинам моей страны
я медленно бреду.

Вокруг земля — на сотни верст,
на сотни долгих лет
картошкою покрыта вся.
Чего ты? Дай ответ!

Молчит, ответа не дает
прибитый глинозем.
Проселочный привычный путь
до боли незнаком.

Так был здесь соловьиный сад
или вишневый сад?
Вон бабка роется в земле,
задравши к небу зад.

Терпи, казак, молчи, козел,
мы скоро отдохнем.
Одноколейку перейдя,
в сосновый бор войдем.

Пахуча хвоя и смола,
дремотна тишина,
и даже песня комаров
блаженна и нежна.

И вот перхуровский погост.
Вот тут и прикорнем
под сенью скорбною листвы,
под бузины кустом.

Вот тут они лежат себе,
их много набралось —
кто собирал на монастырь,
кто созидал совхоз.

Вот тут из арматуры крест,
тут — рыжая звезда,
с фаянсовым портретом тут
бетонная плита.

Пластмасса неживых цветов
теряет цвет и вид.
Цветет сорняк, гниет скамья,
стакан в траве блестит.

Там дальше — мрамор и гранит
и об одном крыле
надгробный ангел накренен
к кладбищенской земле.

Развалины часовни там,
там ржавчина и тлен.
Рисунки местных пацанов
куражатся со стен.

Я слышу Клии страшный глас —
невдалеке звучат
людская молвь, стеклянный чок,
ненормативный мат.

Кого-то поминали там,
глотали самогон.
«Ты не стреляй в меня, братан!» —
орал магнитофон.

Дремота сковывала страх,
преображала бред.
Мне в общем-целом все равно
на склоне этих лет.

И стало трудно понимать
усталому уму.
Уснул лирический герой,
и снится сон ему:

Пресветлый Аполлин и вы, парнасски сестры,
Священным жаром днесь возжгите праздный дух!
Да лиры по струнам легко летают персты,
Да мусикийский звон переполняет слух!
Полнощных стран певцу даруйте мощь словесну,
Приятство звучных рифм и выдумку чудесну,

Струи кастальской блеск, прохладу, чистоту.
Избавьте росс__кий штиль от подлых выражений,
Но и превыспренних пустых воскликновений,
Депро и Флакка мне даруйте простоту.

Я днесь потщусь воспеть не ярый огнь Беллоны,
Не гром хотинских стен, не крови смертной ток,
Не ратей росских мощь, презревшу все препоны,
Низринувшу во прах кичливых готфов рог.
Не дмитесь впредь, орды́ агарян богомерзских,
Вострепещи, сармат безстудный и предерзский,
Петровой дщери меч коварных поразит!
Да воспоет его Пиндар краев славянских!
А мне довлеет петь утех приют селянских,
Натуры мирной сень, как древле Теокрит.

Позорищем каким восхи́щен дух пиита?
Куда меня влечет звук лирныя струны?
Се кров семейственный героя знаменита,
Почившего от бурь на лоне тишины.
Здесь не прельщают взор ни злато, ни мусия,
Роскошества вельмож, суетствия драгие
Не блещут в очи вам, но друг невинных нег
Обрящет здесь покой от жизни коловратной,
Здесь не Меркурия — Гигею чтут приятну,
Любовь здесь властвует и незлобивый смех.

Воитель Севера, в походах поседелый,
Хозяин встретит вас с почтенною женой,
Вас дочерей его окружит сонм веселый —
О младость резвая, Астреи век златой!
В сем доме не в чести повесы-петиметры,
У коих во главах одни витают ветры,
Афея злобного не встретишь, ни ханжу,
Жеманниц не найдешь и филозо́фов модных.

Здесь вкуса здавого и чувствий благородных,
Веселостей живых приют я нахожу.

А стол уж полон яств — тут стерлядь золотая,
Пирог румяно-желт, зелены щи, каймак,
Багряна ветчина и щука голубая,
Хвалынская икра, сыр белый, рдяный рак.
Морозом и́скрятся хрустальные графины,
токай и мозель здесь и лоз кубанских вины,
С гренками пиво тож и добрый русский квас!
Рабы послушливы, хозяйка добронравна,
Беседа без чинов всегда легка, забавна.
Диван пуховый ждет после обеда вас.

Иль библио́тека, обитель муз и граций,
Где дремлет сонм творцов, дививших прежде мир —
Анакреонт, Софокл, Ешилл, Лукан, Гораций,
Тибулл, Овидий, Плавт, Терентий и Омир,
Мальгерб и Молиер, Корнелий вдохновенный,
Камоэнс, Шекеспир, хотя непросвещенный —
Для пользы, для забав сии мы книги чтем.
А из гостиной песнь приятна долетает,
Музыкой томною слух нежит, услаждает,
Перстам девическим покорен, *тихогром.*

Иль выйдем в дивный сад, где естества красоты
Художеством де Лиль усугубить возмог.
Цереры зрим плоды, румяные щедроты,
Там белизну лилей, там пу́рпурный щипок.
Зефира легкого прохладно повеянье,
Сильфиды пестрых крыл между дерев мельканье
Желанны, сладостны чувствительным сердцам.
Там дальше зелень рощ, там стклянных вод струенье,
Там тучны пажити, там нив златых волненье,
Там пастушка свирель, сыны натуры там

300

Живут в довольствии, Царю и Богу верны,
Там добродетельми украшен Силин Флор,
И в низком звании мы зрим дела примерны,
А скаредны сердца не скроет злат убор.
Невинность, праведность — вот истинно богатство,
Богобоязненность — вот высший дар небес!
Там девы юные бычка с парнями пляшут,
Лукавый мельник там, колдун, обманщик, сват,
Там на московской славноей на заставе,
там на московской славной на заставушке,
ай на московской славноей на заставе
ай-то стояли святорусские богатыри
еще стояло их двеннадцать святорусскиих
а как по ней-то по московской по заставушке
а и пехотою никто да не прохаживал
ай на добром кони никто тут не проезживал
ай серый зверь еще да не прорыскивал
ай черный ворон птица не пролетывал
ай через эту славную-то заставу
а еще едет поляничища удалая
а удалая поляничища великая
а и конь-то у нее да как сильна гора
ай она-то на кони как сенна копна
у ней шапочка надета на головушку
ай пушистая-то шапочка завесиста
спереду-то не видать личка румяного
и сзаду-то не увидеть шеи белоей
она ехала собака насмеялася
не сказала Божьей помочи богатырям
она едет прямоезжею дороженькой
прямоезжею дорожкой к стольно-Киеву
она ездит по раздольицу чисту полю
она ездит поляница сама тешится
на правой руки у ней-то соловей сидит

на лево́й руки у ней да жавроленочек
она кличет-выкликает поединщика
супротив себя да кличет супротивника
говорит она собака таковы слова
ай приеду я во славный стольный Киев-град
ай разо́рю-то я славный стольный Киев-град
а я чернедь мужичков-тых всех повырублю
а и Божьи церкви я да все на дым спущу
а Владимиру-то князю голову́ срублю
со Опраксией его да с королевичной
еще старыя казак да Илья Муромец
говорил он тут Илюша таковы слова
ай же братьица мои да вы крестовые
ай бога́тыря вы славны святорусские
ай удалая дружинушка хоробрая
на бою-то мне-ка смерть да не написана
я поеду во раздольицо чисто́ поле
поотведаю я силушку великую
да у той у поляницы у уда́лою
говорил ему Добрынюшка Микитинец
ай же старыя казак да Илья Муромец
ты поедешь во раздольицо чисто́ поле
да на тыя на удары на тяжелый
да й на тыя на побоища на смертныи
нам куда велишь итти да й куда ехати?
говорил-то им Илья да таковы слова
ай же братьица мои да вы крестовые
поезжайте-тко раздольицом чисты́м полем
заезжайте вы на гору на высокую
посмотрите вы на драку богатырскую
надо мною будет братцы безвременьице
так поспейте ко мне братьица на выруку.

                    Меж тем светало.
Первый луч денницы
Сквозь туч холодных заалел.
Уже султан домашней птицы
Кири-ку-ку свое пропел,
Уж поселянин, пробудившись,
На Божий лик перекрестившись,
Принялся за привычный труд,
Уже морозные узоры
В сиянии младой Авроры
Горят на окнах и кладут
Свой блеск на штофные обои,
На Бахуса стекло пустое,
На стол, на изразцы печи,
Уже при свете дня свечи
Бледнеет позабытый пламень,
И наконец, промолвив: «Amen!»,
Арсений встал. «Пора, мой друг!
Я еду. Свидимся ли снова?
Мой жребий темен. Если вдруг...
А впрочем, Двинский, что ж такого?
Взгляни внимательно вокруг
На скуку поприща земного!
Все та ж комедия — глупец
Злодею рабствует послушно,
Везде ярем или венец,
Везде тиран иль малодушный!
Предрассуждений вечных тьму
Изгнать не в силах Просвещенье,
Тельцу златому одному
Кадят людские поколенья.
Дурачествам тщеты мирской

Сполна я отдал дань. Довольно!
Как а́нглийский изгнанник вольный,
Оставя мирный кров родной,
Судьбу вверяя бурным волнам,
Не вижу я, о чем жалеть,
Чем дорожить, зачем терпеть
Существенности тяжкой бремя,
И кстати ль мне в мои лета
Мечтаньям вновь предаться? Время,
Как ветр холодный, без следа
Развеяло туман желаний,
И юных грез, и упований.
И ныне — что осталось мне?
Ужель с душою охладелой
В докучной лени, в полусне,
Без мыслей, без страстей, без дела
Остаток жизни провождать?
Нет, друг мой, рок судил иное.
И не тебе меня держать.
В философическом покое
Я не способен прозябать.
Ты помнишь, Двинский, юность нашу?
Клико, Моэта и Аи
Сверкали пенные струи,
Переполняя жизни чашу.
Лобзанья ветреных Армид,
Младого дружества обеты,
Гражданства строгие заветы,
Напевы чистых аонид,
Любовь к отечеству святая,
Покой уединенных дум,
Вакхических собраний шум —
Все было внове! Присягая
На Вольности алтарь принесть

Цвет юности, готовя месть
Тиранам, не остыв от хмеля,
Кинжалом Занда иль Лувеля
Мы потрясали.... Но давно
Все это сделалось смешно.
А все ж мудрей всего на свете
Мне кажется строка из Гете:
«Gib meine Jugend mir zurück!»
Засим расстанемся, мой друг.
Будь счастлив, мой ленивец славный,
Скептический анахорет,
Отступник света и сует,
Философ острый и забавный!
Ты выбрал, Двинский, часть благую,
В халат и феску облачась,
В глуши селенья заключась,
Смеясь на бестолочь людскую,
Вкушая сладостный досуг
С бокалом, чубуком и книгой,
Стеснительных условий иго
Ты рано сбросил, милый друг.
Средь бригадирш обоих полов
Средь злобных сплетней, пошлых вздоров
Ты сохранил и ум, и вкус,
И благосклонность строгих муз.
Простимся ж, брат!..» И вот уж тройка
В пыли морозной мчится бойко.
Арсений сумрачно глядит
На открывающийся вид.
Его Автомедон брадатый
В тулупе, с красным кушаком
Еще изрядно под хмельком
Знай погоняет. Вот уж хаты
Последние мелькнули, лес

Сосновый поредел, исчез
Из виду купол колокольни,
И резвые выносят кони
Героя в поле. Мерный бег,
Песнь заунывная возницы,
Блистающий на солнце снег
Так усыпительны. Клони́тся
Ко сну Арсений мой, согрет
Под мехом полости медвежьей...
Он пробужден незапно. Вежды
Открыв, он видит — солнца свет
Все так же ясен, небо сине,
По белой стелется долине
След санный ровно. Но ямщик
Уже коней остановляет
И, снявши шапку, обращает
К нему свой оробелый лик:
«Ох, барин! Лучше б воротиться!» —
«Зачем же?» — «Долго ль до беды!» —
«Да толком говори!» — «Кружится
Пороша в поле». — «Нам езды
Не боле двух часов осталось.
Езжай!»... Но вскоре разыгралась
Метель. Все небо облегла,
Нависла туча снеговая.
Окрестность поглотила мгла.
Свирепый ветр завыл, играя.
Смешались небо и земля.
Сокрылись снежные поля.
Метель и злится, и рыдает,
И воем сердце надрывает.
«Ну, барин, все, беда — буран!
Дороги нет!» — «Да ты, брат, пьян!
Пошел!» — «Ой, барин, нету мочи!

Мы сбились. Коням тяжело.
Летучий снег слипает очи.
Следы сугробом занесло.
Что толку нам кружиться доле...»
И кони встали. Что там в поле?
А кто их знает. В чистом поле
во чистом поле во раздолье
во том-ка во раздольице чисто́м поле
едет старыя казак да Илья Муромец
еще едет он Илья да на добре́ коне
посмотреть на поляницу на уда́лую
как-то ездит поляница во чисто́м поли
она ездит поляница сама тешится
она шуточки-то шутит не великии
ай кидает она палицу булатную
ай под облаку она да под ходячую
ай одною ру́кой палицу подхватыват
как пером-то лебединыим поигрыват
подходил-ка тут Илья он ко добру́ коню
да он пал Илья на бедра лошадиныи
говорил-то как Илья он таковы слова
ай же бурушко мой миленький косматенький
послужи-тко мне еще да верой-правдою
верой-правдой послужи-тко неизменною
ай по старому служи еще по-прежнему
не отдай меня ты ворогу в чисто́м поли
чтоб срубил мне супротивник буйну голову
ай садился тут Илья он на добра́ коня
й он наехал поляницу во чисто́м поли
поляницы он подъехал со бела́ лица
поляницу становил он супротив себе
говорил он поляницы таковы слова
ай же славна поляница ты уда́лая
ай же надобно нам силушкой померяться

307

20*

приударим-ка во палицы булатныи
ай тут силушку друг у́ друга отведаем
они съехались с чиста́ поля с раздольица
й приударили во палици булатныи
они били дру́г друга да не жалухою
да со всей своей со силы богатырскоей
у них палицы в руках да й погибалися
ай по маковкам они да й отломалися
они дру́г друга не сшибли со добры́х коней
не убили они дру́г друга не ранили
й никоторого местечка не кровавили
говорили-то они да промежду́ собой
как нам силушку друг у́ друга отведати?
приударить надо в копья в муржамецкии
тут мы силушку друг у́ друга й отведаем
припустили они дру́г к другу добры́х коней
приударили во копья муржамецкии
они дру́г друга-то били не жалухою
не жалухою-то били по белы́м грудям
так у них в руках-то копья погибалися
а й по маковкам-то копья отломилися
они дру́г друга не сшибли со добры́х коней
не убили они дру́г друга не ранили
никоторого местечка не кровавили
говорили-то они тогда промеж собой
надо биться-то нам боем-рукопашкою
тут у дру́г друга мы силушку отведаем
как сходили они тут да со добрых коней
опустилися на матушку-сыру́ землю
стали биться они боем-рукопашкою
еще эта поляничища уда́лая
а й весьма она была да зла-догадлива
й учена была бороться об одной руке
подходила-то она да к Илье Муромцу

308

подхватила-то Илью да на косу́ добру
да спустила-то на матушку-сыру́ землю
да ступила Илье Муромцу на белу грудь
она бра́ла-то рогатину звериную
заносила-то свою да руку правую
заносила она руку выше го́ловы
опустить хотела руку ниже пояса.
                              Меж тем
уж вечер наступил, а спор в гостиной
Не затихал. Петр Павлович, зардевшись
И как-то странно щурясь, продолжал:
«Вы спрашивали о моих прунси́пах?
Ну что ж, извольте! С некоторых пор
Я, слава Богу, перестал стыдиться
Выказывать свой образ мыслей. Да-с,
Я — западник! Я предан всей душою
Европе, то есть, говоря точней,
Цивилизации! Не усмехайтесь,
Я повторю — ци-ви-ли-за-ци-и!»
Он произнес отчетливо, раздельно
И с удареньем каждый слог: «Одно
Лишь это слово чисто и понятно,
А все другие — слава ли, народ,
Славянство, воля ваша, пахнут кровью».
«Да вы Россию любите ль?» — «Скажу
Цитатою — Odi et amo!» — «Полно,
Уж вы и до латыни добрались!
Не выдержала Марья Николавна.
Пора уже и честь нам знать. Прощай,
Матвей Иванович!» Но Панин объявил,
Что хочет проводить гостей хотя бы
До Шилькова... Закат уж догорел.
Ночь наступила, но прогретый воздух
Был тих и ароматен. Быстро, ровно

Неслась карета. Панин ехал рысью,
Держась рукой за дверцу. Лизин профиль,
И россыпь первых звезд, меж черных крон
Мелькающих, и мерный стук копыт,
И где-то справа огонек костра —
Все это, гармонически сливаясь
В щемящую мелодию, сближало
Все больше их, сердца переполняя
Отрадою и грустью. Эта ночь
Навек соединила их, и каждый
Знал — что бы ни случилось, никогда
Они уже не смогут позабыть
То ощущенье полного слиянья,
Которое дается человеку
Один лишь раз...
                А на пути обратном
Счастливый Панин, зная наперед,
Что этой ночью он заснуть не сможет,
Зайти решил в Притынный кабачок.
Не каждый из читателей, должно быть,
Имеет представление о сельских
Великорусских кабаках. Устройство
Их чрезвычайно просто — из сеней
Вы попадаете в избу, перегородка
Пространство делит надвое. Две-три
Пустые бочки, лавки, и на полках
Различных штофов множество. Степенный
За стойкой целовальник, Пров Назарыч,
Известный всей округе. Панин знал
Его довольно коротко... В тот вечер
В Притынном кабаке гулял с друзьями
Из Жиздры рядчик, славящийся пеньем,
Которого Ардашева сынок
Звал tenor'ом di grazia. Войдя,

Матвей увидел рядчика, стоящим
Перед большой компанией. Он пел
С какой-то залихватскою, веселой,
Простонародной удалью и страстью.
Он пел, и перед слушателем живо
Вставали сцены русской жизни — вот
над Муромцем лихая поляница
да та ли поляничища удалая
она руку заносила выше головы
опустить хотела руку ниже пояса
на бою-то смерть Илье и не написана
ай по Божьему еще ли по велению
у ней рученька в плече да застоялася
во ясных очах у ней да помутился свет
она стала у богатыря выспрашивать
ай скажи-тко ты богатырь святорусскии
тебя как-то молодца да именем зовут
звеличают удалого по отечеству?
еще старыя казак-от Илья Муромец
разгорелось его сердце богатырское
й он смахнул Илья своей да правой ручушкой
да он сшиб-то поляницу со белой груди
он скорешенько скочил на резвы военьки
он хватил как поляницу на косу бодру
да спустил он ю на матушку-сыру землю
да ступил он поляницы на белы груди
ай берет-то он Илья да свой булатный нож
а и здынул-то он ручку выше головы
опустить он хочет ручку ниже пояса
ай по Божьему еще ли по велению
права ручушка в плечи-то остоялася
в ясных очушках еще да помутился свет
тут стал у поляничищи выспрашивать
да й скажи-тко поляница попроведай-ка

311

ты коёй земли скажи да ты коёй литвы
еще как-то поляничку именéм зовут
удалую звеличают по отечеству?
говорила поляница й горько плакала
ты удаленький дородный добрый молодец
ай ты славныя богáтырь святорусскии
когда стал ты у меня да и выспрашивать
я про то тебе ведь стану и высказывать
есть я родом из земли да из тальянскоей
у меня есть рóдна матушка честнá вдова
да честнá вдова она ведь все калачница
калачи она пекла меня воспитáла
ай до полного она да ведь до возрасту
тут иметь я стала силушку великую
й отпускала меня мать да на святую Русь
поискать себе еще да рóдна батюшку
поотведать мне себе да роду племени
ай тут старый-от казак да Илья Муромец
он скорешенько скочил да со белóй груди
ай он брал-то ю за ручушки за белые
ай он брал-то ю за перстни золоченые
он здынýл-то ю со матушки-сырой земли
а станóвил-то он ю на резвы ноженьки
на резвы́ ножки он ставил супротив себя
целовал ю во уста он во сахáрные
называл ю себе дочерью любимою
а когда я был во той земле тальянскою
три годý служил у кóроля тальянского
да я жил тогда у той да у честнóй вдовы
у честнóй вдовы у той да у калачницы
у ней спал я на кроватке на тесóвоей
да на той-то на перинке на пуховоей
у самой ли у нее да на белóй груди
й они сели на добры́х коней разъехались

312

да по славному раздольицу чисту́ полю
еще старый-от казак да Илья Муромец
он вернулся к своему да ко белу́ шатру
да и лег-то он тут спать и проклаждатися
а после́ бою он лег-то да после́ драки
после бою-рукопашки отдыхать.

                    Меж тем
все та же декорация. Но нет
Ни занавесей, ни картин на стенах.
Смеркается. Не зажигают свет.

И странные клубящиеся тени
Усугубляют чувство пустоты,
Тоски и безотчетного смятенья.

Как на продажу сложены холсты
И мебели остатки в угол дальний.
Но на рояле нотные листы

Еще белеют в полумгле печальной
Уже у боковых дверей лежат
Узлы, баулы, чемоданы. В спальню

Открыты двери настежь. Старый сад
За окнами темнеет оголенный.
За сценой глухо голоса звучат.

Купец застыл, немного удивленный,
Перед забытой в спешке на стене
Ландкартой Африки. Конторщик сонный

Увязывает ящик в стороне.
А рядом молодой лакей скучает
С подносом. Неожиданно в окне

Виденьем инфернальным возникает,
Мелькает Некто в красном домино.
И снова все тускнеет, затихает,

Смеркается. Уже почти темно.
Вот бывшая хозяйка с братом входит.
Она не плачет, но бледна. Вино

Лакей украдкой тянет. Речь заходит
О новой книге Мопассана. Брат
Насвистывает и часы заводит.

В дверях барон с акцизным говорят
О лесоводстве. В кресле дочь хозяйки
Приемная сидит, потупя взгляд.

Студент калоши ищет. В белой лайке
Эффектно выделяется рука
Штабс-капитана. Слышны крики чайки

За сценой. Входит, на помин легка,
Невестка располневшая в зеленом
Несообразном пояске. Близка

Минута расставания. С бароном
Какой-то странник шепчется. Опять
Мелькнуло Домино. Лакей со звоном

Поднос роняет. Земский врач кричать
Пытается. А беллетрист усталый
Приказывает на ночь отвязать

Собаку. Управляющий гитару
Настраивает. Гувернантка ждет
Ответа. Из передней входит старый

314

Лакей в высокой шляпе. Дождь идет.
Входя, помещик делает движенье
Руками, будто чистого кладет

Шара от двух бортов. А в отдаленьи
Чуть слышно топоры стучат. И вновь
В окне маячит красное виденье,

Кривляется. Уже давно готов
И подан экипаж. На авансцену
Герой выходит. Двое мужиков

Выносят мебель. Разбирают стены.
Уходят, входят в полной темноте.
Все безглагольным и неизреченным

Становится внезапно. Ждут вестей.
Бледнеют. Видят знаки. Внемлют чутко.
И чают появления гостей

Неведомых, грядущих. Сладко, жутко,
Не очень трезво. Театр-варьете
Насчет цензуры отпускает шутки.

Маг чертит пентаграмму. О Христе
Болтают босяки. Кружатся маски —
Пьеро, припавший к лунной наготе,

Маркизы, арапчата. Вьется пляска
Жеманной смерти. Мчится Домино,
Взмывает алым вихрем, строит глазки,

Хохочет, кувыркается. В окно
Все новые влезают. Вот без уха

Какой-то, вот еще без глаз и ног.
Всеобщий визг и скрежет. Полыхает,
Ржет Некто в красном. Пьяный мистагог
Волхвует, бога Вакха вызывает.

И наконец, всю сцену заполняют
и лижут небо языки огня
а поляница эта удалая
ай как эта поляничища удалая
на кони она сидела призадумалась
хоть-то съездила на славну на святую Русь
так нажила я себе посмех великии
этот старыя казак да Илья Муромец
ай он назвал тую матку мою блядкою
ай он назвал поляницу меня выблядком
не спущу-ка я обиды той великоей
да убью-то в поли чистом я богатыря
подъезжала-то она да ко белу шатру
она била-то рогатиной звериноей
она била-то в Илюшин во белой шатер
улетел-то шатер белый с Ильи Муромца
Илья Муромец он спит там не пробудится
от того от крепка сна от богатырского
еще эта поляничища удалая
она бьет его рогатиной звериноей
она бьет его собака по белой груди
погодился у Ильи да крест на вороти
а и крест-то погодился полтора пуда
пробудился он от звону от крестового
ай он скинул-то свои да ясны очушки
как над верхом тым стоит ведь поляничища
бьет рогатиной звериной по белой груди
тут скочил-то как Илья он на резвы ноги

а схватил он поляницу за желты́ кудри
да спустил он поляницу на сыру́ землю
да ступил он поляницы на праву́ ногу
да он дернул поляницу за леву́ ногу
а он надвое ее да ведь поро́зорвал
да он перву половинку дал серы́м волкам
а другую половинку черным воронам
а и тут-то полянице ей славу́ поют
ей славу поют да век по́ веку!

И тут очнулся я. Уже
кончался этот день.
Паскудно было на душе.
Томили хмель и лень.

Вставай, пойдем своим путем!
Не кукситься, пойдем!
Недолог путь и близок дом,
мы скоро отдохнем.

А там, на кладбище еще
шел поминальный пир.
Рекою слезы там текли
и самопальный кир.

И я действительно пошел,
куда ж я денусь тут.
И был я так же мал и зол
и нехорош ничуть.

Пылал над лесом, надо мной
закатный небосклон,
и мне вослед, бренча струной,
орал магнитофон:

317

В Питере жил парень-паренек — эх, паренек! —
симпатичный паренек фартовый,
крупную валюту зашибал он — и водил
девушек по кабакам портовым!

Женщин, как перчатки, он менял — всегда менял! —
кайфовал без горя и печали.
И шампанским в потолок стрелял — эх, стрелял! —
в ресторанах Женьку узнавали!

Был у Жени кореш-корешок — эх, корешок! —
был друган испытанный Володька,
были не разлей-вода друзья они — навек!—
братьями друг другу были вроде!

Но однажды Вовка — эх, Вован молодой! —
познакомился с красоткой Олей.
Он хотел назвать ее женой — о боже мой! —
он хотел на ней жениться скоро!

А у Оли той была сестра — эх, сестра! —
у нее была сестра Танюша.
Женьку полюбила вдруг она — эх, она! —
отдала она ему всю душу!

И они гуляли вчетвером — ой-ё-ё-ёй —
танцевали танго под луною.
А судьба уж руку занесла — над головой —
и над жизнью Вовки молодою.

И однажды Женька забурел — эх, забурел —
и на танец Олю пригласил он,
тут Володя тоже не стерпел — он не стерпел —
и ударил друга что есть силы!

И сверкнул в руке у Женьки ствол — черный ствол —
и навел наган он в сердце друга.
Выстрел прогремел, а Таня с Олей — эх, сестрой —
зарыдали в горе и испуге!

Что же ты, братуха? Не стреляй — эх, не стреляй —
не стреляй в меня, братан-братишка! —
прошептал Володя и упал — эх, упал —
весь в крови молоденький мальчишка.

Что ж ты, Женя-Женька, натворил — о, боже мой —
слышишь, мусора свистят, Евгений!
Делай ноги, паря, если хочешь быть живой,
убегай, скипай скорее, Женя!

Оторвался Женька от ментов — эх, ушел —
потерял он Таню дорогую!
И напрасно девушка ждала — его ждала —
у фонтана, плача и тоскуя!

Годы пролетели, пронеслись — эх, года —
Женька возвратился в Питер милый.
И однажды встретил Таню он — эх, Таню он —
девушку, которую любил он!

Здравствуй, поседевшая любовь — моя любовь —
здравствуй и прощай, моя Танюша!
За тебя я пролил, Таня, кровь — эх, Таня, кровь —
погубил я, Таня, свою душу!

Здравствуй и прощай, моя любовь — моя печаль —
нам с тобою больше не встречаться!
Буду горе я топить в вине — на самом дне —
а вам пора за дело приниматься.

1994–1995

IX

ВОЗВРАЩЕНИЕ ИЗ ШИЛЬКОВА
В КОНЬКОВО
Педагогическая поэма

Ну пойдем же, ради бога!
Мягко стелется дорога.
Небо, ельник и песок.
Не капризничай, дружок!
Надо, Саша, торопиться —
электричка в десять тридцать,
следущая — через час —
не устраивает нас.
Так садись же на закорки,
а верней, на шею, только
не вертись и не скачи,
пухлой ножкой не сучи.

Это утро так лучисто!
Жаворонок в небе чистом.
Ивы плещутся в реке.
Песня льется вдалеке.
Песня русская, родная,
огневая, удалая!
Это Лада, ой-лю-ли,
Лада Дэнс поет вдали!
Над перхуровскою нивой
вьется рэгги прихотливый.
Из поселка Коммунар
отвечает Лика Стар.

А вообще почти что тихо.
Изредка промчится лихо
на мопеде хулиган,

ныне дикий внук славян.
И опять немолчный стрекот,
ветра ропот, листьев шепот,
лепет, трепет, бузина,
то осина, то сосна.

Вот и осень. Хоть и жарко,
хоть еще светло и ярко,
но уже заветный клен
на две трети обагрен.
И наверно, улетели
птицы, что над нами пели,
свет-соловушка пропал.
Кстати, значит, я наврал —
это был не жаворонок,
а, скорей всего, ворона.
Впрочем, тоже хороша...

Вот и я, моя душа,
помаленьку затихаю,
потихоньку умолкаю,
светлой грустью осенен
в точности как этот клен.
И почти как эта лужа,
только, к сожаленью, хуже,
отражаю я листву,
нас с тобою, синеву,
старика, который тащит
жердь из заповедной чащи,
не страшася лесника,
кучевые облака,
солнце Визбора лесное,
и, конечно, под сосною
разложившийся пикник,

блеск стекла в руках у них,
завтрак на траве туристов,
неопрятных гитаристов,
дребезжание струны,
выделение слюны
от шашлычного дымочка,
запоздалые цветочки,
твой вопрос и мой ответ:
«Можно, пап?» — «Конечно нет!»,
куст (особенно рябину),
свежевырытую глину
на кладбище и т. п.,
и т. д...

          А вот теперь
успокойся. На погосте
пращуров усопших кости
под крестом иль под звездой
вечный обрели покой.
Здесь твоя прабабка Шура
и соседка тетя Нюра
с фотокарточек глядят...
Нет, конечно, не едят
эту землянику, Саша!
Здесь же предки с мамой ваши
спят в земле сырой. Потом
ты узнаешь обо всем.
Ты узнаешь, что в начале
было Слово, но распяли
Немота и Глухота
Агнца Божьего Христа
(агнец — то же, что барашек),
ты узнаешь скоро, Саша,
как Он нас с тобою спас...

— Кто, барашек? — Ладно, Саш.
Это сложно. Просто надо
верить в то, что за оградой,
под кладбищенской травой
мы не кончимся с тобой.

Ладно, Саша. Путь наш долог.
Видишь, солнце выше елок,
а до Шиферной идти
нам с тобою час почти.
Дальше ножками, Сашура,
я устал, мускулатура
и дыхалка уж не те,
и жирок на животе
над ремнем навис противно.
Медленно и непрерывно
я по склону лет скольжу.
И прекрасной нахожу
жизнь, всё более прекрасной!
Как простая гамма ясно
стало напоследок мне
то, что высказать вполне
я покуда не умею,
то, что я пока не смею
сформулировать, мой свет,
то, чего покуда нет,
что сквозит и ускользает,
что резвится и играет
в хвое, в небе голубом,
в облике твоем смешном!

Вот и вышли мы из леса.
Вот с недвижным интересом
овцы глупые толпой

пялятся на нас с тобой,
как на новые ворота.
Песик, лающий до рвоты,
налегает на забор.
Ветер носит пыль и сор.
Пьет уже Вострянск субботний,
безответный, беззаботный,
бестолковый, вековой.
Грядки с чахлою ботвой.
Звуки хриплые баяна.
Матюканье и блеянье.
Запах хлебного вина.
Это Родина. Она,
неказиста, грязновата,
в отдаленьи от Арбата
развалилась и лежит,
чушь и ересь городит.
Так себе страна. Однако
здесь вольготно петь и плакать,
сочинять и хохотать,
музам горестным внимать,
ждать и веровать, поскольку
здесь лежала треуголка
и какой-то том Парни,
и, куда ни поверни,
здесь аллюзии, цитаты,
символистские закаты,
акмеистские цветы,
баратынские кусты,
достоевские старушки
да гандлевские чекушки,
падежи и времена!
Это Родина. Она
и на самом деле наша.

Вот поэтому-то, Саша,
будем здесь с тобою жить,
будем Родину любить,
только странною любовью —
слава купленная кровью,
гром побед, кирза и хром,
серп и молот с топором,
древней старины преданья,
пустосвятов беснованье,
пот и почва, щи да квас,
это, Саша, не для нас!
Впрочем, щи ты любишь, вроде.
Ну а в жаркую погоду,
что милей окрошки, Шур,
для чувствительных натур?

Ох и жарко! Мы устали.
Мы почти что дошагали.
Только поле перейти
нам осталось. Погляди,
вид какой открылся важный —
поезд тянется протяжный
там, вдали, гудит гудок,
выше — рыженький дымок
над трубою комбината,
горы белых химикатов,
гладь погибшего пруда
не воскреснет никогда.
А вокруг — простор открытый,
на участочки разбитый
с пожелтевшею ботвой
или сорною травой.
Ветер по полю гуляет,
лоб вспотевший овевает.

Тучки ходят в вышине.
Удивляются оне
копошенью человечков,
мол-де, вечность, бесконечность,
скоротечность, то да сё.
Зря. Неправда это всё.
Тучки, тучки, вы не правы,
сами шляетесь куда вы
без ветрил свой краткий век?
Самый мелкий человек
это ого-го как много!

Вот и кончилась дорога.
На платформе ждет народ.
Провода звенят. И вот
электричка налетает,
двери с шумом растворяет.
Мы садимся у окна.
Рядом девушка одна
в мини-юбке. Уж настолько
мини, что, когда на полку
рюкзачок кладет она,
мне становится видна...
Гм... Прости, я не расслышал.
Как? Что значит «едет крыша»?
Кто так, Саша, говорит?
Я?!. Потише, тетя спит.
Лучше поглядим в окошко.
Вьется во поле дорожка.
Дачник тащится с мешком.
Дама с белым пудельком.
Два сержанта на платформе
(судя по красивой форме,

дембеля). Нетрезвый дед
в черный габардин одет.

В пастернаковском пейзаже
вот пакгаузы и гара́жи,
сосны, бересклет, волчцы,
купола, кресты, венцы,
Бронницы... Вот здесь когда-то
чуть меня из стройотряда
не изгнали за дебош...
Очень много жизни всё ж
мне досталось (см. об этом
в книге «Праздник»). Я по свету
хаживал немало, Саш.
Смыв похабный макияж,
залечив на этой роже
гнойники фурункулеза,
и, случайные черты
затерев, увидишь ты:
мир прекрасен — как утенок
гадкий, как больной ребенок,
как забытый палимпсест,
что таит Благую Весть
под слоями всякой дряни,
так что даже не охрана,
реконструкция скорей
смысл и радость жизни сей!
Так мне кажется...
В вагоне
от людей, жары и вони
с каждой станцией дышать
все труднее и сдержать
раздраженье все труднее.

Поневоле сатанея,
злобой наливаюсь я
от прикосновений потных,
от поползновений рвотных,
оттого, что сам такой,
нехороший, небольшой.
(Но открою по секрету,
я — дитя добра и света.
Мало, Сашенька, того —
я — свободы торжество!
Вот такие вот делишки.)
Жлоб в очках читает книжку
про космических путан.
«Не стреляй в меня, братан!»
слышится в конце вагона
песня из магнитофона.
И ничто, ничто, ничто,
и тем более никто
не поможет удержаться,
не свихнуться, не поддаться
князю этого мирка.
Разве что твоя рука,
теребящая страницы
«Бибигона», и ресницы
сантиметра полтора
минимум... Уже пора
пробираться в тамбур, Саша.
Следущая будет наша.
Все. Выходим на перрон.
Приготовленный жетон
опускаем в щель. Садимся.
Под землей сырою мчимся.
Совершаем переход
на оранжевую. Вот

мы и дома, мы в Коньково!
Дождик сеет пустяковый
на лотки и на ларьки.
На тележках челноки
горы промтоваров катят.
И с плакатов кандидаты
улыбаются тебе.
И парнишка на трубе
«Yesterday» играет плавно.
И монашек православный
собирает на собор.
Девки трескают ликер,
раскрутив азербайджанца.
У бедняги мало шансов,
видно, Саша, по всему
уготовано ему
стопроцентное динамо...
Ой, гляди, в окошке мама
ждет-пождет, а рядом Том
Черномырдин бьет хвостом
(так его прозвал, Сашуля,
остроумный дядя Юлий).
Вот мы входим в арку, вот...
нас из лужи обдает
пролетевшая машина.
За рулем ее дубина.
Носит он златую цепь,
слушает веселый рэп.

Что ж , наверно, это дилер,
или киллер, Саша, или
силовых структур боец,
или на дуде игрец,
словом, кто-нибудь из этих,

отмороженных, прогретых
жаром нынешних свобод.
Всякий, доченька, урод
нынче может, слава богу,
проложить себе дорогу
в эксклюзивный этот мир,
в пятизвездочный трактир.
Ох, берут меня завидки!
Шмотки, хавчик и напитки,
и жилплощади чуть-чуть
я хотел бы хапануть.
И тебе из Lego замок.
И велосипед для мамы.
Rothmans, а не Bond курить...
Я шучу. Мы будем жить
не тужить, не обижаться,
и не обижать стараться,
и за все благодарить,
слушаться и не скулить.

Так люби же то-то, то-то,
избегай, дружок, того-то,
как советовал один
петербургский мещанин,
с кем болтал и кот ученый,
и Чедаев просвещенный,
даже Палкин Николай.
Ты с ним тоже поболтай.

1993–1996

Конец

Интимная лирика

1997–1998

Внимательный читатель заметит, а невнимательному я охотно подскажу сам, что большинство стихотворений, составивших эту книжку, резко отличаются от всего, что я публиковал до сих пор.

Дидактика предыдущих книг, искреннее желание сеять, если не вечное, то разумное и доброе, жизнеутверждающий пафос, сознание высокой социальной ответственности мастеров слова и т. п., к сожалению, уступили место лирике традиционно романтической, со всеми ее малосимпатичными свойствами: претенциозным нытьем, подростковым (или старческим) эгоцентризмом, высокомерным и невежественным отрицанием современных гуманитарных идей, дурацкой уверенностью в особой значимости и трагичности авторских проблем, et cetera.

С прискорбием должен отметить, что новая книга оказалось несвободна и от доморощенного любомудрствования — недостатка, столь часто служившего прежде предметом моих не всегда справедливых насмешек. В этой связи следует иметь в виду, что некоторые философские и культорологические термины употребляются мною не вполне корректно. Например, vagina dentata (зубастое влагалище) в контексте этой книги утратила свой общеупотребимый психоаналитический смысл и выступает в роли символа некой хтонической женственной стихии, извечно сражающейся с фаллогоцентризмом, который является (опять-таки в данном контексте) синонимом светлого аполлонического начала.

Естественно, я хотел бы объяснить эти неожиданные для меня самого метаморфозы объективными и уважительными причинами — социальными катаклизмами последних лет, необратимым падением социального статуса т. н. творческой интеллигенции, нормальными, хотя и печальными, психосоматическими возрастными изменениями, однако истинные основания столь постыдного ренегатства лежат, очевидно, гораздо глубже.

Мне остается надеяться, что снисходительный читатель простит мне угрюмство, малодушные укоризны, и сварливый задор, а быть может, и извлечет некий полезный моральный урок из всего ниже приведенного.

В помощь неутомимым исследователям проблем интертекстуальности в конце книги приводится список основной литературы, так или иначе использованной при написании этой книги.

С уважением
Тимур Кибиров

2 июля 1998

ПРЕЛЮДИЯ

Нам ничего не остается,
ни капельки — увы и ах!
Куда нам с этаким бороться!
Никак оно не отзовется,
то слово, что полвека бьется
на леденеющих устах,

как рыба — не форель, конечно,
так, простипома, хек, плотва —
совсем чуть-чуть, едва-едва,
царапаясь о лед кромешный....
И кверху брюхом, друг сердешный,
плывут заветные слова.

Да мне-то, впрочем, что за дело?
Не двигаясь, едва дыша,
совсем чуть-чуть и еле-еле
в противном теле ждет душа.
Кого? Чего? Какого черта?
Какому лешему служа?
Вот из такого нынче сора
растут стихи второго сорта,
плодятся, мельтешат, кишат
мальками в придорожной луже
иль головастиками... Вчуже

забавно наблюдать, ей-ей,
как год за годом спорят ужас
и скука, кто из них главней
в душе изму-у-у-ченной моей.

Гори ж, гори, моя заветная!
Гори-сияй, пронзай эфир!
Гори ты, прорва несусветная!
Гори ты синим, словно спирт
в каком-то там полтавском штофе!
Кипи ты, как морковный кофе!
Пошла ты к матушке своей!

1997–1998

АМЕБЕЙНАЯ КОМПОЗИЦИЯ

— Матушка, матушка, это что такое?
Сударыня матушка, что ж это такое?
— Дитятко милое, что же тут такого?
Спи, не капризничай, ничего такого!

— Матушка, матушка, разве ты не видишь?
Сударыня матушка, как же ты не слышишь?
— Дитятко милое, ну конечно, вижу.
Что раскричалось ты, я прекрасно слышу!

— Матушка, матушка, как же так, маманя!
Сударыня-барыня, я не понимаю!
— Полно ребячиться, все ты понимаешь.
Слушайся, дитятко, а не-то узнаешь!

— Матерь родимая! Ро́дная Праматерь!
Я ж твое дитятко, матерь-перематерь!

— Тихонько, родненький, тихонько, не надо.
Маменьке лучше знать, чего тебе надо!

— Мать моя чертова, вот же оно, вот же!
Где ж ты, мой батюшка? Что ж ты не поможешь?
— Экий ты, сыночка, право, несмышленыш!
Ну-ка не рыпайся, выблядок, гаденыш!

1998

* * *

«Все мое», — сказала скука.
«Все мое», — ответил страх.
«Все возьму», — сказала скука.
«Нет, не все», — ответил страх.

«Ну, так что?» — спросила скука.
«Ничего», — ответил страх.
Боже мой, какая скука!
Господи, какой же страх!

Ничего, еще есть водка.
Есть молодка. Есть селедка.
Ничего — ведь что-то есть?..

    Ничего-то ничего,
    ну, а мне-то каково?
       Ну, а мне-то,
       ну, а мне-то,
    ну, а мне-то каково?
       Ни ответа,
       ни привета,
    абсолютно ничего!

Ах, как скучно, ах, как страшно,
страшно скучно, скучно страшно,
ах, какое ничего —
нет пощады от него.

Ну, а коли нет пощады,
так и рыпаться не надо.

1998

* * *

Как на реках вавилонских
    плакали жиды,
как какой-нибудь Полонский
из-за барышни Волконской
    нюхал нашатырь —

так вот мы сидим и ноем,
из себя мы целок строим,
ничего уже не стоим —
    ровным счетом ноль!

Так сказать, за что боролись,
вот на то и напоролись!
    Кто кричал: «Доколь?!»
    Получи, изволь.

Как в Румынии Овидий,
    как Лимонов Э.,
ничего вокруг не видим,
числим мелкие обиды,
на вопросы с глупым видом
    врем: «Не понимэ!»

А чего ж тут не понять?
И чего тут вспоминать.
За базары отвечать
    время настает.

Сколь невнятен наш ответ!
Наступает время тлеть,
время в тряпочку гундеть,
    получать расчет.

1998

РАСЧЕТ

Видимо, третьего нам не дано.
Ну, а второго и даром не надо.
Первого — ешь не хочу, но оно
и страшновато, и противновато.
Губы раскатывать просто смешно.
С нас еще требуют и предоплаты.

Бабки подбиты. Исчерпан лимит.
Даже с поправкой на глупость и трусость,
даже с учетом того, что кредит
нам обещается — что-то не густо!
Низкорентабельный уголь в груди
больше не жжется, как это ни грустно.

Так вот по счету большому. Прикинь!
Хватит латать эти черные дыры!..
Вывод отсюда всего лишь один.
Максимум два. Ну, от силы четыре.
Что же ты мешкаешь, мой господин?
Что ж ты губами шевелишь, притырок?

1997–1998

КОЛЛЕГЕ

С одной стороны —
мы горды и важны.
С другой стороны —
никому не нужны.
Вот так, мой друг,
вот так, мой дружок, —
никому
ни на кой
не нужны!

Бывало — ах! —
внушали мы страх!
И даже — э-эх! —
вводили во грех!
А нынче, друг,
а нынче, дружок,
наливают нам
на посошок.

Не вижу я
трагедии здесь —
ляля-тополя,
бессильная спесь,
твоя, мой друг,
моя, мой дружок,
смехотворная,
жалкая спесь!

И драйву нет,
и саспенсу йок —
увы, мой свет,
увы, мой дружок.

Один глоток,
один лишь глоток
остается нам
на посошок.

1998

КОНСПЕКТ

Участвуя в бахтинском карнавале,
я весь дерьмом измазан, я смешон,
утоплен в этом море разливанном,
утробою веселой поглощен,

вагиною хохочущей засосан,
я растворяюсь в жиже родовой.
Вольно же было молодцу без спросу
внимать музыке этой площадной!

Блатной музычке, гоготу и реву,
срамным частушкам уличных сирен,
гуденью спермы, голошенью крови,
вольно же было отдаваться в плен?

Вольно же было липкую личину
на образ и подобье надевать,
Отца злословя, изменяя Сыну,
под юбкою Праматери шнырять?

Зачем же, голос мой монологичный,
так рано ты отчаялся взывать,
солировать средь нечисти безличной,
на Диалог предвечный уповать?

Бубни теперь, что смерть амбивалентна,
что ты воспрянешь в брюхе родовом,
что удобряют почву экскременты,
и в этих массах все нам нипочем,

что все равно... Не все равно, мой милый!
И смерть есть смерть, и на миру она
не менее противна, чем в могиле,
хотя, конечно, более красна.

1997–1998

* * *

Почему же, собственно, нельзя?
    Очень даже можно!
Плюнуть в эти ясные глаза,
отпустить под горку тормоза
    сладко и несложно!

Кануть, как окурок в темноту,
полететь, визжа, к едрене фене,
лучше уж в бреду, чем на посту,
лучше уж в блевоте, чем в поту,
лучше уж ничком, чем на коленях!

И от водки лучше, чем от скуки!
Эх бы загу-загу-загу-лять,
    да загулять!
Так-то так, но вот в чем, парень, штука —
где же будем мы носки стирать?

Хорошо без дома, на просторе,
но без ванны как-то не с руки.
Воля волей, только под забором

зябко в нашем климате, и вскоре
ты поймешь — уж лучше от тоски,

чем от грязи! А лишай стригущий?
А чесотка? А педикулез?
Нет, Земфира, вместо страсти жгучей
заведи дезодорант пахучий
и тампакс. А-то шибает в нос.

1998

АНТОЛОГИЧЕСКОЕ

Блок умирающий, как свидетельствуют очевидцы,
бюст Аполлона разбил. Акт вполне символический, если
вспомнить его увлеченность Бакуниным, Ницше и Троцким.
Если же вспомнить еще и пушкинскую эпиграмму
на ситуацию аналогичную (помнишь —
про Бельведерского Митрофана с Пифоном?) — глубинный
смысл прояснится сего ритуального хулиганства.

1998

* * *

Мы говорим не ди́скурс, а диску́рс!
И фраера, не знающие фени,
трепещут и тушуются мгновенно,
и глохнет самый наглый балагур!

И словно финка, острый гальский смысл,
попишет враз того, кто залупнется!
И хватит перьев, чтобы всех покоцать!
Фильтруй базар, фильтруй базар, малыш.

1998

* * *

Что «симулякр»? От симулякра слышу!
Крапива жжется. А вода течет
как прежде — сверху вниз. Дашевский Гриша
на Профсоюзной, кажется, живет.

О чем я то бишь? Да о том же самом,
о самом том же, ни о чем ином!
По пятьдесят, а лучше по́ сто граммов.
Потом закурим. А потом споем:

«Не уходи, побудь со мной, мой ангел!
Не умирай, замри, повремени,
романсом Фета, приблатненным танго —
о, чем угодно! — только помани,

какой угодно глупостью...» Приходит
довольно-таки скучная пора.
Вновь языку блудливому в угоду
раб покидает Отчий вертоград,

ну, в смысле — разум ленится и трусит,
юлит, грубит, не хочет отвечать.
Вода меж тем течет по старым руслам,
крапива жжется, и часы стучат.

И только голос слабый и беспечный,
почти не слышный, жалкий и смешной,
лишь полупьяный голос человечий
еще звучит и говорит со мной!..

Век шествует путем своим дурацким.
Не взрыв, не всхлип — хихиканье в конце.
А мусикийский гром, и смех аркадский
не внятны нам, забывшим об Отце.

Но, впрочем, хватит умничать. О сроках
ни сном, ни духом не дано нам знать.
Рецензия у Левушки в «Итогах» —
вот все, на что мы вправе уповать.

Дашевский Гриша, приходи в субботу,
так просто — позлословить, подурить,
подухариться Бахусу в угоду.
Хотя в такую мерзкую погоду
тебе, наверно, трудно выходить.

1998

* * *

О высоком и прекрасном
сердце плакало в ночи,
о насущном и пустяшном,
о всамделишном и зряшном...
Сердце-сердце, помолчи!

Сердце-сердце, что такое?
Эк тебя разобрало!
Муза-шмуза, все пустое.
Глянь-ка в форточку — какое
там столетье подошло!

Не такое время нынче
чтобы нянчиться с тобой!..
Что же ты, сердечко, хнычешь
и, как тать в ночи, химичишь
над бумажной мишурой?

Что ты ноешь, что ты воешь,
что ты каркаешь в ночи,

что канючишь, ретивое,
с бестолковой головою
пакт мечтая заключить!

Что ж ты клянчишь, попрошайка!
Мы не местные с тобой,
и, признайся без утайки,
устарели наши байки
в тихой келье гробовой

о высоком и прекрасном,
Шиллер-шмилер, ветхий Дант...
Твои хлопоты напрасны,
твои происки опасны,
мракобес и обскурант!

В общем, хрен те, а не грант!
1998

РОМАНС

Были когда-то и мы ... ну ведь были?!
Были, еще бы не быть!
Ух, как мы пили и, ах, как любили,
ой, как слагали навзрыд!

О, как мы тайной му́зыке внимали,
как презирали мы, о!
И докатились мы мало-помалу,
не осознав ничего.

Логоцентризму и фаллоцентризму
(дикие хоть имена)
отдали мы драгоценные жизни.
Вот тебе, милый, и на!

Вот тебе, бабушка, и наступает
Юрьев денек роковой!
К новому барину бодро шагает
справный мужик крепостной.

Только Ненила-дурында завыла,
Фирс позабытый скулит,
ветхой музы́ки едритская сила
над пепелищем гудит.

И не угнаться усталой трусцою,
да и желания нет.
Опохмелившись с холодной зарею,
смотрим в окошко на свет.

Сколь удивителен свет этот белый,
он обошелся без нас...
Ах, как мы были, и сплыли, и спели —
сами не верим подчас.

Что ж, до свидания, друг мой далекий,
ангел мой бедный, прощай!
В утро туманное, в путь одинокий
старых гнедых запрягай.

1998

TRISTIA

На Ренату Литвинову глядючи,
понимаешь, что время ушло,
а читать Подорогу пытаючись,
даже этого ты не поймешь.

Ой, красива Рената Литвинова,
сердцу жарко и тесно в груди!
Ой, мудрен Подорога загадочный,
хоть ты тресни, и хоть ты умри!

Ты, Литвинова, птица заморская,
хоть с экрана-то нам улыбнись!
Вот сидим мы, глотаем «Смирновскую» —
хоть полслова бы о Жомини!

1998

* * *

Боже, чего же им всем не хватало?
Словно с цепи сорвались!
Логос опущен. Но этого мало —
вот уж за фаллос взялись!

Что ж это деется, батюшки-светы?
Как же так можно, друзья?
Ладно уж с Новым, но с Ветхим Заветом
так обращаться нельзя!

Стойте, девчата, окститесь, ребята,
гляньте сюда, дураки —
скалится злобно Vagina dentata,
клацают жутко клыки!

Скоро останутся рожки да ножки,
коль не опомнитесь вы!
Гляньте-ка — фаллос вам кажет дорожку
к Логосу, в светлую высь!

1998

УМНИЧАНЬЕ

Ты спрашиваешь: «Что есть красота?»
Я отвечаю: "Эти вот места!"
М. Кукин, К. Гадаев

Объекта эстетические свойства
в конце концов зависят от субъекта.
Субъект читает Деррида и Гройса
и погружен в проблемы интертекста.

Меж тем объект злосчастный остается
невидимым, безвидным, безобразным.
О, как он жаждет взгляда! Ноль эмоций,
вниманья ноль в мозгу писчебумажном.

«О, подними глаза, о, дай мне имя!
О, дай мне жить, не оставляй меня!
Меж буковками умными твоими
заметь меня и пожалей меня!»

Но нет, не видит. Слышит и не внемлет!
И, смысл последний потеряв, объект
растет, как беспризорник, зло и немо,
и жрет, как Робин Бобин Барабек —

все поглощает, все в себя вбирает!
А тот, кто мог преобразить его,
по-прежнему читает и скучает,
не чует и не хочет ничего!

Нет, чтобы приглядеться — вдруг да выйдет!
Ну, вдруг да и окажется еще
пока не поздно что-нибудь увидеть,
почесть за благо и принять в расчет.

1998

ОНТОЛОГИЧЕСКОЕ

С холодным вниманьем посмотришь вокруг —
      какая параша, читатель и друг!

Когда же посмотришь с вниманьем горячим,
      увидешь все это немного иначе.

1998

В ТВОРЧЕСКОЙ ЛАБОРАТОРИИ

Если ты еще не в курсе,
я скажу тебе, читатель:
все зависит от контекста,
все буквально, даже я!

Все зависит от контекста,
например, краса девичья
от количества «Смирновской»
и от качества ее.

Так что качество мое
и количество твое
уж никак не абсолютны
и зависят не от нас,

а зависят, повторяю,
от контекста, мой читатель,
вне контекста, к сожаленью,
не бывает ничего!

Абсолютно ничего
кроме Бога одного.

Это, в общем, очевидно,
хоть досадно и обидно.
Оскорбительно зависеть
от такой вот хреноты!

Это все вполне понятно,
хоть подчас и неприятно,
но контекст не выбирают,
так же, впрочем, как тебя.

1998

* * *

> *Мир ловил меня, но не поймал.*
> Эпитафия Григория Сковороды

Мир ловил, да не поймал.
Плюнул и ушел.
Я не пан и не пропал.
Мне нехорошо.

Уж не жду, уже не жаль,
и хочу уснуть.
Я оттопал, оттоптал
сей кремнистый путь.

Кайф ловил, да не поймал.
Смысл не уловил.
Только сам себя достал,
сам себе постыл.

Погляди на небосвод.
Снегопад прошел.

Отчего же круглый год
так нехорошо?

Наловчился я давно
без зазренья жить.
Отчего мне так темно?
Нечего ловить.

...чтобы темный дуб шумел,
чтобы голос пел
обо всем, что не сумел,
не успел, не смел.

Отчего же, отчего,
отчего же так —
абсолютно ничего,
никого, никак?

На ловца бегущий зверь
страшен и матер.
...чтобы сладкий голос пел
несусветный вздор:

отчего гармонь поет,
и зачем звезда —
посмотри на небосвод! —
светит как всегда.

1998

* * *

См. выше, и выше, и выше,
в такую забытую высь,
которой, ты помнишь, когда-то
с тобой мы безумно клялись!

И клятву сию мы сдержали!
А толку? А толку нема...
Ты помнишь, как нам обещали,
что ждут нас тюрьма да сума,

и прочие страхи и охи,
Высокой трагедии жуть?
И вот, как последние лохи,
мы дали себя обмануть.

Какая уж к черту трагедья!
Напрасно рыдает Пьеро!
Не верует в наши легенды
по трудоустройству бюро!

Молчите, проклятые книжки,
бумажки, цитаты, понты!..
См. ниже, и ниже, и ниже,
и ниже, и тише воды.

1998

* * *

Парфенову по НТВ внимая,
взирая на заветного Черненко,
старательно я все припоминаю,
но не могу припомнить хорошенько.

Все перепуталось — и времена застоя,
и перестройки времена хмельные,
когда в груди играло ретивое,
когда мы были, в общем, молодые,

когда тишайший м.н.с. Запоев
еще дичился прозвища Кибиров

353

и продолжал с энергией тупою
вгрызаться в гипс советского ампира.

Мечталось мне с подмостков «Альманаха»
средь новизны его первостатейной
всех обаять, и многих перетрахать,
и перерубинштейнить Рубинштейна,

перепаршивить Парщикова... Во как!
Не вышло. И уже, видать, не выйдет.
А если выйдет, то, конечно, боком.
Завидуй молча — как писал Овидий!

Завидуй молча — или не завидуй,
как Дмитрий Александрович нас учит.
Звучит эфир. Зияют аониды.
Сколь крут Уокер, но Пелевин круче!

Звучит эфир. Витийствует Доренко.
И группа «Стрелки» огнь рождает в чреслах.
И не могу я вспомнить хорошенько.
И неохота помнить, если честно.

1998

20 ЛЕТ СПУСТЯ

Гений чистой красоты...
Вавилонская блудница...
Мне опять явилась ты —
перси, очи, ягодицы!

В обрамленьи этих лет,
меж общагой и казармой

354

глупый смазанный портрет
засветился лучезарно.

На теперешний мой взгляд —
блядовита, полновата.
Из знакомых мне девчат
были лучшие девчата.

Комбинация, чулки,
и кримпленовое мини,
и Тарковского стихи —
нет вас больше и в помине.

Пиво на ВДНХ,
каберне, мицне, фетяска...
Кто здесь, книжник, без греха
бросит пусть в тебя, бедняжка.

Был ребяческий разврат
добросовестен и вправду.
Изо всех моих утрат
помню первую утрату.

Пидманула-пидвела,
ДМБ мне отравила.
Ты в сырую ночь ушла —
знать, судьба меня хранила.

Это было так давно,
что уж кажется красиво,
что сказать тебе спасибо
мне уже немудрено.

1998

* * *

Даешь деконструкцию! Дали.
А дальше-то что? — А ничто.
Над кучей ненужных деталей
сидим в мирозданьи пустом.

Постылые эти бирюльки
то так мы разложим, то сяк,
и эхом неясным и гулким
кромешный ответствует мрак.

Не склеить уже эти штучки,
и дрючки уже не собрать.
И мы продолжаем докучно
развинчивать и расщеплять.

Кто делает вид, кто и вправду
никак не поймет, дурачок,
что шуточки эти не в радость
и эта премудрость не впрок.

И видимо, мира основы
держались еще кое-как
на честном бессмысленном слове
и на простодушных соплях.

1998

* * *

Зимний снег,
    и летний зной,
и осенний листопад,
    и весенняя капель —
сердцу памятны досель,
сердцу много говорят.

Говорят они о том,
что позаросло быльем,
что со Светою вдвоем
чувствовали мы.

И со Светкою другой,
и с Тамаркой роковой,
    с Катериной,
    и с Мариной,
как-то даже с Фатимой!

Говорит со мной Природа
о делах такого рода,
что, пожалуй, не к лицу
слушать мужу и отцу.

Ты ответь, натурфилософ,
почему любой ландшафт
вновь родит во мне желанье
слушать робкое дыханье,
выпивать на брудершафт?..

Борода седа уже.
    Я уже на рубеже.
Божий мир и впрямь прекрасен.
    Время думать о душе.

1998

* * *

Я знаю, не вспомнишь ты, милая, зла...
А. Блок

Когда я уйду...
    и когда я вернусь...
    когда я исчезну вообще —
нашмыганным носом прижавшись к стеклу,
    ты вспомнишь, дружок, обо мне!

Ты вспомнишь, как так же, сквозь то же стекло
    ждала ты под утро меня.
Небритый и потный, в тяжелом пальто
    спешил я, и каялся я,

скользя по раскисшей московской зиме —
    ее, как меня, развезло...
Ты вспомнишь и вздрогнешь, дружок, обо мне
    и всхлипнешь над этим пальто.

И вспомнишь закат за окном и в окне
    увидишь все тот же закат,
который пылал в вечереющей мгле
    в годину ГБ и ЦК.

Когда я уйду на покой от времен,
    уйду от хулы и похвал,
ты вспомнишь, как в нарды играл я с тобой,
    как я без конца мухлевал.

Ты вспомнишь, когда я уйду на покой
    долой с невнимательных глаз,
одну только песню, что пел я с тобой,
    а также любимый романс —

про старый тот клен,
и про темный тот дуб,
про то, отчего так светло,
про тот одинокий, кремнистый тот путь,
которым я, Лена, ушел!

Вернее, уйду... И не скоро еще!
Но точно уйду — и тогда
ты вспомнишь, задрыга, как нехорошо
себя ты сегодня вела!

1998

МАКАРОНИЧЕСКАЯ РЕЦЕНЗИЯ
НА ПОЭТИЧЕСКИЙ СБОРНИК

I can write this shit,
I can read this shit,
только что-то неохота,
голова трещит!

Голова трещит,
и вообще тошнит...
Poètique, philosophique...
I fuck all this shit!

1998

* * *

Престарелый юнкер Шмидт
в зеркало глядит,
сам себе он говорит:
«Это что за вид?!»

Вынимает пистолет
он на склоне лет,
чтоб Творцу вернуть билет.
— Нет, мой милый, нет!

Дорогой, честно́е слово,
это глупо и не ново,
некрасиво, нездорово!
Ты же офицер!

Верь, дружок, календарю!
погляди на Деларю —
он, хотя и камергер,
подает пример!

Ты же не какой-то штатский!
Брось свой пистолет дурацкий!
Ус расправив залихватский,
выгляни в окно —

сквозь метели свистопляску
едет мальчик на салазках,
без причины, без опаски
лыбится смешно!

Дело в том, что скоро Пасха!
В самом деле скоро Пасха!
Сплюнь тра раза, вытри глазки!
Смирно!
Шаго-о-м
арш!

СПИСОК ИСПОЛЬЗОВАННОЙ ЛИТЕРАТУРЫ

Айзенберг М. Взгляд на свободного художника. М., 1997.

Апухтин А. Н. Песни моей Отчизны. Тула, 1985.

Ахматова А. А. После всего. М., 1989.

Баратынский Е. А. Стихотворения и поэмы. М., 1971.

Барт Р. Избранные работы. Семиотика. Поэтика. М., 1989.

Барто А. Было у бабушки сорок внучат. М., 1978

Бахтин М. М. Творчество Франсуа Рабле и народная культура средневековья и Ренессанса. М., 1990.

Блок А. А. Собрание сочинений в 8 т. М.; Л., 1963.

Высоцкий В. С. Избранное. М., 1988.

Галич А. А. Возвращение. Л., 1989.

Гандлевский С. Поэтическая кухня. СПб., 1998.

Давыдов Д. Стихотворения. Л., 1959.

Державин Г. Р. Стихотворения. Л., 1957.

Диккенс Ч. Собрание сочинений в 30 т. М., 1959.

Пригов Д. А. Советские тексты. СПб., 1997.

Дюма А. Собрание сочинений в 12 т. М., 1976.

Ежегодник «Ad Marginem 93». М., 1993.

Жданов И. Место земли. М., 1991.

Журавлева А., Некрасов В. Пакет. М., 1996.

Зализняк А. А. Грамматический словарь русского языка. М., 1980.

Иванов Г. В. Собрание сочинений в 3 т. М., 1994.

Кальпиди В. Ресницы. Челябинск, 1997.

Калевала. М., 1977.

Квятковский А.П. Поэтический словарь. М., 1966.

Кибиров Т. Сантименты. Белгород, 1994.

Кибиров Т. Парафразис. СПб., 1997.

Кузмин М. А. Стихи и проза. М., 1989.

Лермонтов М. Ю. Собрание сочинений в 4 т. М., 1976.

Мандельштам О. Э. Стихотворения. Л., 1973.

Маршак С. Сказки, песни, загадки. М., 1973.

Маяковский В. В. Собрание сочинений в 12 т. М.,1940.

Мюллер В. К. Англо-русский словарь. М., 1991.

Михалков С. Детям. М., 1970.

Наша книга: Сборник для чтения в детском саду. М., 1957.

Некрасов Н. А. Собрание сочинений в 4 т. М., 1979.

Ницше Ф. Сочинения в 2 т. М., 1990.

Пастернак Б. Л. Стихотворения и поэмы. Л., 1976.

Песни русских поэтов. В 2 т. Л., 1988.

Песенник. М., 1984.

Подорога В. Выражение и смысл. М., 1995.

Публий Овидий Назон. Скорбные элегии. Письма с Понта. М., 1978.

Пушкин А. С. Полное собрание сочинений в 10 т. Л.,1977.

Розенталь Д. Э., Теленкова М.А. Словарь трудностей русского языка. М., 1986.

Рубинштейн Л. Регулярное письмо. СПб., 1996.

Русская литература XVIII века. Л., 1970.

Русские народные песни. М., 1985.

Словарь тюремно-лагерно-блатного жаргона. М., 1992.

Современное зарубежное литературоведение: Энциклопедический справочник. М.,1996.

Сочинения Козьмы Пруткова. М., 1959.

Танатография эроса. СПб., 1994.

Толстой А. Золотой ключик или Приключения Буратино. М., 1982.

Толстой А. К. Полное собрание стихотворений. Л., 1937.

Тургенев И. С. Полное собрание сочинений и писем в 30 т. М., 1979.

Тютчев Ф. И. Стихотворения. М., 1986.

Федченко С. М. Словарь русских созвучий. М., 1995

Фет А. А. Стихотворения. Поэмы. Современники о Фете. М., 1988.

Ходасевич В. Стихотворения. Л., 1989.

Цветаева М. И. Сочинения в 2 т. М., 1988

Честертон Г. Диккенс. Л., 1929.

Чехов А. П. Собрание сочинений в 12 т. М., 1985.

Чуковский К. Чудо-дерево. Челябинск, 1970.

Эткинд А. Хлыст. М., 1998.

Конец

Улица Островитянова

1999

ПАМЯТИ ЛЮБИМОГО СТИХОТВОРЕНИЯ

Для отрока, в ночи кропающего вирши,
мир бесконечно стар и безнадежно сер.
И правды нет нигде — ни на земле, ни выше,
и класс 9-й «А» тому живой пример.

О скука, о тщета! Обыденности бремя
сносить не станет сил! И не хватает слов,
чтоб высказать им всем, чтобы порвать со всеми,
бежать, бежать, бежать, смываться вновь и вновь!

Мамаши в бигудях, и папеньки в подтяжках,
с пеленками любовь, и с клецками супы.
Действительно, кошмар. Скипай скорей, бедняжка,
куда глаза глядят, подальше от толпы!

Куда глаза глядят? — На небо иль под юбку.
Но в небе пустота, под юбкой — черт-те что.
О, как не пригубить из рокового кубка,
когда вокруг не то, всегда, везде не то!

Когда тошнит уже от пойла общепита,
когда не продохнуть, ни охнуть от тоски,
когда уже ни зги от злости и обиды,
когда уже невмочь...

О, детские мозги!
Взгляни — цветы добра взрастают вдоль дороги —
ромашка, иван-чай, и лютик, и репей,
и этот — как его?.. Пока еще их много.
Куда тебя несет? Останься, дуралей!

Присядь. Перекуси. Успеется, сердешный.
Она сама придет. Не торопи ее.
И так уж наш пикник оцеплен тьмой кромешной,
и так уж все вокруг и гибнет, и поет.

Оцеплен наш бивак. И песня наша спета.
Но ноты и слова запомнит кто-нибудь.
Чего ж тебе еще? Ни одного куплета
нам больше не сложить, уж ты не обессудь.

Уж вечер. Уж звезда, как водится, с звездою
заводит разговор. Разверзла вечность зев.
Осталось нам прибрать весь мусор за собою,
налить на посошок и повторить припев:

Смерть, старая манда, с дороги! Не чернила,
не кровь и не вода, но доброе вино
с бедняцкой свадьбы той нас грело и пьянило,
Мария с Марфой нам служили заодно!

Мария с Марфой нас кормили и поили.
Нам есть чего терять. Нам есть жалеть о чем.
Буквально обо всем. Буквально до могилы.
А может, и потом. Должно быть, и потом.

1997–1999

* * *

В общем, жили мы неплохо.
Но закончилась эпоха.
Шишел-мышел вышел вон!
Наступил иной эон.

В предвкушении конца —
ламца-дрица гоп ца-ца!

1998

КРЕСТЬЯНИН И ЗМЕЯ

Сколько волка ни корми —
                в лес ему охота.
Меж хорошими людьми
                вроде идиота,

вроде обормота я,
                типа охломона.
Вновь находит грязь свинья,
                как во время оно.

Снова моря не зажгла
                вздорная синица.
Ля-ля-ля и bla-bla-bla.
                Чем же тут гордиться?

Вновь зима катúт в глаза,
                а стрекóза плачет.
Ни бельмеса, ни аза...
                Что все это значит?

1998

* * *

Поэзия! — big fucking deal!
Парча, протертая до дыр.

Но только через дыры эти
мы различаем все на свете,

поскольку глаз устроен так:
без фокусов — кромешный мрак!

Гляди ж, пацан, сквозь эту ветошь,
сквозь эту мишуру и ложь —
авось хоть что-нибудь заметишь,
глядишь, хоть что-нибудь поймешь.

1998

ПЕСНЬ СОЛЬВЕЙГ

Вот, бля, какие бывали дела —
страсть мое сердце томила и жгла!
    Лю,бля, и блю, бля,
    и жить не могу, бля,
    я не могу без тебя!

Прошлое дело, а все-таки факт —
был поэтичен обыденный акт,
был поэтичен, и метафизичен,
и символичен обыденный фак!

Он коннотации эти утратил
и оказался, вообще-то, развратом.

Лю эти, блю эти,
жить не могу эти!
Das ist phantastisch!
Oh, yeah!

Уж не собрать мне в аккорд идеальный
Грига и Блока с бесстыдством оральным
и пролонгацией фрикций. Но грудь
все же волнуется — о, не забудь!
      Лю, бля, и блю, бля,
      и жить не могу, бля,
      я не могу без тебя,
      не могу!

А на поверку — могу еще как!
Выпить мастак и поесть не дурак.
Только порою сердечко блажит,
главную песню о старом твердит:
      Лю, говорю тебе, блю, говорю я,
      бля, говорю я, томясь и тоскуя!
      Das ist phantastisch!
      Клянусь тебе, Сольвейг,
      я не могу без тебя!

1998

ТАБЕЛЬ

В сущности, я не люблю жить.
      Я люблю вспоминать.
Но я не могу вспоминать не по лжи.
Но все норовлю я песню сложить,
      то есть, в сущности, лгать.

369

Лгать, сочинять,
буквы слагать.
Ответственность тоже слагать.
Уд за старательность. Неуд за жизнь.
По пению — с минусом пять.

1999

ДЕРЕВНЯ

Русь, как Том Сойер, не дает ответа.
Должно быть, снова шалости готовит
какие-нибудь... Середина лета.
Гогушин безнадежно рыбу ловит
под сенью ивы. Звонко сквернословит
седая Манька Лаптева. Рассветы
уже чуть позже, ночи чуть длиннее.

И под окном рубцовская рябина
дроздам на радость с каждым днем желтее.
Некрупная рогатая скотина
на пустыре торчит у магазина.
И возникает рифма — Амалфея.

По ОРТ экономист маститый
М. Курдюков и депутат Госдумы
пикируются. «Вот же паразиты! —
переключая, говорит угрюмо
Петр Уксусов. Но Петросяна юмор
вмиг остужает мозг его сердитый.

Вот мчится по дорожке нашей узкой
жигуль-девятка. Эх, девятка-птица!
Кто выдумал тебя? Какой же русский,

какой же новый русский не стремится
заставить все на свете сторониться?..

Но снова тишь, да гладь, да трясогузки,
да на мопеде старичок поддатый,
да мат, да стрекот без конца и края...
Опасливый и праздный соглядатай,
змеей безвредной прячусь и взираю.
Я никого здесь соблазнить не чаю.
Да этого, пожалуй, и не надо.

1997–1999

ГЕНЕЗИС

Все-то дяденьки, тетеньки,
паханы да папаши,
да братаны, да братцы,
да сынки у параши.

Все родимые, ро́дные
и на вид, и на ощупь.
Все единоутробные
и сиамские, в общем.

И отцам-командирчикам
здесь дедов не унять.
Все родня здесь по матери,
всякий еб твою мать.

Эх, плетень ты двоюродный,
эх, седьмая водица!
Пусть семья не без у́рода —
не к лицу нам гордиться.

Ведь ухмылка фамильная
рот раззявила твой
бестревожно, бессильно...
Что ж ты как неродной?!

1998–1999

ДЕКАБРЬ

То Каем, то Гердой себя ощущая,
по грязному снегу к метро пробегая,
очки протирая сопливым платком,
и вновь поднимаясь в гриппозную слякоть,
и вновь ощущая желанье заплакать,
желанье схватиться вот с этим жлобом,

металлокерамикой в глотку вцепиться,
в падучей забиться, в экстазе забыться,
очки протирая, входя в гастроном,
и злясь, и скользя, и ползя понемножку
по грязному снегу, по гладкой дорожке,
по кочкам, по кочкам...

1999

* * *

У́м-па-па, у́м-па-па,
          старый вальсок.
Мокнет платок и седеет висок.

У́м-па-па, у́м-па-па
          у́м-па-па-па́,
воспоминаний теснится толпа.

372

Старый вальсок.
Голубой огонек.
Чей-то забытый кудрявый лобок.

У́м-па-па, у́м-па-па,
у́м-па-па, у́м-па-па,
старый-престарый вальсок.

Старый дружок,
          мне уже невдомек,
что там сулил нам ее голосок.
Память скупа, и певица глупа.
          У́м-па-па, у́м-
          па-па́!

1999

* * *

В вагоне ночном пассажиры сидят.
Читают они, или пьют, или спят.
И каждый отводит испуганный взгляд.
          И каждый кругом виноват.

И что тут сказать, на кого тут пенять.
Уж лучше читать, или пить, или спать...
И каждый мечтает им всем показать
          когда-нибудь кузькину мать.

1999

* * *

Объективности ради
　　мы запишем в тетради:
люди — гады, а смерть — неизбежна.
　　　　Зря нас манит безбрежность
　　　　или девы промежность —
безнадёжность кругом, безнадежность.

　　　　Впрочем, в той же тетради
　　　　я пишу Христа ради:
Ну, не надо, дружок мой сердешный!..
　　　　Воет вихрь центробежный.
　　　　Мрак клубится кромешный...

Ангел нежный мой! Ангел мой нежный.
1999

* * *

Хорошо Честертону — он в Англии жил.
　　　　Потому-то и весел он был.
Ну, а нам-то, а нам-то, России сынам,
　　　　как же все-таки справиться нам?

Jingle bells! В Дингли-Делл мистер Пиквик спешит.
　　　　Сэм Уэллер кухарку смешит.
И спасет Ланселот королеву свою
　　　　от слепого, зловещего Пью.

Ну а в наших краях, в оренбургских степях
　　　　заметает следы снежный прах.
И Петрушин возок все пути не найдет.
　　　　И вожатый из снега встает.
1999

* * *

Наша Таня громко плачет.
Вашей Тане — хоть бы хны.

А хотелось бы иначе...

Снова тычет и бабачит
население страны.

Мы опять удивлены.

1999

* * *

На реках вавилонских стонем.
В тимпаны да кимвалы бьем.
То домового мы хороним.
То ведьму замуж выдаем.

Под посвист рака на горе
шабашим мы на телешоу,
и в этой мерзостной игре
жида венчаем с Макашовым.

1999

* * *

А наша кликуша
              все кличет и кличет!
Осенней порой в поднебесье курлычет.
Зегзицею плачет, Есениным хнычет.
И все-то нас учит, и все-то нам тычет.

Беду накликает, врагов выкликает,
в пельменной над грязным стаканом икает.
              Потом затихает
              кликуша родная
и в медвытрезвителе спит-почивает.

Послушай, кликуша, найди себе мужа!
Не надо орать нам в прижатые уши!
Не надо спасать наши грешные души!
Иди-ка ты с Богом, мамаша-кликуша!

Но утром по новой она начинает —
стоит у метро, мелочишку сшибает,
журавушкой, ивушкой, чушкой рыдает.
И кличет. И клинское пиво лакает.
1999

NOTA BENE

Я был в Америке. Взбирался на небоскребы.
Я разговаривал с Бродским, и он научил меня, чтобы
я не подписывал книжки наискосок, потому
что это вульгарно и претенциозно. Ему самому
этот завет заповедала Анна Андревна когда-то.
Я, в свою очередь, это советую тоже, ребята.
Жалко, что если и дальше пойдет все своим чередом,
вам уже некому будет поведать о том.
1998

ГЕРОНТОЛОГИЧЕСКИЙ ДИПТИХ

1

Опрятная бедность.
Пристойная старость.
Одно только это теперь мне осталось.
Все было уже.
И не будет уже.
И это твой свет на восьмом этаже.

2

Пристойная бедность.
Опрятная старость.
Скорее бы это уже состоялось!
А то как в метро уступать — молодой,
а как полюбить — так и нет ни одной!

1999

ЦЕНТОН

Каждый пишет, как он слышит.

Каждый дрочит, как он хочет.

У кого чего болит,
тот о том и говорит!

1999

ЖАЛОБЫ ЧУРКИ

Ах, до чего же экзистенциальные
      были проблемы тогда!
Нынче сугубо они материальные,
      грубые, прямо беда!

Курсом рубля ежедневно волнуемый,
      поиском службы томим,
мир бестолковый и непредсказуемый
      я не считаю своим.

Мир тарабарский и неописуемый,
      и приставучий такой!
Оторопевши, шепчу я: «Да ну его!»,
      вялой машу я рукой.

Раньше лежал он и ждал описания,
      злым волкодавом рычал,
и нарушать роковое молчание
      глупых детей подстрекал.

Гордо решались вопросы последние
      там, у пивного ларька.
Дерзость безвредная. Денежки медные.
      Медленные века.

Ну а теперь окружила действительность
      липким, блестящим кольцом...
Я ударяюсь легко и решительно
      в грязь поскучневшим лицом.

1999

СТАРАЯ ПЕСНЯ О ГЛАВНОМ

Родина щедро поила.
И, в общем-то, сносно кормила.
А если когда и лупила,
то, честное слово, в полсилы.

Но нас она не любила.
И мы ее не любили.

1999

* * *

Не смотри телевизор. Не ходи в магазин.
Отключи телефон. Оставайся один.
          Занимай оборону.

Не вставай с постели. Скажись больным.
Притворись немым или пьяным в дым.
          Может быть, не тронут.

С головой укройся. Глаза закрой.
Отключи головной. Приглуши спинной.
          Затаи дыханье.

Так бубнит в ночи застарелый страх
(то ли смерти страх, то ли жизни страх).
          Даже слушать странно!

1999

379

С НОВЫМ ГОДОМ

На фоне неминучей смерти
давай с тобою обниматься,
руками слабыми цепляться
на лоне глупости и смерти.

Я так продрог, малютка Герда,
средь этой вечности безмозглой,
средь этой пустоты промозглой
под ненадежной этой твердью.

Кружа́тся бесы, вьются черти.
Я с духом собираюсь втуне,
чтоб наконец-то плюнуть, дунуть,
отречься наконец от смерти.

На этом фоне неминучем,
на лоне Мачехи могучей
давай с тобою обниматься,
давай за что-нибудь цепляться...

1998–1999

АНАТОМИЧЕСКОЕ

Из кожи лезет вон, выходит из себя,
Главу надменную вздымая к горним сферам,
Самодовленье духа истребя,
Явясь недолгой стойкости примером,

В багрянородном облике своем
Соединив черты плода и змия,

В промежный мрак стремясь, он острием
Нацелен все ж в пространства неземные!

Сей уд строптивый — двух господ слуга,
И Богу свечка он, и черту кочерга.

1983–1999

ПЕРЕЛОЖЕНИЕ ПСАЛМА

Нет мочи подражать Творцу
здесь, на сырой земле.
Как страшно первому лицу
в единственном числе.

И нет почти на мне лица.
Последней буквы страх.
Как трудно начинать с конца
лепить нелепый прах.

Тварь притворяется Творцом,
материя — Отцом.
Аз есмь, но знаю — дело швах
перед Твоим Лицом.

1982–1999

* * *

«Для того, чтоб узнать,
что там есть,
за полночным окном,
надо свет потушить.

Потому-то, быть может,
и не видим мы Бога,
а только свое отраженье.
Надо все потушить.
        Только стоит ли Он
погруженья во тьму?»

Вот такие вот пошлости
я писал лет семнадцать назад.

1982–1999

*   *   *

Хорошо бы сложить стихи
исключительно из чепухи,
из совсем уж смешной ерунды,
из пустейшей словесной руды,

из пустот, из сплошных прорех,
из обмолвок счастливых тех,
что срываются с языка
у валяющих дурака —

чтоб угрюмому Хармсу назло
не разбили стихи стекло,
а, как свет или как сквозняк,
просочились бы просто так,

проскользнули б, как поздний луч
меж нависших кислотных туч,
просквозили бы и ушли,
как озон в городской пыли.

1999

Смерть, старый капитан, в дорогу! Ставь ветрило!
Нам скучен этот край, о смерть, скорее в путь!

Ш. Бодлер. Плавание
(перевод М. Цветаевой)

Однажды зимней ночью, возвращаясь
с какой-то вечеринки развеселой
(наверно, с дня рожденья Семы), выйдя
из перехода у метро «Коньково»,
спустившись по ступенькам заснеженным
к универсаму нашему, наткнулись
на человека мы.

                    В нелепой позе
лежал он на неоновом снегу.
Жена моя рвалась ему помочь,
а я брезгливо и трусливо шаг
прибавил и ее увлек с собой.
Но, выйдя с Томом через пять минут,
я все-таки вернулся. Глупый пес
при виде человека вдруг завыл,
стал пятиться и рваться с поводка.
Опасливо я подошел и понял,
пошевелив его, что это труп...

Наутро Ленке рассказали тетки
в молочной кухне, как же все случилось.
Три алкаша (два из которых братья)
весь день в предбаннике универсама
скрывались от мороза и бухали.
Перед закрытьем выставили их.
Один из братьев был уже готов.
Его-то и оставили валяться,

отправившись в соседний магазин.
Ну, и забыли, видимо.

                        Так что
хотел бы я сказать рассказом этим?
Лишь то, что надо меру знать во всем,
что смерть и опьянение противны
(ну и страшны, конечно же, кто спорит),
но главное — противны и тупы.

1997–1999

* * *

Как Набоков и Байрон скитаться,
никогда никого не бояться,
и всегда надо всем насмехаться

Вот таким я хотел быть тогда.
Да и нынче хочу иногда.

Но все больше страшит меня грубость,
и все меньше смешит меня глупость
и напрасно поют поезда —
я уже не сбегу никуда.
Ибо годы прошли и столетья,
и успел навсегда присмиреть я,
и вконец я уже приручился,
наконец презирать разучился.

Бойкий критик был, видимо, прав,
старым Ленским меня обозвав.

1999

НА ДЕНЬ РОЖДЕНИЯ ЖЕНЫ

Сказал поэт: служенье муз
не терпит брачных уз.

Но мне свобода дорога,
я музам не слуга!

Я им не только не служу,
я в черном теле их держу!
Поэтому для куражу
я так тебе скажу:

Amour, exil — конечно, гиль,
любовь, разлука — скука.
Но ты, мой друг, наоборот,
любезна мне который год,
как пастила и цуккерброд.
            Вот.

1998

* * *

Хорошо бы
крышкой гроба
принакрыться и уснуть.

Хорошо бы.
Только чтобы
воздымалась тихо грудь.

И неплохо бы, конечно,
чтобы сладкий голос пел,

чтобы милый друг сердечный
тут же рядышком сопел!

Вот такую песню пела
мне Психея по пути,
потому что не хотела
за картошкою идти.

1999

* * *

Потешная зависть поэтов,
и женщин внимательный взгляд.
Послушай, ведь ровно об этом
мечтал ты полжизни подряд.

Так что ж ты не весел, врунишка?
И чем же ты так раздражен?
И злобно шипит твоя книжка
одышке твоей в унисон.

1999

* * *

Вот смотрю я на молодежь —
в настоящий февральский мороз
        ходят дурни без шапки!
Уши красные. Нос в соплях.
А девчонки — увы и ах! —
        не жалеют придатки.

Лучше б брали пример с меня.
Я на улице не был три дня.
            Что ж по стуже мотаться?
Я на кухне сижу и злюсь,
а когда не злюсь, то боюсь,
«Примой» дую в седеющий ус,
            и читаю нотации.

1999

* * *

Под собою почуяв страну,
мы идем потихоньку ко дну.

Как же так получилось, ребята?
Может, сами мы в чем виноваты?

Смотришь — вроде страна как страна.
А присмотришься — бездна без дна!

Без конца и начала, без края!..
Но и мы-то ведь не самураи,

не эсквайры, мил друг, не графья.
Так что неча канючить, друзья!

1999

ПО ПРОЧТЕНИИ «КРАСНОГО КОЛЕСА»

Все теперь мне ясно: Керенский — паскуда,
Милюков — зануда, рохля Государь,
молодец Кутепов! Только вот покуда
мне одно еще не ясно, так же как и встарь.

И вопрос все тот же нависает грозно,
а ответить четко не хватает сил:
Слишком рано все же или слишком поздно
Александр Освободитель нас освободил?

1999

ПОДРАЖАНИЕ НЕКРАСОВУ Н. А.

В полночный час, такси ловя,
я вышел на Тверскую.
Там проститутку встретил я
не очень молодую.

Большущий вырез на груди,
малюсенькая юбка.
И Музе я сказал: «Гляди!
Будь умницей, голубка!»

1999

НАРКОЛОГИЧЕСКОЕ

По улице Островитянова,
решившись добавить еще,
в компании Кукина пьяного
я, пьяный, за водкою шел.

Ночной небосвод грязно-розовый
накрыл Юго-Запад родной.
Я тупо дивился на звезды
и цели не видел иной.

И думал я думу... и думал...
не мог я додумать ее.
А скорбь и казарменный юмор
боролись за сердце мое.

Так, дольнею похотью движим
и в горние выси влеком,
в компании Кукина Миши
я плелся — дурак дураком.

Асфальт отражал глянцевито
ночную коньковскую шваль.
И все было сердце открыто,
и пело оно, как рояль.

1999

* * *

Юноша бледный, в печать выходящий,
дать я хочу тебе два-три совета.
Первое дело — живи настоящим,
ты не пророк, заруби себе это.

И поклоняться Искусству не надо.
Это уж вовсе последнее дело!
Экзюпери и Батая с де Садом,
перечитав, можешь выбросить смело.

1998

ИСТОРИОСОФСКОЕ

Умом Россию не понять.
Равно как Францию, Испанию,
Нигерию, Камбоджу, Данию,
Урарту, Карфаген, Британию,
Рим, Австро-Венгрию, Албанию,
объединенную Германию —
у всех особенная стать.

В Россию можно только верить.
Нет, верить можно только в Бога.
Все остальное — безнадега.
Какой бы мерою ни мерить,
нам все равно досталось много —

в России можно просто жить,
Царю, Отечеству служить.

1999

ПОДРАЖАНИЕ НЕКРАСОВУ В. Н.

Опять поэт Щуплов меня бранит!
И что ему я дался? Непонятно.
То с Резником каким-нибудь сравнит,
то графоманом обзовет печатно.

В слепящем блеске гения и славы
безжалостно гнобит меня Щуплов.
Ну что ему я сделал, Боже правый?
Я даже не читал его стихов.

1999

С НАСТУПАЮЩИМ!

Восьмое марта близко-близко!
А денежек-то нет как нет.
Вместо букетов и конфет

дарю тебе сию записку!
А в ней хотел бы я сказать,
что ты достойна лучшей доли,
чем по моей и Божьей воле

такие глупости читать.
Что в сей юдоли бесталанной
ты, как я вижу, лучше всех,
что нету участи желанней

делить с тобой и смех и грех!
Хотя в скитаньях несуразных
знавал я дам разнообразных

за три десятка долгих лет,
тебе, мой друг, соперниц нет
средь юных дев и жен прекрасных!

Вон ту любить — тяжелый крест,
та — ничего, но без извилин,
у этой — все, что надо, есть,
но бюст избыточно обилен.

Лишь ты, ах, Делия моя,
ласкаешь глаз, и нос, и ухо,
брожу ли я в ночи под мухой,
лежу ли на диване я.

Так разреши же, друг сердечный,
тебя неистово обнять
и в праздник Женственности Вечной
успехов новых пожелать!

1999

ИСТОРИКО-ЛИТЕРАТУРНЫЙ ТРИПТИХ

1

Ната, Ната, Натали.
Дал Данзас команду «Пли!»

По твоей вине, Натуля,
вылетает дура-пуля.

Будет нам мертвец ужо —
закатилось наше все!

Просто все буквально наше...
Что ж ты делаешь, Наташа?

2

Виновата ли ты, виновата ли ты?
  Может, Пушкин во всем виноват?
Ты скажи, Натали, расскажи, Натали,
  чем же люб тебе кавалергард?

Целовал-миловал, целовал-миловал...
  Но и Пушкин тебя б целовал!
На балы б отпускал, ревновать бы не стал.
  И Мадонной тебя он назвал.

3

Пока в подлунном мире
жив будет хоть один
бряцающий на лире
беспечный господин,

найдется и Наташа,
и счáстливый певец
увидит в ней все так же
чистейший образец.

И так же — эка жалость! —
она не даст ему,
чтоб медом не казалось
служенье строгих муз.

1999

ГЕНДЕРНОЕ

В лицо подруги глядя удивленно,
оценивая дивный экстерьер,
облизываясь нагло и смущенно,
вдруг ощутишь дыханье высших сфер.

Увидишь вдруг не только сиськи-письки,
но дальний отсвет горнего огня!..
Наверно, так. Все это к правде близко.
А может быть, и ново для меня.

1999

* * *

Здрасте пожалуйста! Это с какой это, собственно, стати
ты целый день провалялся, безумец, в кровати?

Ты почему до сих пор не умылся, еще не побрился?
Только вставал покурить — и обратно валился.

Это еще что за новость — «Я плачу, я страждю!»?
Глупости эти я слышал уже не однажды.

Да ни хрена ты не страждешь, ни капли не плачешь!..
    Аспид ползучий.

        Облак ходячий.

           Камень лежачий.

1999

ПОСТМОДЕРНИСТСКОЕ

Все сказано. Что уж тревожиться
и пыжиться все говорить!
Цитаты плодятся и множатся.
Все сказано — сколько ни ври.

Описано все, нарисовано.
Но что же нам делать, когда
нечаянно, необоснованно
в воде колыхнулась звезда!

И ветвь колыхнулась черемухи
(об этом уж вовсе нельзя!),
как прежде все так же — без промаха
слезя и мозоля глаза!

И бюст колыхнулся пленительный,
и сердце колышется в такт!..
Внимательно и вразумительно
описано все. Но не так!

Не мной. Не тебе адресовано.
Кустарники. Звезды. Вода.
Все сказано, все стилизовано.
Но это, дружок, не беда!

Ведь все колыханья, касания,
мерцанья Пресветлой слезы
опять назначают свидание
и просятся вновь на язык.

1999

* * *

...потому что я,
в отличие от чукчи, не писатель —
читатель, зритель, слушатель, старатель,
молитвенный — не смейся ты! — предстатель,
и заклинатель этого огня,

который там, внизу, пока таится,
в торфяниках крепчает и ярится,
там, под ногами, зреет в тишине.

1999

НАДПИСЬ НА КНИГЕ
«УЛИЦА ОСТРОВИТЯНОВА»

Я хочу быть понят тобой одной.
А не буду понят, так что ж —
постараюсь быть понят родной страной.
Это проще гораздо, ведь ей, смурной,
можно впарить любую ложь.

1999

IBID

Куда ж нам плыть? Бодлер с неистовой Мариной
нам указали путь. Но, други, умирать
я что-то не хочу... Вот кошка Катерина
с овчаркою седой пытается играть.

Забавно, правда ведь? Вот книжка про Шекспира
доказывает мне, что вовсе не Шекспир
(тем паче не певец дурацкий Бисер Киров)
«to be or not to be?» когда-то вопросил,

а некий Рэтленд, граф. Ведь интересно, правда?
А вот, гляди — Чубайс!! А вот — вот это да! —
с Пресветлым Рождеством нас поздравляет «Правда»!
Нет, лучше погожу — чтоб мыслить и страдать.

Ведь так, мой юный друг?.. Вот пухленький ведущий
программы «Смак» дает мне правильный совет
не прогибаться впредь пред миром этим злющим.
Ну улыбнись, дружок! Потешно, правда ведь?

И правда страшно ведь? И правда ведь опасно?
Не скучно ни фига! Таинственно скорей.
Не то чтоб хорошо. Не то чтобы прекрасно —
невероятно все и с каждым днем чудней!

«Dahin! Dahin!» — Уймись. Ей-богу надоело.
Сюда, сюда, мой друг! Вот полюбуйся сам,
как сложен, преломлен, цветаст свет этот белый!
А тот каков — и так узнать придется нам.

Лень-матушка спасет. Хмель-батюшка утешит.
Сестра-хозяйка нам расстелит простыню.
Картина та еще. Все то же и все те же.
Сюжет — ни то ни се. Пегас ни тпру ни ну.

Но — глаз не оторвать! Но сколько же нюансов
досель не знали мы, еще не знаем мы!
Конечно же to be! Сколь велико пространство,
как мало времени! Пожалуйста, уймись.

И коль уж наша жизнь, как ресторан вокзальный,
дана на время нам — что ж торопить расчет?
Упьюсь и обольюсь с улыбкою прощальной.
И бабки подобью. И закажу еще.

И пламень кто-нибудь разделит поневоле.
А нет — и так сойдет. О чем тут говорить?
На свете счастье есть. А вот покоя с волей
я что-то не встречал. Куда ж нам к черту плыть!

1998–1999

Конец

Нотации
1999

Большинство стихотворений, вошедших в эту книгу написано во время пребывания автора на острове Готланд под гостеприимной кровлей Балтийского центра писателей и переводчиков. Пользуясь случаем, автор выражает признательность Гуниле Форстен, Лене Пастернак и Юхану Эбергу за замечательное времяпрепровождение.

ИНВЕНТАРИЗАЦИОННЫЙ СОНЕТ

Время итожить то, что прожил,
и перетряхивать то, что нажил.
Я ничегошеньки не приумножил.
А кое-что растранжирил даже.

Слишком ты много вручил мне, Боже.
Кое-что я уберег от кражи.
Молью почикано много все же.
Взыскано будет за все пропажи.

Я околачивал честно груши —
вот сухофрукты! Они не хуже,
чем плоды просвещенья те же,

лучше хранятся они к тому же.
Пусть я халатен был и небрежен —
бережен все же и даже нежен.

* * *

Это конечно же не сочинения
и не диктанты, а так, изложения.

Не сочинитель я, а исполнитель,
даже не лабух, а скромный любитель.

Кажется, даже не интерпретатор,
просто прилежный аккомпаниатор.

Так и писать бы:
    «ПОЭТЫ РОССИИ И МИРА
      аккомпанирует Т. Ю. Кибиров на лире».

ПИСЬМО САШЕ С ОСТРОВА ГОТЛАНД

*Пап, да я Россию люблю... но лучше бы
она была, как Италия.*

                 А. Т. Запоева

Поздня ноченька. Не спится.
Черновик в досаде рву.
Целый месяц, как синица,
тихо за морем живу.

Не смотрю я целый месяц
ОРТ и НТВ.
Шастаю себе по лесу,
чисто-чисто в голове.

Я давно уже не знаю,
что Бордюжа? как Чубайс?
По-над морем я гуляю,
созерцаю пеизаж.

В одиночестве я гордом
вдоль по берегу брожу,
но совсем не Чайльд Гарольдом,
а Снусмумриком гляжу.

Среди сосен, искривленных
ветром Балтики седой,
средь утесов обнаженных
ходит-бродит папа твой.

Зайцев видел я раз десять
и без счета лебедей.
Радуюсь, что целый месяц
не видал почти людей.

Шведки, впрочем, симпатичны.
Но не очень. Не ахти.
Лучше вас, русскоязычных,
мне, пожалуй, не найти.

По тебе скучаю, Санька,
чипсы ем и колбасу,
и, как Дмитрий Алексаныч,
каждый день стишки пишу.

Вечером за чашкой чая,
грустен, но отнюдь не пьян,
я со словарем читаю
старый а́нглийский роман.

Ровно в полночь с колокольни
звон несется — дзынь-ца-ца.
Спи, Сашулечка, спокойно,
не расстраивай отца.

Спи. Да будет сон твой светел.
Нрав да будет прям и чист.
Столько есть всего на свете,
только знай себе учись!

Вот ты хочешь, чтоб Россия
как Италия была —
я ж хочу, чтоб ты спесивой
русофобкой не росла!..

Что ж касается России
и Италии твоей —
здесь, по-моему, красивей...
До свиданья, дуралей.

* * *

Вот я гляжу из окошка на море —
что-то там тает в каком-то просторе.
Или какое-то, может быть, горе?
Споря, и вторя, и с чем-то во взоре?
Вскоре? Не вскоре?.. Какой еще Боря?!
Просто напишем — Балтийское море.
Глянь, до чего же красиво оно!
Жаль, описать нам его не дано.
Запрещено.

БРИГАНТИНА

А-а-а
облака-а-а
за то, что вы убили моряка!
А. Т. Запоева

Уж не белеет мой парус.
SOS! Я торчу на мели.
Вроде не очень и старый,
а до чего довели!

Плыл одиноко и скоро,
вдруг неожиданно — хрясь!
Видно, какой-то Негоро
мой испоганил компа́с.

Кто сей Перейра коварный?
Как он прокрался на борт?
Мне не прийти в лучезарный
мой назначения порт.

ПЕСНЯ ИЗ К/Ф
«С ЛЮБИМЫМИ НЕ РАССТАВАЙТЕСЬ»

Промурлыкать бы, как Окуджава,
как Высоцкий, тебе прохрипеть —
ни богатства не надо, ни славы!
Я согласен вообще помереть!

Только чтоб над печальной могилой
заломила б ты руки свои,
заблажила бы, заголосила
от уже невозможной любви!

405

Тут, слезою горючей обрызган,
я б как выскочил!! — чтобы опять
под истошные вопли и визги
оголтело к тебе приставать!

И мурлыкать тебе Окуджавой,
и Высоцким хрипеть на ушко,
и, схватив тебя, в травы-муравы
бросить навзничь. А там и ничком.

ДРУГУ-ФИЛОЛОГУ

Милый друг, иль ты не в курсе,
что все видимое нами,
даже если не по вкусу,
надо говорить словами.

Ведь пока его не скажешь,
милый друг мой, друг мой нежный,
будет всё такая каша
безнадежно, неизбежно,

будет скучно беспредельно,
безобразно и безбожно.
Сделать жизнь членораздельной
только речь еще и может.

Так давай, пока не поздно,
помогать ей, бедолаге!..
Треплется язык бескостный
славным флагом на «Варяге».

* * *

Все-таки лучше всего
социальная роль литератора
(в частности, лирика)
отражена
в басне Ивана Андреича
    «Слон и Моська».

Но и в нижецитируемом
произведении Корнея Иваныча
образ писателя также весьма убедителен,
равно как и образ читателя:

«Взял барашек
карандашик,
взял и написал:
«Я мемека, я бебека,
я медведя забодал!»

А лягушка у колодца
заливается, смеется —
вот так молодец!»

CREDO

Ты идешь к женщине? Захвати плетку —
так говорил Заратустра.

А я говорю — закуску и водку!
Тебе будет весело, женщине — вкусно!

* * *

Какой это символ? — скажи мне, мудрец.
Неужто фаллический тоже?
А с виду не скажешь. Совсем не похоже.
Ишь как затаился, хитрец.

Понятно... Но вот не пойму одного,
открой ты мне тайну, пожалуйста,
а сам он — ну фаллос — он символ чего?
Наверно, совсем уж ужасного

чего-нибудь... Страшно глаза мне открыть —
куда ни посмотришь — стоит и торчит,
топорщится, высится!.. Или напротив —
то яма, то дырка, то пропасть!

Кошмар.

КАССАЦИЯ

сумерки
Готланд
готика
тихо

сумерки готика
тихо так тихо
готика
только
чайки кричат

сумерки Готланд
готика тихо

только чайки кричат
сумерки сумерки
умер
чайки кричат
умер умер

шмумер.
В общем, верлибры.
Свободные т. е. стихи.

Между прочим
16 строчек.
Можно и больше.
Это уж как записать.

А! Все равно ведь не очень
тут разгуляешься нынче.
Не платят собаки.

Может шведы какие
переведут?

НОВОСТИ

Взвейтесь, соколы, орлами!
Полно горе горевать!!
        Намибия с нами!!!
            Опять.

* * *

Разогнать бы все народы,
чтоб остались только люди,
пусть ублюдки и уроды,
но без этих словоблудий,

но без этих вот величий,
без бряцаний-восклицаний.
Может быть, вести приличней
мы себя немного станем?

Страшно пусть и одиноко,
пусть пустынно и постыло —
только бы без чувства локтя,
без дыхания в затылок.

ИЗ ВАЛЬТЕРА СКОТТА

Папиросный дым клубится.
За окном — без перемен...
Здравый смысл мой, бедный рыцарь,
не покинь меня во тьме!

Опускай забрало к бою —
пусть они не видят глаз.
Проиграли мы с тобою.
Протруби в последний раз.

Чтоб, заслышав зов прощальный
и понявши, кто кого,
помянул Король печальный
паладина своего.

Вор и волк —
вас любила Марина.
Ну а я не люблю, пацаны.
Ваши стрелки, разборки, малины,
ваш Высоцкий — страшны и скучны.

Мент и пес —
я б любил вас, ребята,
но так странно сложилось у нас:
слишком часто менты вороваты,
звероваты собаки подчас.

* * *

Против поэтов на этой странице
филиппикой должен был я разразиться.

Но я предпочел процитировать просто
Кукина Мишу, Гадаева Костю:

«Убей жену. Детей отдай в приют.
Минута — и стихи свободно потекут!»

Здóрово!

* * *

Это надо ж — две лучшие трети
жизни собственной так провести!
Ни на что не взирая на свете,

411

на диване, в объятьях, в буфете
поджидая свой кайф впереди!

Так вот дембеля ждут и считают,
сколько дней до приказа еще,
болт на службу — увы — забивают,
о гражданке в каптерке мечтают.
Но бывает неверен расчет.

Коль не будешь служить и стараться,
на себя же потом и пеняй,
не строчи уж потом апелляций,
можешь дембеля ты не дождаться
и в дисбат загремишь, раздолбай.

ИЗ ЗУБНИЦКОГО

Россия мати,
свет мой безмерный!
Хочу сказати
нелицемерно:

в тебе живу я,
тебя ревную,
какого ж хуя
еще взыскую?
Ну почему же?

Ведь мне не нужен
ни берег сенский,
ни, как поется,
берег турецкий,

и не претит мне
манер деревенский.
Я сам-то тоже
не шибко светский,

как Тредьяковский,
как Исаковский,
я сам таковский.
Такого ж сорта.

Какого ж черта
всегда сплошное
непониманье
у нас с тобою?
Есть, видно, что-то в тебе такое...
или во мне. Или в нас обоих.

ВСЕСОЮЗНАЯ
МОНАРХИЧЕСКАЯ КИНОПРЕМЬЕРА

Ты скажи-говори...
Подблюдные песни

Как в России они
         правят,

как друг друга они
         давят

и как фильмы они
         ставят —

никогда мне не говори.

413

* * *

Ницше к женщине с плеткой пошел.
Это грубо и нехорошо.

Да еще и смешно, между прочим,
если Ницше представить воочью —

Заратустре придется несладко,
если женщина эта в порядке...

По ту сторону зла и добра
не отыщешь ты, Фриц, ни хера.

* * *

Курицын Слава дразнит меня в «Лит. обозе»:
Деньги, мол, любит Кибиров, а работать не хочет.

Очень люблю, это правда. И правда, совсем не хочу.
Что же тут странного, Слава? Вот если б, напротив,
я бы работать любил, а вот денежек бы не хотел —
это вот было бы глупо. А так — все нормально.

Не говоря уж о том, что любовь и работа
вещи — ей-ей — несовместные в мире подлунном.

Этим вот блядь отличается от проститутки.

ВОРОНА И КОЗЛЫ

Плохо. Все очень плохо.
А в общем-то, даже хуже.
Но вы ведь не чуете, лохи,
метафизический ужас.

Страх экзистенциальный,
холод трансцендентальный —
все вам по барабану,
все вам, козлам, нормально.

Я же такой вот нежный,
такой вот я безутешный —
прямо вибрирую, глядя,
как разверзаются бездны.

Как разверзаются бездны,
как изменяется местность.
А вы все снуете куда-то!
Плохо дело, ребята.

Плохо дело, не скрою.
Тут ничего не поделать.
Тут ничего не попишешь...
Разве эссе какое?

ЧЕРНОВИК ОТВЕТА Ю. Ф. ГУГОЛЕВУ

Бога славим.
Бесов тешим.
Вот так молодцы!
Fin de siècle. А тут все те же
водка, огурцы.

«Севера звезда» пропала.
Жалко, Юлик, но
«Гжелки» пламенной навалом,
«Праздничной» полно.

Века нашего остатки
не по вкусу нам.
Выпьем с горя иль с устатку
за присущих дам.

Сердцу будет веселее
позабыть о том,
как борзеет и наглеет
время за окном.

Век кончается фатальный.
Бродский кончен уж.
Но пока еще хватает
заповедных груш,

околачиванье коих —
наш удел земной.
Хорошо б на все другое
нам махнуть рукой.

Как в казарме пред отбоем
лихо прокричим:
«Век прошел!» — и тут же хором:
«Хрен, Юляша, с ним!»

Хрен бы с ним, с его Уставом,
коль в конце концов
времени река доставит
к дембелю бойцов.

Но гарантий, к сожаленью,
нету никаких.
И в одном лишь нет сомненья
средь сомнений злых —

в том, что между этих рюмок,
первой и второй,
перерывчик — ну-ка, Юлик! —
будет небольшой!

* * *

        Море сверкает.
        Чайки летают.
А я о метафорах рассуждаю:

помню писал Вознесенский А. А.,
что чайка, мол, плавки Бога.
Во как!..
А я вот смотрю специально —
ничуть не похоже.

Ни на плавки вообще,
ни тем паче на эти загадочные
плавки Господа нашего Бога.

Равно как
и море не похоже на «свалку
велосипедных рулей»,
как нам впаривал Парщиков...

   ...Море смеялось...

  Что́ у людей в головах?!

* * *

К. Гадаеву

Пастернак наделен вечным детством.
Вечным отрочеством — Маяковский.
Вечной женственностью — Блок и Белый.

А мужчина-то только один —
Александр Сергеевич Пушкин.

  Это тост, Константин!
     Где же кружка?

ПРИЗНАНИЕ

Хочу сказать тебе о том,
что я хочу сказать тебе
о том, что я хочу сказать
тебе о том, что я хочу
тебе сказать о том, что я
хочу сказать тебе о том,
     что я хочу!

КРИЗИС ВЫШЕСРЕДНЕГО ВОЗРАСТА

Славный бес мне в ребро. Под откос,
кувыркаясь, скорбя и ликуя,
с панталыку сорвавшись, лечу я,
Песню песней горланя всерьез!

Песня песней, а жизнь-то бежит.
Гляну в зеркало — с ужасом вижу —
это что же за клоун бесстыжий
щурит глазки и губы кривит?

И в зубах папироску зажав,
шутки шутит похабная рожа,
передразнивает так похоже,
что, наверно, он все-таки прав.

ИЗ СЕЛЬМЫ ЛАГЕРЛЁФ

Когда б мне волшебную палочку
иметь (аж подпрыгнул фрейдист!),
я сделал бы маленькой-маленькой
тебя и носил на груди.

Малюсенькой, ну вот такусенькой,
чтоб вся умещалась в горсти,
Дюймовочкой, сантиметровочкой,
пищащей в кармане: «Пусти!»

Да хрена бы я тебя выпустил!
Носил бы с собою всегда.
Показывал все бы, рассказывал,
возил бы туда и сюда.

Я смог бы тогда обеспечивать
тебя и едой, и жильем,
укрыл бы от злобы и глупости
в нагрудном кармане моем.

Но каждую ночь в час назначенный
я клал бы тебя на кровать,
махал бы волшебною палочкой,
нормальной бы делал опять!

Я так бы ласкал тебя бережно,
мой нежный и дикий зверок!
Всю ночь ты была б соответственной,
а утром — опять с ноготок.

* * *

Кстати, еще о казарме —
именно там
кроме всего остального я понял —
релятивизм, скептицизм,
и пессимизм, и цинизм
и т. д. и т. п.
не обязательно связаны
с высшим развитием
интеллекта
иль особенной тонкостью
нервов и чувств —

все это
может быть столь же наивно,
столь же дремуче, и простодушно,
и примитивно, и даже прекраснодушно,

как и вера
в истину, красоту и добро,
как и надежда на них,
и любовь к ним.

Так что Печорину нечем кичиться,
а Гриневу не стоит стесняться.

Это и вам, глупышам,
уяснить не мешает.

Поколение П...

Это ж надо придумать.

ФИЛОСОФИЯ И ХОРЕОГРАФИЯ

Ницше когда-то серьезно мечтал,
чтобы не просто Сократ размышлял,
  чтоб он еще станцевал!

Лучше б не надо. Людей не пугай.
Зрелище так себе, принц Фогельфрай.

В случае лучшем — просто смешно,
в худшем — уж очень противно оно.

Нам ли не знать! Этот номер не нов.
Мы насмотрелись на сих плясунов —

      наши сократики
      и досократики

платочками машут
с перипатетиками пляшут.

И усердно воют:
«Эван эвоэ!»

* * *

Сэр Уилфред Айвенго, а не д'Артаньян,
был мне в детстве в наставники дан.

Я уроки его затвердил наизусть.
И хотя я и вырос бездельник и трус,

хоть не раз нарушал я священный завет,
я хоть знаю, что плохо, что нет.

А Дюма иль теперешний ваш Деррида
мне не нравились даже тогда.

Вольтерьянство хвастливое я невзлюбил.
Так Айвенго меня научил.

* * *

Только детские книжки читать!
Нет, буквально — не «Аду» с «Улиссом»,
а, к примеру, «Волшебную зиму
в Муми-доле»...
А если б еще и писать!..

* * *

Кто за Петра I
и Алексея Германа.

А кто за Николая II
и Никиту Михалкова.

Вот кино какое.

А может, кто-нибудь за короля Артура
(и Кибирова Тимура)?

Вот такая литература.

* * *

Лечь бы здесь на берегу
и лежать бы навсегда!
И не думать о тебе,
и не думать о себе.
              Просто так.

Солнце, воздух и вода.
              Облака. Табак.

Хорошо-то как.

* * *

Как напевно. Как плачевно.
Как наивно и забавно.
— Да́, конечно. Ну, коне́чно!
Только время собираться.

Отлетает ангел нежный.
Прилетает ангел гневный.
В перспективе — отдых славный.
— Ну-с, прощаться так прощаться.

* * *

Можно я все же скажу —
    на закате
в море мерцающем тихо
    застывшие лебеди.
    Целая стая.

    Я знаю,
    пошло конечно же! —
но ты представь только —
    солнце садится,
    плещется тихонько море,
    и целая стая!!

* * *

С этим рылом в этот ряд
вам, товарищ, не велят.

Вам, товарищ, вон туда,
где крапива-лебеда,
где и горе не беда,
где ни смысла, ни стыда,

где пивной стоит ларек,
где пацан, отбывший срок
то ль в казарме, то ль в тюрьме,
то ль на стройке в Чухломе,
залупается с утра,
и в потемках детвора
на Марлен или Брижжит
за сараями дрочит.

Что ж вы так кричите, блин?
Не скандальте, гражданин!

Не хрен тут права качать!
Выметайтесь, вашу мать!

Ну-ка в темпе, сукин сын!
Ты ж на свете не один,

вас полно таких невеж,
вас таких хоть жопой ешь.

Я те поору, козел!
Ну, по-быстрому! Пошел!

* * *

Что ты смысла все взыскуешь?
Сам-то ведь бессмысленный!
Безобразишь, озоруешь,
врешь как сивый мерин,

никакой не знаешь меры
в похотях бесчисленных.
Взял бы да служил примером!
    Вот тебе и смысл.

* * *

Зэка старого завет
нарушал я много лет —

ждал, боялся и просил.
И дождался — получил.

Знать, не зря боялся я
и выклянчивал не зря.

Это ж надо — все сбылось,
счастье все-таки стряслось!

ЗА ЧТЕНИЕМ «НОВОГО ЛИТЕРАТУРНОГО ОБОЗРЕНИЯ»

Нет, ты только погляди,
как они куражатся!
Лучше нам их обойти,
эту молодежь!

Отынтерпретируют —
мало не покажется!
Так деконструируют —
костей не соберешь!

ЛИМЕРИК

Раз Пелевин схватился с Киркоровым,
отмудохал Киркорова здорово.
Элитарность свою доказал он в бою!
И теперь вызывает Невзорова.

* * *

С темным брюхом, с белым верхом
        голубые облака.
Оказалось на поверку —
        жизнь легка и коротка.

Сосны рыжи и зелены,
        волны сини иногда.
Нам, таким неугомонным,
        даже горе не беда!

Полудуркам полустарым
        дела нету, смысла нет.
Пиво желто. Очи кари.
        Разноцветен белый свет.

* * *

Когда ты услышишь призывы «Давай!»,
давать не спеши, размышлять продолжай.

Когда же услышишь ты окрик «Нельзя!» —
подумай, а может, и вправду нельзя?

СОСЛАГАТЕЛЬНОЕ

Если бы Фрейду бы вылечить Ницше,
вместо того чтобы нас поучать,
если бы Марксу скопить капитал
и производство организовать
ну там, к примеру, сосисок
        вместо социализма —

то-то бы славно зажили они,
сча́стливо прожили б долгие дни
и в окруженье жены и детей
мирно почили в кровати своей!

Только вот мы б не узнали тогда,
как нас влечет нашей мамы постель,
мы б не узнали, сосиски жуя,
то, что Бог умер, тогда никогда.

        Вот ведь какая беда.

* * *

Если долго не курить —
так приятно закурить!

И не трахаться подольше
хорошо, наверно, тоже.

Может, если не пожить,
слаще будет дальше жить?

Так ты подумай, милый,
сколько ж мы уже не жили?

С сотворенья мирозданья
мы с тобою жизни ждали.

Воздержанья вышел срок.
Так живи уж, дурачок.

* * *

От Феллини — до Тарантино,
от Набокова — до Сорокина,
от Муми-тролля
до Мумий Тролля —
прямая дорожка.

Но можно ведь и свернуть.

P. S.

По ту сторону зла и добра
нету нового, Фриц, ни хера,
кроме точно такого же зла,
при отсутствии полном добра.

* * *

Может, вообще ограничиться только цитатами?
Да неудобно как-то, неловко перед ребятами.

Ведь на разрыв же аорты, ведь кровию сердца же пишут!
Ну а меня это вроде никак не колышет.

С пеной у рта жгут Глаголом они, надрываясь,
я же, гаденыш, цитирую и ухмыляюсь.

Не объяснишь ведь, что это не наглость циничная,
что целомудрие это и скромность — вполне симпатичные!

* * *

— Ну не так уж все и хорошо!
— Ну уж не настолько все и плохо!..
Наконец-то дождь к утру прошел.
Там, глядишь, и кончится эпоха,

в коей нам с тобою вышло жить.
Оглянешься — мать моя родная!
Я бы рад примером послужить,
да чего примером — я не знаю.

Может, выживания. Еще,
может, благодарности немножко.
Знанья, что вот это хорошо —
облака и солнышко в окошке.

ОТВЕТ Ю. Ф. ГУГОЛЕВУ

1

Бога славим — гоп-ля-ля!
Бесов тешим — ай-лю-лю!
Очень может быть, что зря
тратим, Юлик, жизнь свою.

Очень даже может быть.
Ну так что ж теперь — не жить?!

2

«Жить! — и никаких гвоздей!» —
вот наш лозунг! А светить
Маяковский-дуралей
пусть уж будет, так и быть.

Хоть до дней последних дна.
Нам-то это на хрена?

3

Маяковский светит пусть.
Пусть Цветаева блажит.
Несмотря на стыд и грусть,
тот же slogan — не тужить!

Славить, тешить, отпевать,
простодушно мухлевать

4

Эта присказка. Зачин.
Темы заданы уже:
— половая жизнь мужчин
    на последнем рубеже

— Божество иль Абсолют,
как Его подчас зовут

5

— в чем смысл жизни, т. е. как
исхитриться нам с тобой
прошмыгнуть сквозь этот мрак
к этой бездне голубой

— дружба, служба, то да се,
словом, остальное все.

. . . .

6

Половая жизнь мужчин
представляет интерес
ограниченный. Причин
говорить об этом здесь

вроде нету. И к тому ж
я ведь муж, и ты ведь муж.

7

Могут ведь не так понять.
Еще хуже, если так.
Что ж, для ясности замять
можно тему. Но никак

нам не удалить ея
из структуры бытия.

8

Коль эрекция ходить
нам мешает и сидеть —

как нам это расценить?
Как на это посмотреть?

— Все зависит от того,
на кого и для чего!

9

Ты ведь, Юлик, человек!
Мы же люди же, Юляш!
Так что без любви навек
ты на даму не залазь!

Ведь она хоть и объект,
в то же время и субъект.

10

Ведь она же человек!!
Уж почеловечней нас.
Ладно, пусть уж не навек,
но без чувства — тут же слазь!

Коли в душу не проник,
скучно трахать — вжик да вжик!

11

Говоришь, не скучно? Нет?
Не учи отца, малец!
Хоть оно как раз видней
тем, кто вовсе не отец.

Мне ж не до того уже
на последнем рубеже.
. . . .

12

Всё про половую жизнь.
Нас иные темы ждут.
Что там дальше-то? Кажись,
пресловутый Абсолют?

Коль уж славим мы Его,
хорошо бы знать Кого.

13

Хорошо бы, милый друг.
Только жирно будет нам.
И с чего бы это вдруг
вот к таким вот мудакам

стал бы в гости Он ходить
и по-русски говорить?

14

Вроде я не патриарх,
и не римский папа ты.
На свои лишь риск и страх
чертим мы Его черты.

Точно знаем мы зато
имя — Иисус Христос.

15

Что еще? Да ничего
нового не скажешь здесь.
Если плохо без Него,
значит, Он на свете есть.

Но какой же это стыд,
знать, что Он на нас глядит!

16

Знать, что видит без прикрас,
как мы бесов тешим тут,
медленный с блудницей пляс,
чревобесье — просто жуть.

И пианство. Но меж тем
мы ж не гордые совсем.

17

Мы ж смиренны и просты —
это нам, Юляша, плюс.
Может, чуточку скостит
нам за это Иисус?

Ты надежду не теряй.
Но и сам уж не плошай.

. . . .

18

В чем смысл жизни? Есть ли он?
Если есть, то почему
зашифрован и мудрен,
темен нашему уму?
Словно поздний Мандельштам,
мил, но непонятен нам.

19

Люб, но недоступен весь.
Брезжит, манит, дразнит нас.
Только что блеснул вот здесь,
хвать! — а он уже угас.

Можно б плюнуть и забыть,
но без смысла скучно жить.

20

Вот представим некий текст.
Чтоб понять его вполне,
надо нам узнать контекст,
т. е., Юлик, то, что вне,

сверху, снизу и вокруг.
Правда ведь, любезный друг?

21

Коль внизу Inferno, Юль,
А над нами Paradise,
ясен (даже чересчур)
смысл становится — окстись!

Но совсем другой ответ,
если верха просто нет.

22

Если низа нет вообще,
так, ризома, черт-те что —
столько смыслов у вещей,
сколько не сочтет никто!

Ведь тогда любая блядь
может смыслы сочинять.

23

Что и происходит, Юль.
Сколько их! Куда? Зачем?
Тот загнул, тот подмигнул.
Обезумели совсем.

Фу-ты, ну-ты, хвост трубой!
Отчебучат смысл любой!

24

Начитавшись Жомини,
множественность истин мне
проповедуют они.
Черт ли в этакой херне?

Я ведь это проходил,
когда ты под стол ходил.

25

Если был бы я француз
иль хотя б, как ты, еврей,
может, я нашел бы вкус
в свистопляске этой всей.

Мне ж, поскольку осетин,
смысл, пожалуйста, один!

26

Что мне сей калейдоскоп —
телескоп потребен мне —
разглядеть детально чтоб,
разобраться чтоб вполне,

в чем же смысл-то наконец,
ждет чего от нас Отец?

27

Чтоб мы славили Его
и не тешили других?
Иль уж вовсе ничего
Он не ждет от нас таких?

Жизнь есть ложь, да в ней намек.
Нам урок. Да все не впрок.

. . . .

28

С трансцендентным перебор.
К имманентному пора.
Пестрый сор и сущий вздор
смаковать мы мастера.

Сплетничать в тиши ночной,
рожи корчить за спиной.

29

Дружба, служба, то да се.
Пиво-воды, колбаса.
Жизнь одна на все про все
и как на ладони вся —

так жалка и так смешна,
приставуча, как жена.

30

Ну а в жизни этой что
нам всего важнее? Ну?
Нет, мой друг, совсем не то!
Эк ты, Юличек, загнул!

Деньги нам всего важней!!
Или, скажем так, нужней.

31

До чего ж я их люблю!
До самозабвенья прям!

Я бы каждому рублю
спел отдельный дифирамб.

Платоническая страсть —
лень работать, грех украсть.

32

А уж гибнуть за металл —
нет уж, извини меня!
Впрочем, и за идеал
гибнуть не любитель я.

Даже за девичий вздох
не дождутся, чтоб подох.

33

Петь же ради вздохов сих
за металл про идеал
я готов хоть за троих,
я ни капли не устал.

Чай, язык-то без костей...
Только скучно без рублей.

34

Вот Флоренский, например,
не поверил мне — а зря.

Тыщи полторы*, поверь,
хватит мне. А говоря

честно, Юлик, и от ста
не стошнило б ни черта!

_____
* Долларов, конечно. (*Примеч. автора.*)

439

35

Где-то ж есть они, лежат,
бедненькие, ждут меня,
заунывно шелестят,
в сейфах без толку хранясь!

Но, как рыцарь Тогенбург,
я люблю их чересчур,

36

чтобы грубо обладать,
чтобы с ними вместе жить.
Так что суждено, видать,
им со мной в разлуке быть.

Если ты их встретишь, Юль,
передай, как я люблю.

. . . .

37

Перетерли про любовь,
про ризому, про Творца.
Про дензнаки, Юлик, вновь
я витийствовал в сердцах.

Хронос, топос и хаóс,
голос, логос и Христос —

38

кого хочешь выбирай!..
Выбирать-то страшно, брат.
Ты пока что поиграй,
ну а мне уже пора.

Так не хочется еще!
Но уже предъявлен счет.

39

Оглянуться не успел,
а уж век-то мой — тю-тю!
Так я на него подсел,
отвыкать невмоготу.

А ведь надо бы уже
на последнем рубеже.

40

Жадно мацать телеса
и не смыслить ни аза,
но притом на небеса
пялиться во все глаза —

несовместно это, брат,
неуместно, говорят.

41

В горних высях — колотун,
в дольних дырах — духота.
Или на язык типун,
иль немотствуют уста.

Нечто среднее избрать
не получится, видать.

42

Бога славим — гоп-ца-ца!
Бесов тешим — первер-цоц!
И Глаголом жжем сердца —
я с прохладцей, ты с ленцой,

лени-матушки сыны,
пасынки былой страны.

43

Не глаголом даже, Юль,
междометьями скорей.
Если на дворе июль,
скучно рифмовать — ей-ей!

Сквозь промытое стекло
глянь, как на дворе светло!

44

Летний вечер льет лучи
на окраину Москвы.
Так он беден, так он чист
от листвы и синевы.

Словно бы в последний раз
солнышко глядит на нас!

45

Кстати, не исключено.
Всяко, Юлик, может быть.
Нам гарантий не дано.
Но пока дано нам жить,

славить, тешить, мухлевать,
мать их всуе поминать.

46

В этот теплый вечер пить
«Гжелку» славную дано,
и по первой осушить
нам пока разрешено

за присутствующих дам,
и за тех, кто где-то там.

Конец

Amour, exil...

1999

I ne nado vsjo vremja povtorjat: «Daj, Marija, da daj, Marija!» Izvestno ved, chem eto konchaet-sja!

E-mail

I

* * *

Ну, началось! Это что же такое?
Что ж ты куражишься, сердце пустое?
Снова за старое? Вновь за былое,
    битый червовый мой туз?
Знаешь ведь, чем это кончится, знаешь!
Что же ты снова скулишь, подвываешь?
Что ж опрометчиво так заключаешь
    с низом телесным союз?

С низом телесным иль верхом небесным
это покуда еще неизвестно!
Экие вновь разверзаются бездны!
    Шесть встрепенулися чувств.
Оба желудочка ноют и ноют!
Не говоря уж про все остальное,
не говоря уж про место срамное —
    «Трахаться хочешь?» — «Хочу!»

Кто же не хочет. Но дело не в этом,
дело, наверно, в источнике света,
в песенке, как оказалось, не спетой,
    в нежности, как ни смешно!

Как же не стыдно!.. И, в зеркало глядя,
я обращаюсь к потертому дяде:
угомонись ты, ублюдок, не надо!
      Это и вправду грешно!

Это сюжет для гитарного звона,
или для бунинского эпигона,
случай вообще-то дурнейшего тона —
      пьянка. Потрепанный хлюст.
Барышня. Да-с, аппетитна, плутовка!..
Он подшофе волочится неловко,
      крутит седеющий ус.

Глупость. Но утром с дурной головою
вдруг ощущает он что-то такое,
вдруг ошарашен такою тоскою,
      дикой такою тоской —
словно ему лет пятнадцать от силы,
словно его в первый раз посетило,
ну и так далее. Так прихватило —
      Господи Боже ты мой!

Тут уж не Блок — это Пригов скорее!
Помнишь ли — «Данте с Петраркой своею,
Рильке с любимою Лоркой своею»?..
      Столь ослепителен свет,
Что я с прискорбием должен признаться,
хоть мне три раза уже по пятнадцать —
Salve, Madonna! и Ciao, ragazza!
      Полный, девчонка, привет!

НЕАПОЛИТАНСКАЯ ПЕСНЯ

Скажите, девушки, подружке вашей,
что я в отцы гожусь ей, к сожаленью,
        что старый пень я
        и вряд ли буду краше.

Еще о том, девчонки, объявите,
что я ночами сплю, но просыпаюсь,
        ее завидя,
        и сладкой дурью маюсь!

Шепните ей, что я в тоске смертельной,
но от нее мне ничего не надо,
        и серенаду
        пускай она считает колыбельной!

* * *

Прости. Я пока что не знаю за что, но прости!
Прости мне за все, что ни есть, и за все, что ни будет,
за все, что ни было, за то, что чисты и пусты,
невинны слова, и от них ничего не убудет.

За то, что и время идет, и пространство лежит,
и с этим уже ничего не поделать, Наташа,
чтоб клятвенно руку на сердце твое положить...
Простите, конечно же не на твою, а на вашу.

* * *

С блаженной улыбкой — совсем идиот! —
по мартовским лужам брожу,
гляжу на твой город, разинувши рот,
прекрасным его нахожу!

447

Я знаю, не так уж красива Москва,
особенно ранней весной,
но ты родилась здесь, и здесь ты жива,
здесь ты целовалась со мной.

И весь этот ужас — Фили, Текстили —
нелепая, злая херня —
лучатся бессмертием, смысл обрели,
как я, дорогая, как я!

ИЗ ЛЕРМОНТОВА

Впервые мне, Наташа, тошно
смотреть на женские тела.
Иль теток возжелать возможно,
когда мне ангел не дала?

А я ведь за одно мгновенье
меж ненаглядных ног твоих
отдал бы к черту вдохновенье!
Но ты не разомкнула их.

* * *

Не любите Вы этих мужчин, mon amie!
Ну за что же их, право, любить?
Знаю этих козлов — медом их не корми,
только дай что-нибудь осквернить!

Ведь у них, окаянных, одно на уме,
у меня же — как минимум два!
Это надо совсем головы не иметь,
чтоб не мне, а мужчинам давать!

* * *

В край далекий уезжая,
     милая моя,
ты не вздумай, дрянь такая,
     позабыть меня!

Ты не вздумай, дорогая,
     позабыть о том,
как стоял я, обмирая,
     под твоим окном,

как сидел с дурацким чаем
     за столом твоим,
меж надеждой и отчайньем
     нем и недвижим,

как раскатанной губищей
     нежных уст твоих
я коснулся, словно нищий
     у ворот святых!

Так не вздумай, ангелочек,
     это забывать!
Хоть один еще разочек
     дай поцеловать!

А иначе — вот те слово,
     вот те, Таша, крест —
будешь ты не Гончарова,
     а прямой Дантес!

* * *

Бодливой корове бог рог не дает.
Вот так же и ты — не даешь!
Я хнычу и жалуюсь дни напролет,
я сетую: «Эх, молодежь!..»

449

Но, знаешь ли, то, что ты все же даешь,
никто на земле не дает —
такое веселье по жилам течет,
такое блаженство под сердцем растет,
такая му́зыка поет!

II

РОМАНС

Я тебя называю своею,
хоть моею тебе не бывать,
потому что все больше пьянею,
подливаю опять и опять.

Черной ночкой вино зелено́е
нашептало мне имя твое.
Глухо екнуло сердце хмельное.
Так прощай же, блаженство мое!

Черной ночкой по белому снегу
я уйду от тебя навсегда,
в горе горькое брошусь с разбегу,
пропаду без стыда и следа.

Провожают меня до заставы,
наливают мне на посошок,
подпевают мне пьяной оравой
и Некрасов, и Надсон, и Блок!

СТАРОФРАНЦУЗСКАЯ ПЕСНЯ

У моей у Госпожи
нрав суров и строг режим —
ничего ей не скажи,
никогда с ней не лежи!

На мою бы Госпожу
да хорошую вожжу,
я же только погляжу —
как осенний лист дрожу!

Потому что Госпожа
словно майский цвет свежа.
Как такую обижать?
Лучше просто обожать.

*КРАСАВИЦЕ, ПРЕДПОЧИТАВШЕЙ
ФЕБА КУПИДОНУ*

Я так люблю тебя, а ты меня не так,
так как-то, средненько, неважно, на трояк.

Напрасны жалобы, бессмысленны укоры —
ты снова о стихах заводишь разговоры!

А что в них, девочка? — Слова, слова, слова!
Ужели же от них кружится голова,

и сердце сладостно сжимается, и очи
вдруг увлажняются, а также, между прочим...

Да что там говорить! Органа жизнь глухой
скорей поймет, чем ты меня!.. Ах, ангел мой,

как хочется тебя! Обнявши стан твой гибкий,
я б целовал тебя — от пятки до улыбки,

и спереди всю-всю, и сзади, и т. п.!
Вот счастье, милый друг!.. А вот стихи тебе.

МАЛОРОССИЙСКАЯ ПЕСНЯ

По бэрэжку хо́жу
да соби смэкаю:
хто з тобою нэ зна́ется
горя той нэ знае!

Ох уж ты, Наталка,
шо ж ты наробыла?
Ты ж мэнэ, стару́ людину,
зо́всим погубила!

Ты мэнэ́ старо́го
нэ можэ́шь кохати.
А я пийду в сад зэлэный
по тоби рыдати!

Нату моя, Нату,
шо ж таке творится?
Ты ж така́ хоро́ша, Натку,
дай хоть подывыться!

Дай уж, дэвчоно́чка!..
Нэ дае ни трошки!
Ой, ратуйте, громадяне,
помираю с то́ски!

Нэ дае, змиюка!
Чому ж я нэ птица,
шоб в блакитно небо ридно
от тоби сокрыться?

Тю на т́эбэ. Натку!
Сэ́рдэчко разбилось.
Грае, грае воропае,
шоб воны сказились!

* * *

Богу молиться об этом грешно.
Книжки об этом печатать смешно.
Что с этим все-таки делать?
Жил же без этого — и ничего,
без дорогого лица твоего
и уж тем паче без тела.

Что посоветуешь, милый дружок?
Милый дружок, как обычно, — молчок.
Правильно, что уж тут скажешь.
Сам заварил и расхлебывай сам,
кто ж поднесет к твоим детским губам
эту прогорклую кашу!

Жил, не тужил же, и вот тебе раз! —
по уши в этом блаженстве увяз,
мухою в липком варенье.
Сладко, и тяжко, и выхода нет.
Что-то уж слишком мне мил белый свет
из-за тебя, без сомненья!

Сердце скрепя и зубами скрипя,
что же я все же хочу от тебя,
от европеянки нежной?
К сердцу прижать или к черту послать?
Юбку задрать, завалить на кровать?
Это неплохо, конечно.

Но я ведь знаю, что даже тогда
мне от тоски по тебе никуда
не убежать, дорогая!
Тут ведь вопрос не вполне половой —
метафизический! — Боже ты мой,
что я такое болтаю?!.

Просто я очень скучаю.

Я Вас любил. Люблю. И буду впредь.
Не дай Вам бог любимой быть другими!
Не дай боже́! — как угрожает дед
испуганным салагам. Жаль, что с ними

у Вас немного общего — пугать
Вас бесполезно, а сердить опасно.
Мне остается терпеливо ждать,
когда ж Вам наконец-то станет ясно,

что я люблю Вас так, мой юный друг,
как сорок тысяч Гамлетов, как сотни
Отелл (или Отеллов?), внидя вдруг
в Господний свет и морок преисподней.

И разуму, и вкусу вопреки,
наперекор Умберто Эко снова
я к Вам пишу нелепые стихи —
все про любовь, а «о пизде ни слова» —

как говорил все тот же злобный дед
назад лет двадцать пять в казарме нашей.
Я был уже законченный поэт,
а Вы, Наташа... и подумать страшно.

Все безнадежно. И, наверно, зря
я клялся никому не дать коснуться
Вас даже пальцем, уж не говоря
о чем-нибудь похлеще... До поллюций

дойдя уже, до отроческих снов,
до ярости бессильной, до упора,
я изумлен — действительно, любовь!
Чего ж ты медлила? Куда ж так мчишься скоро?

* * *

Не унывай, Наташенька, не стоит!
Давай-ка лучше ляжем на кровать!
Занятье тоже, в сущности, пустое,
дурацкое — но лишь на первый взгляд!

На самом деле смысл в нем есть, дружочек!
Да, может быть, все смыслы только в нем!
Не хочешь?! Вот те раз! Чего ж ты хочешь? —
Но все равно — мы все равно вдвоем!

Что мы умрем — не может быть и речи!
Пожалуйста, Наташка, не грусти!
Откупори чего-нибудь покрепче
и эту книжку на ночь перечти.

* * *

Есть тонкие, властительные связи
между тобой, Наташ, и остальным.
Не то чтоб стало меньше безобразий,
их вес удельный стал совсем иным.

И зеркало, которое внушало
мне отвращенье легкое досель,
манящей тайной светится теперь —
вот эту рожу Таша целовала!

* * *

Близко к сердцу прими меня, Таша, ближе,
чем бюстгальтер, пальцам моим знакомый,
в благодатную тьму меж грудей девичьих.
        И еще поближе.

455

Как нелепо это у нас сложилось —
ты Фаон, я Сафо. Умора просто.
Но и вправду блаженством богам я равен,
        когда я с тобою.

Но завистливы боги, жадны, как прежде.
Лишь Морфей, обижаемый мной столь часто,
помогает покамест мне — еженощны
        наши встречи, Таша!

* * *

Ах, Наталья, idol mio,
истукан и идол!..
Горько плачет Супер-Эго,
голосит либидо!

Говорит мое либидо
твоему либидо:
«До каких же пор, скажите,
мне терпеть обиды?»

А в ответ: «И не просите,
вы, простите, быдло!
Сублимируйтесь-ка лучше
выше крыши, выше тучи,
обратитесь в стих певучий,
вот и будем квиты!»

Хрен вам, а не стих за это!
Больше ни куплета!
Не нужны мне выси ваши
без моей Наташи!

* * *

Ну что, читательница? Как ты там? Надеюсь,
что ты в тоске, в отчаянье, в слезах,
что образ мой, тобой в ночи владея,
сжимает грудь и разжигает пах.

Надежды праздные. А как бы мне хотелось,
чтобы и вправду поменялись мы,
чтоб это ты, томясь душой и телом,
строчила письма средь полночной тьмы,

чтоб это я, спокойный и польщенный,
в часы отдохновенья их читал,
дивясь бесстыдству девы воспаленной,
подтексты по привычке отмечал.

* * *

Изливая свою душу
Вам, моя Наташа,
я всегда немного трушу —
ведь не благовонья это,
не фиал с вином кометы,
а скорей параша.

Пахнет потом, перегаром,
«Беломорканалом»,
злобой разночинской старой
и набитой харей,

пивом пополам с портвейном,
хлоркой да «Перцовкой».
Если буду откровенен,
будет Вам неловко!

Станет Вам противно, Таша,
станет очевидно,
до чего ж я незавидный,
до чего ж неаппетитно
заварил я кашу!

Вы Джейн Остин героиня,
я — Лескова, что ли?
Помяловского — не боле!
И конечно, в Вашей воле,
нежная моя врагиня,
отменить меня.

* * *

Ладно уж, мой юный друг,
мне сердиться недосуг,
столько есть на свете
интересных всяких штук!
Взять хоть уток этих!

Взять хоть волны, облака,
взять хоть Вас — наверняка
можно жизнь угробить,
можно провести века,
чтоб узнать подробно

Ваши стати, норов Ваш,
признаков первичных раж,
красоту вторичных.
Но и кроме Вас, Наташ,
столько есть в наличье

нерассмотренных вещей,
непрочитанных идей,
смыслов безымянных,

что сердиться — ей-же-ей —
как-то даже странно!

Есть, конечно, боль и страх,
злая похоть, смертный прах —
в общем, хулиганство.
Непрочны — увы и ах —
время и пространство.

Но ведь не о том письмо!
Это скучное дерьмо
недостойно гнева!
Каркнул ворон: «Nevermore!»
Хренушки — forever!

* * *

Фотографии Ваши — увы — нечетки,
лишь улыбка да челка на этой фотке,
на другой и вообще только тень ключицы,
      головы склоненье.

Вот... и.., ... и...
получились лучше, и, Сафе вторя,
я к богам их причислить готов. Счастливцы!
      На одно мгновенье

вместо них бы мне оказаться рядом
и глядеть на Вас ошалелым, взглядом,
вместо них наяву слышать смех Ваш славный,
      замерев от счастья.

Вам же с ними, гадами, интересней!..
Самому мне уж тошно от этой песни:
«Дай да дай!» — ну а Вам, мой свет, и подавно...
      Ну так дай — и баста!!

* * *

Ошеломлен и опешен,
словно хвастливый Фарлаф,
жалок, взбешен и потешен —
в точности пушкинский граф.

Глупой Каштанкой рванулся,
голос заслышав родной.
Видимо, я обманулся,
мне не добраться домой!

С этой тоской безответной,
как Тогенбург я точь-в-точь.
Как титулярный советник,
пить собираюсь всю ночь.

* * *

Потоскуй же хоть чуть-чуть,
поскучай же хоть немного,
Христа ради, ради Бога,
хоть чуть-чуть моею будь!

Ради красного словца,
красного, как бинт, Наташа!
Ну пускай не до конца —
будь моею, стань же нашей!

Хоть на чуточку побудь,
на мизинчик, ноготочек!..
За двусмысленность, дружочек,
не сердись, не обессудь.

МАРГИНАЛИИ

С Афродитою Ураньей
не был я знаком заране.
Я всегда служил открыто
Афродите общепита.

Но тебе благодаря
днесь ее оставил я.
Познакомлен я тобою
с Афродитой гробовою.

III

ЗАЯВКА НА ИССЛЕДОВАНИЕ

Когда б Петрарке юная Лаура
взяла б да неожиданно дала —
что потеряла б, что приобрела
история твоей литературы?

Иль Беатриче, покорясь натуре,
на плечи Данту ноги б вознесла —
какой бы этим вклад она внесла
в сокровищницу мировой культуры?

Или, в последний миг за край хитона
ее схватив на роковой скале,
Фаон бы Сафо распластал во мгле —

могли бы мы благодарить Фаона?
Ведь интересно? Так давай вдвоем
мы опытным путем ответ найдем!

ВЕНЕЦИЯ

Как здесь красиво было бы с тобой!
Как интересно, Таша, и забавно
плыть по каналам этим достославным,
как дожу с догарессой молодой.

Как вкусно было б красное вино,
как хороша на площади полночной
была бы эта музыка, как точно
совпало б все! Но нам не суждено,

но мне не суждено с тобою вместе
обозревать одну и ту же местность.
А почему уж — я не знаю сам.

И все вокруг постыло и известно.
Я, как слепой, мотаюсь здесь и там,
дивясь твоим, Наташка, красотам.

* * *

Твоя протестантская этика
с моею поганой эстетикой
(поганою в смысле языческой)
расходятся катастрофически!

Историко-экономически,
согласно теориям Вебера,
твое поведенье нелепое
вполне прогрессивно, отличница.

Но вот в отношеньях межличностных,
но в сфере любовного пыла
безумства мои предпочтительней! —
Эх ты, немчура моя милая!

* * *

Сей поцелуй, ворованный у Вас,
мучительно мне вспоминать сейчас.

Настанет ночь. Одно изнеможенье.
Но ведаю — мне будет наслажденье.

Ты вновь придешь. Ко всем твоим устам
прильну губами, волю дам губам.

И ты сама прильнешь ко мне, нагая,
в медлительных восторгах изнывая.

И плоть моя твою раздвинет плоть
и внидет в глубь желанную, и вот

проснусь я в миг последних содроганий,
тьму оглашая злобным матюганьем.

* * *

Все говорит мне о тебе — закат,
вершины Альп багрянцем озаривший,
и Моцарт, в птичьем гаме просквозивший,
и ветр ночной, и шепоты дриад.

И хохоты греховные, и взгляд
попутчицы, нарочно стан склонившей,
и декольте ее, и даже лифчик,
представь себе, о том же говорят!

И книги все посвящены тому же!
Ну, ладно я, вздыхатель неуклюжий,
бубнящий о тебе уж скоро год,

но ведь не весь же мир! Какой-то ужас!
Филипп Киркоров, милая, и тот
лишь о тебе танцует и поет!

* * *

Дано мне тело. На́ хрен мне оно,
коль твоего мне тела не дано?

Коль мне нельзя использовать его
для ублаженья тела твоего?

Зачем оно, угрюмое, в ночи
ворочается, мучится, торчит?

Зачем, как ртуть, густа дурная кровь?
Ах, лучше б быть из племени духо́в!

Я б дуновеньем легким в тот же миг
за пазуху и под подол проник!

* * *

Черный ворон, что ж ты вьешься
по-над Ледою нагой?
Ты добычи не добьешься,
Леде надобен другой.

Лебедь тешится и тешит,
белоснежным пухом льнет,
деву млеющую нежит.
Что ж ты каркаешь, урод?

Ты чернее черной ночи,
полюбуйся на себя!
Что же ты свой клюв порочный
тычешь в девушку, сопя?

Что ж ты когти распускаешь,
в мертвой мечешься петле,
на девчонку налагаешь
непроглядные криле?

Вран зловещий, враг заклятый,
вор полнощный, улетай!
Кыш отсюда, хрен пернатый!
Нашу детку не пугай!

ВЕЛИКОРОССКАЯ ПЕСНЯ

Не брани меня, родная,
что я так люблю тебя,
скучно, страшно, дорогая,
жить на свете не любя.

А кого любить прикажешь
в нашей темной стороне?
Кто ж тебя милей и краше,
сексапильней и смуглей?

Не брани же, не серчай же,
не динамь меня, мой свет!

Приезжай ко мне сейчас же,
я ведь жду уж тридцать лет!

Жду-пожду, молюсь и сохну.
Ах, Натальюшка, когда ж?
Я ведь так и вправду сдохну.
Пожалей меня, Наташ.

ПОПЫТКА ШАНТАЖА

И Пушкин мой, и Баратынский твой
стоят, волнуясь, за моей спиной.

Твое жестокосердие кляня,
они переживают за меня.

Пойми же ты, филолог милый мой,
в моем лице идет в последний бой

Российская поэзия сама —
мы с ней должны свести тебя с ума.

Ведь если уж и тут ей битой быть,
нам с ней придется лавочку прикрыть.

Не я один — весь Мандельштамов лес
идет-гудет: Не будь ты, как Дантес!

Не стыдно ли стоять в таком строю?
Переходи на сторону мою!

И этот поединок роковой
братаньем мы закончим, ангел мой!

Внемли ж: Российска поэзйя хором
к тебе взывает жалобно — «Аврора!»

* * *

Желаний пылких нетерпенье,
по твоему, мой друг, хотенью,
мы сдерживали круглый год.
Зачем — сам черт не разберет!

С ИТАЛЬЯНСКОГО

В левом боку нытье.
Нечего мне сказать.
Жизнь прошла, у нее
были твои глаза.

Что, блаженство мое?
Поздно уже назад.
Смерть идет. У нее
глазки чуть-чуть косят.

IV

* * *

Христос воскрес, моя Наташа!
Воскрес Он, судя по всему,
ведь даже отношенья наши
есть подтверждение тому.

Поскольку как бы я ни злился,
ни чертыхался как бы я,

467

ты — то, о чем всегда молился
я в тесноте житья-бытья.

Ты — то, чем можно защититься
от нежити небытия,
во всяком случае, частица
того, чего душа моя

с младенчества искала, Таша,
чему я клялся послужить.
Ты доказательство, и даже
теодицея, может быть.

* * *

Ты — обожаемая, я — осатанелый.
Ты молода, а я — почти старик.
Ты созерцаешь смыслы мудрых книг,
я шастаю без смысла и без дела.

Ты — вешний цвет, а я — пенек замшелый,
ты так строга, а я — увы — привык
дни проводить средь праздных забулдыг
и потакать балованному телу.

Ты — воплощенье чистоты несмелой,
на мне ж и пробы ставить места нет...
Чтоб перечислить это все, мой свет,
антонимов словарь потребен целый...

А в довершенье всех обид и бед
ты — женщина, а я, Наташка, нет.

ВО ВРЕМЯ ССОРЫ

Был бы я чуть-чуть моложе
            и с другою рожей,
я б с тобой, такой хорошей,
            поступил негоже —

поматросил бы и бросил —
            так тебе и надо! —
чтобы ты узнала, Ната,
            эти муки ада,

коими палим всечасно
            бедный я, несчастный,
чтобы ты, мой ангел ясный,
            плакала напрасно!

Чтоб ты плакала-рыдала,
            рученьки ломала
и меня бы умоляла,
            гордого нахала.

Так бы я тебя помучил
            минимум часочек,
а потом бы, друг мой лучший,
            славный мой дружочек,

я бы так тебя утешил —
            на всю жизнь, не меньше!
Каждый Божий день — не реже,
            нежно и прилежно!

ЖЕСТОКИЙ РОМАНС

То, что кончилась жизнь, — это ладно!
Это, в общем, нормально, мой свет.
Ведь не с нею, с тобой, ненаглядной,
расставаться мне моченьки нет!

Жизнь закончена — ну и спасибо!
Я и этого не заслужил!
Но с тобою, такою красивой,
распрощаться и вправду нет сил!

И поскольку ты с ней нераздельна,
с исчерпавшейся жизнью пустой,
буду длить я ее беспредельно,
чтоб навеки остаться с тобой.

ЗАПРОС

Ответь, моя хорошая,
скажи, моя отличная,
я удовлетворителен
или совсем уж плох?

Я прусь, как гость непрошеный.
Уж очень мне приспичило,
уж очень удивительно
тебя придумал Бог!

Уж очень ты прекрасная,
уж очень ты насущная,
моя необходимая,
искомая моя!

Не выйдет — дело ясное.
Вообще — безумье сущее...
Скажи же мне, родимая,
ты любишь ли меня?

ДРАЗНИЛКА

Сюсеньки-пусеньки, сисеньки-писеньки,
      сладкая детка моя,
ластонька-рыбонька, лисонька-кисонька,
      надо же — смысл бытия!

Зоренька ясная, звездонька светлая,
      смертонька злая моя,
боль беспросветная, страсть несусветная,
      надо же — любит меня!

* * *

Делия! Ты упрекаешь меня, горемыку,
в том, что бессмысленны речи мои,
безыскусны и однообразны.

Что ж, справедливо.
Действительно, смысла в них мало,
разнообразия тоже немного,
изящества нету.

Но ты подумай своей головою красивой —
взяться откуда б
интеллектуальному блеску?

Как тебе кажется — мог бы Катулл состязаться
с самым последним из риторов,
Лесбию видя?

Мог бы спокойно он с ней обсуждать
красоту и величье
песен Омира иль Сапфо?
А? Как ты считаешь?

То-то же! Если ж учесть, что Катулл-то
был по сравненью со мною
счастливцем беспечным —
вон сколько счесть поцелуев он смог без труда!

Ну, а нам бы хватило
пальцев десницы с лихвой!

Как же мне не беситься?

* * *

Гандлевского цитировать в слезах —
«Умру — полюбите», пугать ночных прохожих
озлобленным отчаяньем в глазах
и перекошенной, давно небритой рожей —
как это скучно, Ташенька...

* * *

Вот, полюбуйся — господин в летах,
к тому ж в минуты мира роковые
не за Отчизну ощущает страх,
мусолит он вопросы половые!

Трещит по швам и рушится во прах
привычный мир, выносятся святые.
А наш побитый молью вертопрах
все вспоминает груди молодые,

уста и очи Делии своей.
Противно и смешно. — Но ей-же-ей,
есть, Таша, точка зрения, — с которой
предстанет не таким уж пошлым вздором
наш случай — катаклизмов всех важней
окажется любовь, коль взглянешь строго
на это дело с точки зренья Бога.

ПЛАТОНИЗМ

> *...Ты мыслишь обмануть любовь.*
> А. С. Пушкин

Этот брак заключается на небесах.
Да, наверно, давно заключён.
На седьмых небесах, отряхая наш прах,
торжествуя, блаженствует он.

И по слову Платона с идеей моей
там идея Наташки слилась,
андрогином счастливым мы катимся с ней,
идеально друг с дружкой слепясь.

Но внизу, на земле, тут не то чтобы брак,
тут и встретиться нам не дано.
Отчего, в самом деле, Наташечка, так —
тут другое, а там мы одно?

V

К Н. Н.

1

Посмотри, мой любезный, мой нежный друг,
       каково вокруг —
Слишком запах затхл, слишком выцвел цвет,
       слишком мерзок звук.
Слишком смутен смысл, слишком явен бред.
       На исходе лет
что-то стал мне страшен, Наташа, вдруг
       с миром тет-а-тет.

Слишком этим мне кажется этот свет.
       Слишком прост ответ —
ах, дружочек, что там ни говори,
       тут мне места нет.
Тут, под сенью клюкв, в этих попурри
       тонет наш дуэт.

2

А в придачу к этому, вот смотри,
       каково внутри —
у меня, к сожаленью, Наташа, там,
       как тебе ни ври,
как себе ни ври, никакой не храм,
       а бардак и хлам
и похабные кадры из «Bad girls — 3»,
       подростковый срам.

Там бывает, ангел мой, по ночам
       жарко всем чертям!

Самому мне жутко и тошно аж —
        форменный бедлам.
Ложь и злость, Наташенька, раж и блажь,
        тарарам и гам.

3

Вот таков и пребудет таким, Наташ,
        данный нам пейзаж,
и таков же, не лучше ничуть, слуга
        непокорный ваш.
Вот и вся, Наташенька, недолга —
        звук и знак слагать,
заговаривать похоть, глушить мандраж,
        без зазренья лгать.

Этих строк бесчисленных мелюзга,
        этих букв лузга,
чем еще прикажешь, Наташа, крыть?
        Нечем ни фига.
И по этим причинам-то, может быть,
        так ты дорога.

4

И по этим причинам нельзя забыть
        весь твой внешний вид,
весь твой смысл, и запах, и цвет, и вкус
        не избыть, не смыть.
И поэтому снова я льщусь и тщусь,
        матерюсь и злюсь,
и едва различимую эту нить
        оборвать боюсь.

Ах, под сенью мирных и строгих муз
        наш с тобой союз
как прекрасен был бы. Но нет его —
        вот ведь в чем конфуз.
Впрочем, ладно. Чего уж там. Ничего.
        Я привык, Натусь.

5

Нету, Ната, практически ничего,
        кроме одного,
кроме счастья и, ты уж прости, беды,
        только и всего.
Только сердце екнуло с высоты —
        Что же ты? Эх, ты!
Сообщенья бедного моего
        не считала ты.

И средь хладной и вечной сей пустоты,
        млечной немоты
сам не свой я давно уже, весь я твой.
        Мне вообще кранты!
До чего же надо мне быть с тобой —
        если б знала ты!

6

Ах, когда бы, дружок невозможный мой,
        ты была б со мной,
я бы так бы, Наташенька, был бы жив,
        как никто другой!
Знаю я, сослагательный сей мотив
        скучен и плаксив,
и смешон лирический сей герой,
        как сентябрь, плешив,

как вареник ленив, как Фарлаф хвастлив.
   Сих страстей надрыв
так претит тебе, Ташенька. Я молчу,
   губы закусив.
Я стараюсь. Но так я тебя хочу —
   неизбежен срыв.

7

Рецидив неизбежен. И я опять
   на себя пенять
буду вынужден, Ташенька, потому,
   что опять пугать
я начну тебя, девочка. Твоему
   не понять уму
и сердечку робкому не понять
   эту муть и тьму.

Иногда непонятно мне самому,
   все же почему
я с такою силой к тебе прильнул.
   Не малыш Амур —
посерьезней кто-то в меня стрельнул,
   судя по всему!

8

Виртуально блаженство мое, Натуль,
   и ночей разгул.
Виртуальна ты. Актуален страх.
   Что-то чересчур,
что-то здесь, мой маленький друг, не так!
   Слишком мрачен мрак,
слишком явен бред, слишком слышен гул,
   слишком близко враг.

Поцелуй меня, Таша. И рядом ляг.
     Это все пустяк.
Это просто так, ты не злись, пойми!
     Просто я дурак.
Просто я почти исчерпал лимит —
     без тебя никак!

9

Просто вспомни вешние те холмы,
     где стояли мы,
где стоял я, лох, пред твоим лицом,
     собираясь взмыть
в эмпиреи. Давай же с тобой вдвоем
     поминать о том.
Сбереги меня, ангел, к себе возьми.
     Посети мой дом.

Я тебе пригожусь. Ты поймешь потом
     оным светлым днем,
ты поймешь и простишь мне, ведь правда, Таш?
     Станет нипочем,
что вокруг такой вот как есть пейзаж,
     а внутри вдвоем
мы подправим, подчистим и ложь, и блажь.
     Эй, ты где? Пойдем!

Эй, пожалуйста! Где ты, мой ясный свет?..
     А тебя и нет.

Москва – Готланд – Москва – Вена –
Линц – Москва – Лана – Венеция – Москва

Конец

Юбилей лирического героя

2000

По прочтении альманаха «Россия—Russia»

* * *

Только вымолвишь слово «Россия»,
а тем более «Русь» — и в башку
тотчас пошлости лезут такие,
враки, глупости столь прописные,
и такую наводят тоску

графа Нулина вздорное чванство,
Хомякова небритая спесь,
барство дикое и мессианство —
тут как тут. Завсегда они здесь.

И еврейский вопрос, и ответы
зачастую еврейские тож,
дурь да придурь возводят наветы,
оппонируют наглость и ложь!

То Белинский гвоздит Фейербахом,
то Опискин Христом костерит!

481

Мчится с гиканьем, лжется с размахом,
постепенно теряется стыд.

Русь-Россия! От сих коннотаций
нам с тобою уже не сбежать.
Не РФ же тебе называться!
Как же звать? И куда ж тебя звать?

* * *

Блоку жена.
Исаковскому мать.
И Долматовскому мать.
Мне как прикажешь тебя называть?
Бабушкой? Нет, ни хрена.

Тещей скорей. Малохольный зятек,
приноровиться я так и не смог
к норову, крову, нутру твоему
и до сих пор не пойму, что к чему.
Непостижимо уму.

Ошеломлен я ухваткой твоей,
ширью морей разливанных и щей,
глубью заплывших, залитых очей,
высью дебелых грудей.

Мелет Емелька, да Стенька дурит,
Мара да хмара на нарах храпит
Чара визжит-верещит.

Чарочка — чок, да дубинушка — хрясь!
Днесь поминаем, что пили вчерась,
что учудили надысь.
Ась, да авось, да окстись.

Что мне в тебе? Ни аза, ни шиша.
Только вот дочка твоя хороша,
не по хоро́шу мила.
В Блока, наверно, пошла.

* * *

Дай ответ!! Не дает ответа.
А писатель ответы дает.
И вопросов он даже не ждет.
Так и так, мол! А толку все нету.

А писатель все пишет и пишет,
никаких он вопросов не слышит,
никаким он ответам не внемлет,
духом выспренним Русь он объемлет.
И глаголет, глаза закативши,
с каждым веком все круче и выше.

И потоками мутных пророчеств
заливает он, матушку-почву.
Так и так, мол. Иначе никак.
Накричавшись, уходит в кабак.

Постепенно родная землица
пропитается, заколосится,
и пожнет наконец он ответ —
свой же собственный ужас и бред.

* * *

        ...Свобода
приходит никакая не нагая —
в дешевых шмотках с оптового рынка,
с косметикою блядскою на лике
и с песней группы «Стрелки» на устах.

Иная, лучшая — не в этой жизни, парень.
И все-таки — свобода есть свобода,
как Всеволод Некрасов написал.

* * *

Ну, была бы ты, что ли, поменьше,
не такой вот вселенской квашней,
не такой вот лоханью безбрежной,
беспредел бы умерила свой —

чтоб я мог пожалеть тебя, чтобы
дал я отповедь клеветникам,
грудью встал, прикрывая стыдобу,
неприглядный родительский срам!

Но настолько ты, тетка, громадна,
так ты, баба, раскинулась вширь,
так просторы твои неоглядны,
так нагляден родимый пустырь,

так вольготно меж трех океанов
развалилась ты, матушка-пьянь,
что жалеть тебя глупо и странно,
а любить... да люблю я, отстань.

Sfiga

Небо Италии, небо Торквато,
прах поэтический древнего Рима...
                        Е. А. Боратынский

ОБРАЗЫ ИТАЛИИ

Кипарис фалличен.
Пальма — вагинальна.
Пиний линии красивы
и бисексуальны.

Я брожу в лесу симво́лов.
Ржу, как мерин сивый.
А ведь я уже немолод,
я ж певец России!

Пресловутый столп Траяна
тоже символичен.
Обелиск торчит в фонтане!
А уж дупла у платанов
просто неприличны.

Сублимируй, сублимируй.
сколько ж можно, донна?
А по вешнему по миру —
тыры-пыры во все дыры —
шум гудет зеленый!

А по вешнему по Риму
так весомо, грубо, зримо
половая жизнь повсюду
дразнится, паскуда!

Это все пример ярчайший
истины известной —

надо нам встречаться чаще,
чтобы быть безгрешней!

Я хожу-брожу понуро,
усмехаюсь горько.
В дверь гони — пролезет в фортку
матушка-натура!

Сублимируючи столько
охренеть недолго!
Шаг один от платонизма
к пансексуализму!

Вот ведь не было печали —
черти накачали!
Вот ведь не было проблемы —
бес в ребро и семя в темя
ударяют скопом!
Божий мир сплошным секс-шопом
кажется в отчаяньи!

Надо, надо нам встречаться
по утрам и вечерам,
целоваться, миловаться,
а отнюдь не разлучаться
надо, Таша, нам!

* * *

Перцепция с дискурсом расплевались —
она его считает импотентом,
а он ее безмозглой блядью. Что ж,
она и впрямь не очень-то умна,
а у него проблемы с этим делом.
Все правильно. Но мне-то каково?

* * *

Рим совпал с представленьем о Риме,
что нечасто бывает со мной.
Даже ярче чуть-чуть и ранимей
по сравненью с моею тоской.

Поэтический прах попирая
средиземного града сего,
не могу описать, дорогая,
мне не хочется врать про него.

Тыщи лет он уже обходился
без меня, обойдется и впредь.
Я почти говорить разучился,
научился любить и глазеть.

В полудетском и хрупком величьи
Рим позирует мне, но прости —
он не литературогеничен.
Как и вся эта жизнь. Как и ты.

ПАРАФРАЗИС ВТОРЫЯ ПЕСНИ
ИЗ КИНОФИЛЬМА «ДЕВЧАТА»

Старый лавр,
старый лавр,
ветхий лавр щекочет плешь.
Сам себе я это все накаркал.
Отчего,
отчего,
отчего-то нас промеж
холодно, а промеж ног так жарко-жарко.

Звездопад,
листопад,

снегопад прошли уже.
Уж летейской мутью дышит небо.
Отчего,
отчего,
от кого же на душе
так паршиво, Таша, и нелепо?

Мутота,
теснота,
пустота и некомплект...
Может, я тебя увижу в среду?..
Отчего,
отчего,
отчего недвижим плектр?
Оттого, что кто-то кинул кифареда!

* * *

Как Блок жену свою — О Русь! —
так я тебя, Натусь,
зову Италией своей,
поскольку в нежности твоей
никак не разберусь!

Так далека ты и чудна.
как эта чудная страна,
и так же баснословна
и, в сущности, условна,
красот неведомых полна,
и мне ты не жена!

P. S. И все ж, Авзония моя,
люби меня, как я тебя!

P. P. S. Эх, быть бы мне, Наталья,
в тебе, а не в Италии!

САЛЬЕРИАНСКОЕ

Вот бы стать бы журналистом,
славным колумнистом,
или на худой конец
просто эссеистом,

и в полемике журнальной
расплодиться бы нахально,
олухов мороча!
Ведь по матушке Рассеи
всяк теперь строчит эссеи,
всяка тварь пророчит!

Знал бы прикуп — жил бы в Сочи.
Но, пускаясь на дебют,
я не знал, что эти строчки,
эти с рифмами листочки
так жестоко бьют

по мордасам, по карману
и, что вовсе уж погано,
рикошетом по роману,
по любви святой.

Ой-ё-ё-ё-ёй!

ИЗ ГЕЙНЕ

Она так старалась его полюбить,
так долго и честно старалась.
Но он помешал ей. Хотя, может быть,
совсем уж чуть-чуть оставалось.

И он постарался ее позабыть,
он так оголтело старался.

Она помешала ему. Может быть,
в живых потому он остался...

Они еще встретятся в мире ином,
в каком уж конкретно, не знаю.
«Мой милый, каким же ты был дураком!» —
«Сама ты, мой ангел, такая!»

* * *

Так мила ты, и так ты забавна,
так тепла ты и к сердцу близка,
как лисеночек тот достославный
на груди у того паренька.

Только я не спартанский, не мальчик,
уж скорее афинский старик,
оттого все противней и жальче
этот не лаконический крик.

* * *

В заботе сладостно-туманной
не час, не день, не год уйдет...
А с предугаданной, с желанной
покров последний не падет.

Е. А. Боратынский

Не час, не день, не год.... А сколько — два?
А может, полтора, Наташ?.. Ну ладно.
Ты как всегда конечно же права.
Но правота твоя так безотрадна!

Когда бы ты, когда б в руках моих...
Эх, горюшко, ох, страсти-то какие!

Ну вот он я — уже почти что псих,
любви приметы вспомнивший впервые.

Кто ж Галатея? Кто Пигмалион?
И кто кого безжалостно ваяет?
Что ж означает сей счастливый сон?
Сей дивный сон о чем предупреждает?

Чтоб он ни значил — не буди меня!
Продлись, продлись, блаженство летаргии!
Ни год, ни два, ни в жизнь не изменяй
судьбы моей!.. Ох, страсти-то какие.

VILLA PAMPHILI

Солнышко греет плешивое темечко.
Парочки жмутся, куда ни взгляни.
Охи и чмоки на каждой скамеечке.
Как же мне осточертели они!

Что вытворяют! Католики, тоже мне!
Савонарола не зря их клеймил.
Вон синьорина под пальмой разложена.
Жадно припал к ней какой-то дебил.

Злобно я щурю глаза завидущие
и, словно перст одинокий, торчу,
глядя, как руки шалят загребущие,
шарят повсюду. Я тоже хочу.

Эту привычку к лобзаньям и петтингу
нам бы не худо с тобой перенять!...
Сердце скрепя, возвращаюсь я, бедненький,
в келью постылую письма писать.

* * *

С тобою, как с бессмертными стихами, —
ни выпить, ни поцеловать!
Ни дать, ни взять.... Смотри ж, земля под нами
плодоносить готовится опять!

Смотри же — меж недвижными звездами
мерцающий стремится огонек
с авиапочтой, может, со словами
моими о тебе. И видит Бог,

как мы с тобой, Им созданные, чтобы
в обнимку спать в ночи блаженной сей,
ворочаемся и томимся оба
в постели жаркой, каждый во своей.

Смотри же, как красиво в этом мире,
как до сих пор еще красиво в нем!
Не оставляй меня! На сем прощальном пире
предписано нам возлежать вдвоем!

Смотри, любимая, — пока еще, как древле,
средь мировой позорной чепухи
висят созвездья, высятся деревья
и смертные, как человек, стихи!

ВЗГЛЯД ИЗ 1975 ГОДА

Что ж ты, дяденька, Бога гневишь?
Сам под небом Торквато лежишь,
грудь седую и вялое брюшко
греешь на итальянской опушке,

куришь вкусный голландский табак,
ночью ходишь в заморский кабак,

и, совсем как в ремарковой книжке,
цедишь граппу, и бренди, и виски

и с печальной улыбкой глядишь,
как блондиночка тянет гашиш,

нос воротишь от тоника с джином,
настоящие штатские джинсы
носишь. Господи Боже ты мой,
не какой-нибудь «Милтонс» дрянной!

Взять тебя, старикашку и врушку,
обрядить бы в кирзу и хэбушку,
сверху противогаз с ОЗК
да на плац пошугать бы слегка,

чтоб свободу любить научился
и со скорбью своей не носился!
Отчего это ты так устал?
Вон ведь книжек-то сколько издал!

И что вовсе уж мне непонятно,
ненормально и невероятно,
но ведь женщины любят тебя!!

Что́ «не все»? Ну ты, дядя, свинья!

Юбилей лирического героя

* * *

Еще как патриарх не древен я, но все же
в час утренний глядеть на собственную рожу
день ото дня тоскливей и тошней.
И хоть еще осталось много дней,
в два раза больше позади осталось.

И что же? Где она, блаженная усталость,
и умудренность где? Где-где — в узде,
которой взнуздан я мирскими суетами —
тщеславьем, леностью, а паче словесами
хитросплетенными, игрою роковой
фонем бессмысленных с нагрузкой смысловой,

и возбешеньем блудным (друг-хохол
такую дефиницию нашел
для страсти нежной, коей мучим я).
Все жду чего-то. Не старей меня
был твой певец пиров и финских скал,
когда в отчайньи сумрачном писал
про лысины бессилия. А я,
плешивей становясь день ото дня,
не знаю угомону. Сорок пять.
Пора, мой друг. Но хочется опять.
Шкодлив, как кошка, и труслив, как заяц,
все поджидаю дедушку Мазая.
А воды прибывают и шумят,
и намочить мне лапки норовят.

И вот февраль. Достать чернил и паркер,
подаренный тобой, заправив, выпив чарку-
другую итальянского вина,

494

писать себе с утра и до темна,
себе писать с темна и до утра:
«Пора, мой друг, действительно пора.
Успехов в личной жизни, милый мой.
Ну, будь здоров, лирический герой!
Геройствуй помаленечку, дружок,
и с Божьей помощью мы свой отбудем срок».

* * *

С новым годом! С новым счастьем!
Занесенный злым ненастьем,
ошалев в степи мирской,
разлучаюсь я с тобой!

Разлучаюсь я тобою,
с первозданною мечтою.
А ведь та мечта была
мне, как ворону крыла.

А ведь та мечта томила
душу мне нездешней силой,
А потом к тебе свелась
и почти уже сбылась.

Да не тут-то, видно, было!
Мне терпенья не хватило.
Было, было — да не тут!
Бьют часы. Всему капут.

Так над Ледой безучастной
каркнул ворон — с новым счастьем!
Каркнул ворон — пожалей,
приюти и обогрей.

Этой песнью лебединой
не прельстился слух невинный.
Тяжек старческий полет.
Здравствуй, полночь, Новый год!

Черный голос. Белый волос.
Ждет серпа набрякший колос.

* * *

На слабо́ меня взяв, как салагу,
наконец отыгравшись за все,
жизнь отходит с улыбочкой наглой.
Ладно-ладно, посмотрим еще!

Мы посмотрим еще, поглазеем!
Как соко́л я — не дать и не взять.
Подавись ты всем, что я имею!
Благодарность попробуй отнять!

* * *

Не ершись, не петушись,
не собачься с веком,
волком не смотри на жизнь,
будь ты человеком!

Что набычился опять?
Не брыкайся, кляча!
А иначе не видать
нежностей телячьих!

* * *

То смерть наступает мгновенно,
то в контрнаступление жизнь
пускается столь дерзновенно,
что снова противник бежит.

И гибель уходит в подполье,
и строит там козни свои,
в доверье втирается подло
под видом, к примеру, любви.

Смотрю я большими глазами,
чтоб что-нибудь предусмотреть.
Но жизнь наступает внезапно.
И вновь продолжается смерть.

* * *

Не хочу умирать — и не буду!
Накось, выкусь! Нашло дурака!
А пошло бы ты на хрен отсюда,
ты мне, падло, давно не указ.

Кроме шуток — не буду и точка!
Ишь какое — само помирай!
На тебя ли Наташку и дочку
я оставлю, вселенская мразь?

И не надо пугать меня, хватит!
Голым задом ежа не спугнешь.
Что-то стало ты, чмо, глуповато.
все скучней твоя ветхая ложь.

Только этого мне не хватало —
умереть ни с того ни с сего!
Эй, ничтожество, где твое жало?
Знать, напало ты не на того.

Князь ли мира сего ты, Отец ли
всякой лжи — а по мне, ты говно!
И надежнее всех дезинфекций
галилейское это вино,

что текло по усам, не попало
в искривленный ухмылкою рот.
Но и этого хватит, пожалуй.
Не умру. И никто не умрет.

* * *

Если баба в сорок пять
ягодка опять,
то, наверно, мужичок
снова дурачок.

Дурачина, простофиля,
попросту балда.
Ну и не беда!

* * *

Российские поэты
разделились
на две неравных группы —
большинство
убежденно, что рифма «обуян»
и «Франсуа» ошибочна, что надо
ее подправить — «Жан» иль «Антуан»....

Иван.
Болван.
Стакан.
И хулиган.

ЦИНИЧЕСКОЕ

Пушкину — двести.
Набокову — сто.
Бродскому — за шестьдесят.
И Айзенбергу уже пятьдесят.
Я намекаю на что?

Я намекаю на счет
того, что сравнительно я молоденек,
ладно уж, если не девок, так денег
мне бы побольше еще!

* * *

Большое спасибо, Создатель,
что вплоть до последнего дня
и праздным, и дураковатым
еще сохраняешь меня,

что средь сериозных и пышных,
и важных, и тяжких, как грех,
еще, никудышный и лишний,
не в силах я сдерживать смех,

что ты позволяешь мне шляться,
прогуливать и привирать,
играться, и с толку сбиваться,
а может быть, даже сбивать,

за то, что любили, жалели
меня ни за что ни про что,
пускали в дома и постели,
сажали за праздничный стол!

Отдельное также спасибо
за ту, что не любит еще,
но так уж светла и красива,
что мне без того хорошо.

За легкую, легкую лиру,
за легкость мою на подъем,
и что не с прогорклого жиру
бешусь я на пире Твоем!

Спасибо за мозг и за фаллос,
за ухо, и горло, и нос,
за то, что так много досталось,
и как-то само утряслось,

что не по грехам моим судишь,
а по милосердью Твому,
и вновь беспроцентную ссуду
вручаешь незнамо кому,

что смотришь сквозь пальцы на это,
что Ты не зануда и жмот,
и не призываешь к ответу
за каждый насущный ломоть!

Что свет загорается утром
и светит в течение дня,
и что, как Макаренко, мудро
доверьем ты учишь меня,

что праздность мою наполняешь
своим драгоценным вином
и щедрой рукой подливаешь,
скрывая скудельное дно.

Коль все мое дело — потеха,
не грех побездельничать час!
За то, что всегда мне до смеха
до слез из распахнутых глаз!

Что бисер мечу торовато,
что резвая Муза сия,
прости уж, Господь, глуповата,
ленива, смешлива, как я!

Пускай уж филолог Наташка
пеняет на то, что пусты
и так легковесны бумажки
с моими словами, но Ты,

но Ты-то ведь знаешь, конечно,
ты ведаешь, что я творю.
За всю мою нищую нежность
покорнейше благодарю!

За бережность и за небрежность,
за вежливость с тварью Твоей,
удачливость и безуспешность
непыльных трудов и ночей!

Спасибо. И Ты уж прости мне,
что толком не верую я,
что тостом дурацким, не гимном
опять славословлю Тебя!

Так выпьем по первой за астры,
нальем по второй — за исход,
по третьей наполним, и баста,
ведь троицу любит Господь!

Так выпьем за *нашу* победу,
как в фильме советский шпион,
за то, чтобы все я разведал
и вовремя смылся, как он.

Содержание

Тимур из пушкинской команды. *Андрей Немзер* 5

СКВОЗЬ ПРОЩАЛЬНЫЕ СЛЕЗЫ (1987)

Вступление 31
Глава I 34
Глава II 38
Глава III 43
Глава IV 44
Лирическая интермедия 50
Глава V 54
Эпилог 59

СТИХИ О ЛЮБВИ (1988)

Эклога 63
Баллада о деве белого плеса 64

Романсы Черемушкинского района

«О доблести, о подвигах, о славе...» 69
«Ух, какая зима!..» 70
Баллада о солнечном ливне 71

Романсы Черемушкинского района

«Под пение сестер Лисициан...» 73
«Лифт проехал за стенкою где-то...» 74
Баллада об Андрюше Петрове 76

Романсы Черемушкинского района

«Ай-я-яй, шелковистая шерстка...» 79
Элеонора 81
Эклога 95

САНТИМЕНТЫ (1989)

Вместо эпиграфа. *Из Джона Шэйда* 99
Мише Айзенбергу. *Эпистола о стихотворстве* 100

Эпитафии бабушкиному двору
«Ты от бега и снега налипшего взмок...» 105
Русская песня. *Пролог* 106

Эпитафии бабушкиному двору
«Но вот уже в боты набравши воды...» 109
К вопросу о романтизме 110
Русская песня 115

Эпитафии бабушкиному двору
«Распахнута дверь...» 122

Воскресенье 123

Эпитафии бабушкиному двору
«Дождь не идет, а стоит на дворе...» 131

ПОСЛАНИЕ ЛЕНКЕ И ДРУГИЕ СОЧИНЕНИЯ (1990)

Сереже Гандлевскому. *О некоторых аспектах нынешней социокультурной
    ситуации* 135
Усадьба 143

Из цикла «Младенчество»
«Майский жук прилетел...» 149
«Я горбушку хлеба натру чесноком...» 150
«Карбида вожделенного кусочки...» 151
«На коробке конфетной — Людмила...» 151
«Скоро все это предано будет...» 152

Послание Ленке 153

Вариации
Прогулка в окрестностях Одинцово. *Элегия* 158
Отрывок из ирои-комической поэмы «Рядовой Масич, или дембельский
    аккорд» 159
Переложение псалма 160
Песня из кинофильма «Филалет и Мелодор» 161
Романс 162

Идиллия. *Из Андрея Шенье* 162
«Как неразумное дитя...» 163

Денису Новикову. *Заговор* 163
Литературная секция 169

СОРТИРЫ (1991) 177

ПАРАФРАЗИС (1992–1996)

От автора 214
Игорю Померанцеву. *Летние размышления о судьбах изящной словесности* . . 216

Из цикла «Памяти Державина»

Парафразис 226
«Столь светлая — аж золотая...» 230
«Отцвела-цвела черемуха-черемуха...» 231
«Не умничай, не важничай...» 231
«Слишком уж хочется жить...» 233
Вечернее размышление 234
«Чуть правее луны загорелась звезда...» 236
«Словно маньяк с косой неумолимой...» 238
Исторический романс 240
«Когда фонарь пристанционный...» 243
«На слова, по-моему, Кирсанова...» 244
«Меж тем отцвели хризантемы...» 245
«Читатель, прочти вот про это...» 247
«В окне такое солнце...» 248
Вокализ 249
Романс 251
«Осень настала. Холодно стало...» 252

Солнцедар 254

Из цикла «Памяти Державина»

«От благодарности и страха...» 265
«Да нет же! Со страхом, с упреком...» 266
«Наш лозунг — „А вы мне не тыкайте!"...» 269
«Чайник кипит. Телик гудит...» 269

«Видимо, можно и так...» 271
Русофобская песня 271
«Щекою прижавшись к шинели отца...» 272
«За все, за все...» 274
«Отцвела черемуха...» 274

Молитва 276
Колыбельная для Лены Борисовой 279
Двадцать сонетов к Саше Запоевой 284
История села Перхурова. *Компиляция* 295
Возвращение из Шилькова в Коньково. *Педагогическая поэма* ... 320

ИНТИМНАЯ ЛИРИКА (1997–1998)

От автора 333
Прелюдия 335
Амебейная композиция 336
«„Все мое“, — сказала скука...» 337
«Как на реках вавилонских...» 338
Расчет 339
Коллеге 340
Конспект 341
«Почему же, собственно, нельзя...» 342
Антологическое 343
«Мы говорим не ди́скурс, а диску́рс...» 343
«Что „симулякр“? От симулякра слышу...» 344
«О высоком и прекрасном...» 345
Романс 346
Tristia 347
«Боже, чего же им всем не хватало...» 348
Умничанье 349
Онтологическое 350
В творческой лаборатории 350
«Мир ловил, да не поймал...» 351
«См. выше, и выше, и выше...» 352
«Парфенову по НТВ внимая...» 353
20 лет спустя 354
«Даешь деконструкцию...» 356
«Зимний снег...» 357
«Когда я уйду...» 358

Макароническая рецензия на поэтический сборник 359
«Престарелый юнкер Шмидт...» 360
Список использованной литературы 361

УЛИЦА ОСТРОВИТЯНОВА *(1999)*

Памяти любимого стихотворения 365
«В общем жили мы неплохо...» 367
Крестьянин и змея 367
«Поэзия! — big fucking deal...» 368
Песнь Сольвейг 368
Табель 369
Деревня 370
Генезис 371
Декабрь 372
«Ум-па-па, у́м-па-па...» 372
«В вагоне ночном пассажиры сидят...» 373
«Объективности ради...» 374
«Хорошо Честертону — он в Англии жил...» 374
«Наша Таня громко плачет...» 375
«На реках вавилонских стонем...» 375
«А наша кликуша...» 376
Nota bene 376
Геронтологический диптих 377
Центон 377
Жалобы чурки 378
Старая песня о главном 379
«Не смотри телевизор...» 379
С Новым годом 380
Анатомическое 380
Переложение псалма 381
«Для того, чтоб узнать...» 381
«Хорошо бы сложить стихи...» 382
«Однажды зимней ночью...» 383
«Как Набоков и Байрон скитаться...» 384
На день рождения жены 385
«Хорошо бы...» 385
«Потешная зависть поэтов...» 386
«Вот смотрю я на молодежь...» 386

«Под собою почуяв страну...» 387
По прочтении «Красного колеса» 388
Подражание Некрасову Н. А. 388
Наркологическое 389
«Юноша бледный, в печать выходящий...» 390
Историософское 390
Подражание Некрасову В. Н. 391
С наступающим! 391
Историко-литературный триптих 392
Гендерное 394
«Здрасте пожалуйста...» 394
Постмодернистское 395
«...потому что я...» 396
Надпись на книге «Улица Островитянова» 396
Ibid 396

НОТАЦИИ *(1999)*

Инвентаризационный сонет 401
«Это конечно же не сочинения...» 402
Письмо Саше с острова Готланд 402
«Вот я гляжу из окошка на море...» 404
Бригантина 405
Песня из к/ф «С любимыми не расставайтесь» 405
Другу-филологу 406
«Все-таки лучше всего...» 407
Credo 407
«Какой это символ? — скажи мне, мудрец ...» 408
Кассация 408
Новости 409
«Разогнать бы все народы...» 410
Из Вальтера Скотта 410
«Вор и волк...» 411
«Против поэтов на этой странице...» 411
«Это надо ж — две лучшие трети...» 411
Из Зубницкого 412
Всесоюзная монархическая кинопремьера 413
«Ницше к женщине с плеткой пошел...» 414
«Курицын Слава дразнит меня в „Лит. обозе"...» 414

Ворона и козлы 415
Черновик ответа Ю. Ф. Гуголеву 416
«Море сверкает...» 417
«Пастернак наделен вечным детством...» 418
Признание 418
Кризис вышесреднего возраста 419
Из Сельмы Лагерлёф 419
«Кстати, еще о казарме...» 420
Философия и хореография 421
«Сэр Уилфред Айвенго, а не д'Артаньян...» 422
«Только детские книжки читать...» 422
«Кто за Петра I...» 423
«Лечь бы здесь на берегу...» 423
«Как напевно. Как плачевно...» 424
«Можно я все же скажу...» 424
«С этим рылом в этот ряд...» 425
«Что ты смысла все взыскуешь...» 426
«Зэка старого завет...» 426
За чтением «Нового литературного обозрения» 427
Лимерик 427
«С темным брюхом, с белым верхом...» 427
«Когда ты услышишь призывы „Давай!"...» 428
Сослагательное 428
«Если долго не курить...» 429
«От Феллини — до Тарантино...» 429
P. S. 430
«Может, вообще ограничиться только цитатами...» 430
«Ну не так уж все и хорошо...» 430
Ответ Ю. Ф. Гуголеву 431

AMOUR, EXIL... (1999)

«Ну, началось! Это что же такое...» 445
Неаполитанская песня 447
«Прости. Я пока что не знаю за что...» 447
«С блаженной улыбкой...» 447
Из Лермонтова 448
«Не любите Вы этих мужчин, mon amie...» 448
«В край далекий уезжая...» 449
«Бодливой корове бог рог не дает...» 449

Романс 450
Старофранцузская песня 450
Красавице, предпочитавшей Феба Купидону 451
Малороссийская песня 452
«Богу молиться об этом грешно...» 453
«Я Вас любил. Люблю. И буду впредь...» 454
«Не унывай, Наташенька, не стоит...» 455
«Есть тонкие, властительные связи...» 455
«Близко к сердцу прими меня, Таша...» 455
«Ах, Наталья, idol mio...» 456
«Ну что, читательница...» 457
«Изливая свою душу...» 457
«Ладно уж, мой юный друг...» 458
«Фотографии Ваши — увы — нечетки...» 459
«Ошеломлен и опешен...» 460
«Потоскуй же хоть чуть-чуть...» 460
Маргиналии 461

Заявка на исследование 461
Венеция 462
«Твоя протестантская этика...» 462
«Сей поцелуй, ворованный у Вас...» 463
«Все говорит мне о тебе...» 463
«Дано мне тело...» 464
«Черный ворон, что ты вьешься...» 464
Великоросская песня 465
Попытка шантажа 466
«Желаний пылких нетерпенье...» 467
С итальянского 467

«Христос воскрес...» 467
«Ты — обожаемая, я — осатанелый...» 468
Во время ссоры 469
Жестокий романс 470
Запрос 470
Дразнилка 471
«Делия! Ты упрекаешь меня, горемыку...» 471
«Гандлевского цитировать в слезах...» 472

«Вот, полюбуйся — господин в летах...» 472
Платонизм 473

К Н. Н. 474

ЮБИЛЕЙ ЛИРИЧЕСКОГО ГЕРОЯ (2000)

По прочтении альманаха «Россия–Russia»

«Только вымолвишь слово "Россия"...» 481
«Блоку жена...» 482
«Дай ответ!! Не дает ответа...».................................... 483
«...Свобода приходит...» 484
«Ну, была бы ты, что ли, поменьше...»............................ 484

Sfiga

Образы Италии 485
«Перцепция с дискурсом расплевались...» 486
«Рим совпал с представленьем о Риме...» 487
Парафразис вторая песни из кинофильма «Девчата» 487
«Как Блок жену свою — О, Русь...» 488
Сальерианское 489
Из Гейне 489
«Так мила ты, и так ты забавна...» 490
«Не час, не день, не год...» 490
Villa Pamphili 491
«С тобою, как с бессмертными стихами...» 492
Взгляд из 1975 года 492

Юбилей лирического героя

«Еще как патриарх не древен я, но все же...» 494
«С новым годом! С новым счастьем...».......................... 495
«На слабо́ меня взяв, как салагу...».............................. 496
«Не ершись, не петушись...»...................................... 496
«То смерть наступает мгновенно...» 497
«Не хочу умирать — и не буду...» 497
«Если баба в сорок пять...» 498
«Российские поэты...» 499
Циническое 499
«Большое спасибо, Создатель ...» 500

Литературно-художественное издание

Серия «Поэтическая библиотека»

Тимур Кибиров

«Кто куда – а я в Россию...»

Редактор
Марина Линчевская

Художественный редактор
Валерий Калныньш

Технический редактор
Вера Позднякова

Верстка
Марина Гришина

Корректор
Людмила Назарова

Выпускающая
Татьяна Боркова

Изд. лиц. № 0985 от 17.02.2000.
Подписано в печать 16.04.01.
Формат 60х70/16. Бумага офсетная.
Гарнитура NewBaskervilleC. Печать офсетная.
Усл. печ. л. 24,96. Тираж 3000 экз.
Заказ № 3724

Издательский Дом «Время».
113326, Москва, ул. Пятницкая, 25.
Телефон: (095) 231-18-77.

Отпечатано в полном соответствии
с качеством предоставленных диапозитивов
в ОАО «Можайский полиграфический комбинат».
143200, г. Можайск, ул. Мира, 93.